Devoción extrema

LA VOZ DE LOS MÁRTIRES

Publicado por
Editorial Unilit
Miami, Fl. 33172

Derechos reservados

© 2003 Editorial Unilit (Spanish translation)
Primera edición 2003

© 2001 por The Voice of the Martyrs
Originalmente publicado en inglés con el título: *Extreme Devotion* por
W Publishing Group, una división de Thomas Nelson, Inc.
P O Box 141000, Nashville, Tennessee, 37214.
Todos los derechos reservados.

Traducido al español por: Rafael B. Cruz

Citas bíblicas fueron tomadas de la Santa Biblia, revisión 1960 © Sociedades
Bíblicas Unidas; Santa Biblia, Nueva Versión Internacional, © 1999 Sociedad
Bíblica Internacional; Dios Habla Hoy, la Biblia en Versión Popular © 1966,
1970, 1979 Sociedad Bíblica Americana, Nueva York; y La Biblia al Día © 1979
por la Sociedad Bíblica Internacional.
Usadas con permiso.

Producto 496715
ISBN 0-7899-1086-1
Impreso en Colombia
Printed in Colombia

Este libro está dedicado a...

esos que eligieron la muerte en lugar de negarlo...
que eligieron la fe en lugar del temor...
y eligieron ser testigos en lugar de apartarse.
A todos los «que el mundo ni siquiera merecía».

Hebreos 11:38, dhh

Reconocimientos

La realización de este proyecto fue un verdadero esfuerzo en equipo y hay muchas personas a las que darles gracias.

Antes que todo, quisiera agradecer a nuestro Dios por su gran amor y dirección. A Él es al que servimos y es para su gloria que escribimos.

Reconozco a todos los mártires, antiguos y modernos, cuyas vidas nos han estimulado a través de su fe y su dedicación. Sin sus ejemplos la iglesia hoy en día estaría en gran desventaja.

Estoy muy agradecido a W Publishing por su compromiso y visión. Sin ellos, este libro hubiera tenido un público mucho más reducido. Es una inspiración ver su deseo de hacer que este tipo de recursos esté disponible a los que desean ir más allá de su comodidad cristiana.

También quiero agradecer y reconocer al equipo de investigación y de escritores que trabajó con mucha diligencia a fin de terminar estas historias. Ginny Cleary, Rick Killiam, Todd Nettleton, Cheryl Odden y Henry «Buddy» Vaughn, todos trabajaron sin cesar junto con el líder del equipo, Steve Cleary.

Por último, doy gracias a Mary Ann Lackland, Dave Veerman, Ashley Taylor, Paige Drygas y Greg Longbons de The Livingstone Corporation, los cuales añadieron a este libro los devocionales tan valiosos y trabajaron muy de cerca con el equipo de W para crear el producto final.

Tom White
Director de Estados Unidos, La Voz de los Mártires

Introducción

Los creyentes que aparecen en este libro no son víctimas; son vencedores. Sus historias se extienden a través de la historia, desde los mismos discípulos de Jesús hasta los mártires de hoy en día. Los perseguidores son de todos tipos, desde romanos hasta rumanos, desde mafiosos hasta musulmanes, y desde seguidores de Confucio hasta comunistas. Sin embargo, cada uno de estos creyentes es un ejemplo para nosotros, un ejemplo de devoción extrema a Cristo. Los creyentes cuyas historias leerá en estas páginas encontraron un deseo aun más profundo que la voluntad humana básica de supervivencia: el deseo de servir a Cristo y ser sus testigos.

*　　*　　*　　*　　*

Cuando comenzamos a recopilar este libro, entramos a una nueva era en Estados Unidos. Los acontecimientos del 11 de septiembre de 2001 cambiaron el rostro del mundo libre y nos lanzaron a una era de preguntas; una era cuando muchos buscarán respuestas en la iglesia; una era en la que la iglesia buscará a Dios y su soberanía para fortaleza.

Nuestra meta fundamental es que este libro se utilice para expandir nuestra manera de pensar e influya en nuestras acciones cuando nosotros mismos nos enfrentemos a enormes dificultades. Por ejemplo, ¿cómo respondemos a los que nos hacen maldad? ¿Cómo respondió Cristo? ¿Cómo respondieron los cristianos en tiempos pasados? ¿Cuál debe ser nuestra actitud hacia las personas de otras religiones si estas se oponen a nosotros con violencia? ¿Se debe arriesgarlo todo para tratar de hablarles del amor de Dios a los que nos pueden matar por hacerlo?

Este libro no contestará todas esas preguntas, pero le garantizo que retará su fe. Cuando lea estas historias de cristianos que sufrieron atrocidades horribles por la causa de Cristo, vea más allá de la tragedia y las dificultades para descubrir las joyas que se encuentran debajo de la superficie.

Enfóquese en la fe contenida en los testimonios de estos valerosos hermanos y hermanas. Reconozca que el mismo Espíritu que mora, o moraba en ellos, también mora en usted, y *crea* que tiene a su alcance la misma medida de fe en cualquier circunstancia extrema.

Cuando lea hasta el final estas historias, también alcanzará una verdadera apreciación de un aspecto radical de la fe obteniendo un entendimiento de la teología del sufrimiento.

La primera parte en comprender esta teología está en darse cuenta que estas historias *no* son historias de tormentos sin esperanza. Tampoco son estos creyentes «súper» cristianos. Sin duda, son extraordinarios por su valentía, por su tenacidad más allá del razonamiento humano y por su devoción a Cristo de una manera que a veces es difícil comprender. Aun así, son en realidad cristianos comunes y corrientes (como nosotros) que se enfrentan a situaciones extraordinarias.

Así que, ¿cuáles son los ingredientes al parecer misteriosos que los motivaron a esa «devoción extrema»?

Sencillamente, su fe en Jesús como Señor, la cual dio lugar a su sufrimiento.

La fe por sí sola es suficiente. El sufrimiento por manos humanas puede ser insoportable, pero cuando se combina con la fe por el reino de Cristo, el sufrimiento fortalece el corazón del cristiano que está dispuesto a perderse a sí mismo para ganar más de Cristo.

Todos los mártires en este libro tienen una pasión en común por Dios. Esta pasión fue lo que prevaleció por encima de sus temores a las severas consecuencias de que los atraparan expresando a otros el amor de Dios.

Quizá parte de su pasión vino de saber el alto precio de lo que poseían. Cuando la fe nos cuesta algo, se vuelve infinitamente más valiosa. Este aspecto de la naturaleza humana es el que ayuda a fortalecer a los cristianos que viven bajo gobiernos represivos que no permiten libertad religiosa.

San Agustín dijo una vez: «La causa, no el sufrimiento, hace un mártir genuino».

La palabra «mártir» en el idioma griego original en realidad significa «testigo».

Los mártires en este libro lograron testificar de manera personal de la verdad y el poder de Jesucristo y creían que debían llevar ese testimonio a otros, sin importar el costo.

En su obra de teatro *Murder in the Cathedral* [Asesinato en la Catedral], T. S. Eliot describe a un mártir como uno «que se ha convertido en un *instrumento* de Dios, que ha perdido su voluntad en la voluntad de Dios, que no la ha perdido sino la ha encontrado porque ha encontrado libertad en *someterse* a Dios. El mártir ya no desea nada para sí mismo, ni siquiera la gloria del martirio».

Ser un testigo lo pone en la línea de fuego. El pastor E.V. Hill contó una vez la historia de una mujer que fue a verlo y le dijo: «Pastor Hill, ore por mí. El diablo me ha estado persiguiendo». El pastor Hill le dijo: «El diablo no la ha estado persiguiendo. Usted no ha hecho lo suficiente para que el diablo la persiga». La meta para todos los cristianos debe ser «hacer lo suficiente» por el reino de Cristo a fin de llamar la atención del diablo.

Cuando le llegue alguna forma de sufrimiento a causa de su testimonio cristiano, nuestra esperanza es que usted, como los que aparecen en este libro, experimente la gloria y la belleza de la *devoción extrema*.

Equipo de escritores de *Devoción Extrema*
La Voz de los Mártires

Pregunta extrema

TURQUÍA: ERCAN SENGUL

Cuando Ercan Sengul comprometió su vida a Cristo en la nación musulmana de Turquía, algunos lo vieron como darle las espaldas a su patrimonio y a su nación. Cuando dijo que haría cualquier cosa por Dios, lo dijo en serio en ese entonces. Sin embargo, ¿y ahora?

Ercan estaba sentado en una celda oscura, húmeda y fría en la cárcel rodeado de compañeros prisioneros. La policía local lo arrestó diciendo que había «insultado al islamismo» distribuyendo libros para una editorial cristiana.

Ercan clamó a Dios, rogando por su rescate. Sabía que no había hecho nada malo y no merecía estar allí. «Tú dijiste que harías cualquier cosa por mí», le susurró Dios al corazón de Ercan. «¿Lo dijiste en serio?»

Quebrantado ante Dios, Ercan lloró y adoró. Le dijo a Dios en su corazón: «Lo dije en serio de verdad». Ercan comenzó a predicar tres horas diarias en la cárcel. ¡Aprendió que Dios le permitió estar encarcelado para darle un nuevo campo misionero! Ercan estuvo en prisión durante treinta días hasta que testigos confesaron que la policía los había presionado a firmar declaraciones y el juez no encontró evidencia de ningún crimen.

El arresto ha aumentado el testimonio de Ercan. Desde que salió de la cárcel, muchos de los que compartieron su celda han visitado su iglesia, preguntando acerca del Dios que le dio paz mientras estaba encarcelado. Ercan aún distribuye con gozo libros cristianos, sabiendo que corre el riesgo de que lo arresten.

Oren también por mí para que, cuando hable, Dios me dé las palabras para dar a conocer con valor el misterio del evangelio, por el cual soy embajador en cadenas. Oren para que lo proclame valerosamente, como debo hacerlo.
Efesios 6:19-20

La mayoría de los cristianos confesaríamos que el sufrimiento no es exactamente lo que tenemos en mente cuando decimos que queremos que Dios nos use. Desde luego, queremos demostrar nuestra fe, pero no hasta el punto de la persecución. Nos molesta que nos pasen por alto en ascensos en el trabajo o nos excluyan de actividades sociales. Nos sentimos menospreciados. Estafados. Timados. Sin embargo, debemos estar dispuestos a buscar a Dios en oración en medio de nuestra desesperación. En el momento que lo hacemos, descubrimos que la oración cambia nuestra perspectiva. Comenzamos a ver oportunidades para crecer. Recibimos esperanza. Encontramos promesa en medio del dolor. Por último comenzamos a descubrir que nuestra situación actual, no importa qué tan injusta e inmerecida sea, al fin y al cabo puede ser parte del plan de Dios. Cuando oramos por la perspectiva de Dios sobre la persecución, descubrimos el valor para ser obedientes a todo costo.

Unidad extrema

MAURITANIA: TIMOTEO

«Dile, Timoteo, ¡por favor!», gritó Maura, rogándole a su esposo. «¡Dile al gobernador dónde están escondidas las Escrituras y sé libre! No soporto ver más de esto». Timoteo y Maura, residentes de la provincia romana de Mauritania, llevaban casados solo unas pocas semanas antes de su arresto.

Maura había observado horrorizada mientras los soldados le sacaban los ojos a su esposo con hierros calientes, tratando de quebrantar su voluntad. Ahora, colgado por los pies con un peso alrededor de su cuello y por orden del gobernador romano Arriano, Timoteo esperaba a que le quitaran su mordaza. El temor que sintió en un inicio cuando lo arrestaron se sustituyó por una sensación de calma divina.

> *Quiero que lo sepan para que cobren ánimo, permanezcan unidos por amor.*
> *Colosenses 2:2*

En lugar de rechazar su fe y dar a conocer el lugar en el que estaban las copias de las Escrituras de su iglesia, como esperaban los soldados, Timoteo regañó a su joven esposa. «No permitas que tu amor por mí esté primero que tu amor por Cristo», animó a Maura, afirmando su disposición y su determinación de morir por su Salvador. Viendo la valentía de su esposo, se fortaleció la propia determinación de Maura.

Arriano, ya enfurecido por la negativa de Timoteo, trató de quebrantar la nueva valentía de Maura. Él la sentenció a las torturas más rigurosas del mundo romano. Sin embargo, no se quebrantaba. Rehusó negar a Cristo.

Después que soportaron un horrible sufrimiento, a Timoteo y Maura los crucificaron, uno al lado del otro.

Jesús no confió su ministerio a creyentes independientes; estableció una familia espiritual. Utilizó palabras como «hermano» y «hermana» a fin de transmitir la idea de que Él no esperaba que sus discípulos estuvieran solos en esto. Pablo continuó la misión de Cristo instruyendo a los nuevos creyentes a reunirse en iglesias para compañerismo y adoración corporativa. Los cristianos se necesitan unos a otros, sobre todo en momentos de pruebas. Cuando un creyente titubea, los compañeros creyentes se unen en apoyo y aliento. Por eso el Nuevo Testamento considera la obligación de vivir por nuestro ejemplo como una necesidad en la fe cristiana. El ejemplo de fe y valentía de una persona es capaz de inspirar y unir a otros a seguir su camino. De la misma manera, cuando un creyente sucumbe bajo la presión de la persecución, es más fácil para otros también darse por vencidos. La historia exalta la camaradería de la comunidad cristiana, en especial durante la persecución.

Disponibilidad extrema

CHINA: PASTOR LI DEXIAN

Inmediatamente después que el pastor Li Dexian comenzó su sermón, las puertas de la casa-iglesia se abrieron de golpe. Agentes armados del Buró de Seguridad Pública China entraron a la habitación, amenazando a todos los presentes y agarrando a Li para arrestarlo.

«Esperen, por favor permítanme tomar mi maletín». Como siempre, el tono del pastor con los agentes era cortés, pero firme.

Los agentes de la policía se sorprendieron por la petición. «¿Qué hay ahí?», preguntaron, agarrando el maletín negro con cremallera y abriéndolo de un tirón. El maletín contenía una frazada y un cambio de ropa, les dijo Li, pues esperaba que lo arrestaran ese día.

Queridos hermanos, no se extrañen del fuego de la prueba que están soportando, como si fuera algo insólito.

1 Pedro 4:12

Al pastor Li lo habían arrestado muchas veces. En dos ocasiones, la policía lo golpeó hasta el punto que vomitó sangre, y una vez le golpearon el rostro con su propia Biblia. A Li le habían advertido que la policía estaba observando la aldea donde él celebraba sus reuniones de los martes. Li sabía que si se presentaba para predicar, lo arrestarían. Hoy en día, a los ciudadanos chinos los pueden enviar a campamentos de trabajos forzados hasta por un período de tres años sin tener un juicio formal.

Los riesgos eran enormes, pero el maletín de Li estaba listo. Más que tener un maletín, sin embargo, tenía su mente y su corazón preparados. Estaba dispuesto a pagar cualquier precio por predicar el evangelio. Estaba convencido de que Dios cuidaría de él, aun en la cárcel.

La disponibilidad es una señal de dedicación. La dedicación que no está preparada al sacrificio es un simple compromiso disfrazado. Por ejemplo, considere el pacto del matrimonio. Le cuesta el egoísmo a una persona y le golpea muy fuerte en su sentido de independencia. Sin embargo, el resultado es un matrimonio más fuerte. Las relaciones que no están dispuestas a sacrificarse a causa de la entrega no duran. La transigencia inflige una pérdida constante y debilita nuestro deseo y nuestra habilidad de estar consagrados. De la misma manera, la entrega del creyente a Cristo debe pagar un precio para mantener su valor. Debemos prepararnos para la prueba de nuestra dedicación afirmando cada día que el cristianismo vale la pena. Vale la pena mantener nuestro tiempo de oración diario. Vale la pena reunirse para adorar en la iglesia. Vale la pena soportar dificultades y pruebas, maltrato y aun arresto por el privilegio de mantener nuestra entrega sin transigir.

Luz extrema

COLORADO: RACHEL SCOTT

«He perdido a todos mis amigos en la escuela. Ahora que comencé a "practicar lo que predico", ellos se burlan de mí». Las notas en el diario de Rachel muestran su desilusión debido a que las mismas personas a las que quería mostrar el amor de Cristo se han alejado de ella. Sin embargo, no se daría por vencida.

«No me voy a disculpar por hablar en el nombre de Jesús. Lo soportaré. Si mis amigos se convierten en mis enemigos por estar con mi mejor amigo, Jesús, está bien conmigo. Siempre supe que ser cristiano significa tener enemigos, pero nunca pensé que mis "amigos" iban a ser esos enemigos».

Hagan brillar su luz delante de todos, para que ellos puedan ver las buenas obras de ustedes y alaben al Padre que está en el cielo.

Mateo 5:16

Rachel era una estudiante en la escuela secundaria Columbine el día que dos estudiantes abrieron fuego en la escuela. Uno de los asaltantes le preguntó si todavía creía en Dios. Ella lo miró a los ojos y dijo que sí, que todavía creía. Él le preguntó el porqué, pero no le permitió contestar antes de matarla.

Rachel Scott pasó su prueba, y porque lo hizo, su luz alcanzó más allá que su escuela alrededor del mundo. Mucho antes que viniera la prueba, Rachel expresó estar dispuesta a entregarlo todo por Cristo. Las palabras de su diario, escritas exactamente un año antes de su muerte, hablan de su compromiso: «No voy a ocultar la luz que Dios puso en mí. Si tengo que sacrificarlo todo, lo haré».

La fe es la expresión invisible de nuestra relación personal con Cristo. La Biblia caracteriza la fe de las personas como una luz, una difusión de esperanza que afecta a todo el mundo a su alrededor. Jesús eligió esta ilustración a causa de la incapacidad de la luz de ser restringida. Por ejemplo, leer con una linterna debajo de una frazada, desconocida por el niño promedio, ¡no es muy efectivo para esconder la actividad tarde en la noche! La luz sencillamente brilla por su propia naturaleza, a pesar de nuestros esfuerzos por restringirla. De la misma manera, la tensión aumenta en la vida de los creyentes cuando ellos deben elegir entre expresar plenamente su fe o tratar de amortiguarla de alguna forma. Con la confiabilidad de la salida diaria del sol, aquellos que han afirmado su decisión definitivamente encuentran que brillar su luz se vuelve parte de su naturaleza.

Oración extrema

CHINA: LA HERMANA WONG

Cuando el agente del Buró de Seguridad Pública entró en la celda de la cárcel china, la hermana Wong se apartó. Este hombre despiadado había arrestado y perseguido a muchos cristianos, y solo unos días antes la había golpeado mientras la interrogaba.

«Por favor, hermana Wong, mi hermana está muy enferma. Ha perdido toda sensibilidad en sus piernas. ¿Podría venir a orar por ella?» ¿Era este el mismo hombre que le confiscó cientos de Biblias y libros cristianos? ¿Ahora estaba pidiendo oración? En verdad, Dios debe haberle hecho prestar atención.

Unos días antes, mientras el agente de la policía interrogaba a la hermana Wong y la ultrajaba, él recibió una llamada telefónica diciéndole que un coche había atropellado a su madre. Cuando le dijo a su madre lo que estuvo haciendo, ella le dijo que su acoso a los cristianos provocó su accidente. El agente tomó la advertencia como una simple superstición.

«Anda, ve a la casa de Judas, en la calle llamada Derecha, y pregunta por un tal Saulo de Tarso. Está orando».

Hechos 9:11

Al día siguiente continuó interrogando a la hermana Wong, pero tuvo otro mensaje que su hermano resultó herido en un accidente. El hermano también culpó los ataques del agente sobre los cristianos por los problemas de la familia. Sin embargo, cuando su hermana se enfermó, le pidió a la hermana Wong que orara.

La hermana Wong vio la oportunidad por la que tanto estuvo orando, la oportunidad de testificar a sus perseguidores. Dios sanó a la hermana, y a través de las acciones de la hermana Wong, Él cambió el corazón del agente. Este devolvió todas las Biblias que confiscó y ahora apoya a la iglesia.

La mayoría de las personas se sienten atraídas de manera extraña por la oración, sobre todo en momentos de heridas y de dolor. Las barreras contra cualquier cosa con vestigios religiosos se desmantelan pieza por pieza cuando alguien pide y recibe oración. Es muy rara la persona que rehúsa una oferta de oración sin ningún otro compromiso. «Estoy orando por usted» pueden ser las palabras más poderosas que un creyente le diga a un no creyente. ¿Por qué? **La oración es el agente** *de Dios para el cambio. Obtiene resultados. Algunas veces cambia las circunstancias. Otras veces invierte decisiones. Más a menudo cambia a los que reciben el toque de la oración. La Biblia dice que la primera acción documentada después de la conversión del antiguo perseguidor de cristianos, Saulo de Tarso, fue la oración. ¿Quién sabe el papel que la oración tomará en la conversión de los «Saulo» que a través del mundo están en este momento enfocados en la destrucción del cristianismo?*

«Culpabilidad» extrema

MADAGASCAR: RANAVALONA

Ranavalona I, la reina de Madagascar, odiaba a los cristianos en su reino. Sus quejas contra ellos eran muchas: despreciaban sus ídolos, siempre estaban orando, siempre iban a la iglesia y sus mujeres eran castas. Así que envió funcionarios para detener a todos los sospechosos de ser cristianos con el propósito de llevarlos a juicio.

Mil seiscientos creyentes, cuando leyeron los cargos, dijeron con confianza, «Culpable». No negarían los cargos porque hacer eso sería negar a Cristo. La reina les ofreció una segunda oportunidad de negar a Cristo e inclinarse a sus ídolos, pero cada uno de ellos rehusó. Los echaron en calabozos oscuros, húmedos y fríos, y a muchos los ejecutaron. La reina estaba aun más enojada debido a que por cada cristiano que ordenaba matar, se levantaban veinte más.

Estén siempre preparados para responder a todo el que les pida razón de la esperanza que hay en ustedes.

1 Pedro 3:15

Después la reina ordenó la ejecución de quince cristianos. Los iban a arrojar por un precipicio de cuarenta y seis metros de profundidad. A los ídolos de la reina los subieron a lo alto del precipicio y a cada cristiano lo bajaron un poco por el borde, atados con sogas.

«¿Adorarán a su Cristo o a los ídolos de la reina?», les preguntaron los soldados a cada cristiano que colgaba al borde del precipicio.

Cada cristiano sencillamente respondió: «A Cristo». Cortaron las sogas y ellos se desplomaron hacia las rocas. Algunos cantaban mientras caían. A una joven la perdonaron y declararon loca. Ella más tarde fundó una iglesia grande.

En la mayoría de los países, a los acusados se les considera inocentes hasta que se compruebe que son culpables. El principio básico es que debe haber una cantidad suficiente de evidencia para declarar culpable de un crimen a una persona. Expresar su fe en Cristo es a menudo una ofensa contra el gobierno en muchos países donde se invierten los papeles del sistema de justicia. Los creyentes son culpables hasta que se compruebe que no lo son. Una persona tendría que rechazar a Cristo para ser inocente, en un tribunal humano, terrenal. Sin embargo en el tribunal del cielo, el veredicto de culpable es en realidad una victoria. «Culpabilidad extrema» significa proporcionar tanta evidencia de su fe en Cristo, ¡que sería imposible salir absuelto del cargo! La paradoja común vale la pena repetirla: Si usted hoy estuviera en un juicio por ser cristiano, ¿habría suficiente evidencia para condenarlo?

*Hemos aprendido que el sufrimiento
no es lo peor en el mundo;
la desobediencia a Dios es lo peor.*

UN PASTOR CRISTIANO VIETNAMITA ENCARCELADO POR SU FE

Cicatrices extremas

JERUSALÉN: TOMÁS

Ya había escuchado los rumores. Es más, Tomás lo había escuchado directamente de otros discípulos que vieron vivo al Maestro. Al menos eso fue lo que dijeron. «Cuando yo vea sus manos y meta mis dedos en los huecos de los clavos, cuando yo ponga mi mano en el hueco en su costado que hizo esa lanza romana, creeré que Él ha resucitado», dijo Tomás.

Lo que Tomás quería no era un milagro. No era alguna gran señal ni prodigio. Solo quería ver las cicatrices en el cuerpo de Jesús, los símbolos de su sufrimiento. Aunque Jesús conquistó la muerte y vivía en un cuerpo glorificado, aún tenía cicatrices, recordatorios del precio que pagó.

Tú, en cambio, has seguido paso a paso mis enseñanzas, mi manera de vivir, mi propósito, mi fe, mi paciencia, mi amor, mi constancia, mis persecuciones y mis sufrimientos [...] lo que sufrí [...] las persecuciones que soporté.

2 Timoteo 3:10-11

Ocho días después Jesús se apareció de nuevo. Qué tonto se debe haber sentido Tomás cuando se encontró cara a cara con el Maestro. Qué absurda debe haber parecido su declaración ostentosa cuando los otros discípulos se la recordaron. Sin embargo, Jesús no regañó fuertemente a Tomás. Mirándolo a los ojos, Jesús le ofreció sus manos, alentándolo a que tocara las cicatrices y a que creyera.

Las cicatrices de Cristo permanecieron después de su resurrección como un recordatorio de su cuerpo que aún sufre. A pesar de que Él conquistó la muerte, su cuerpo en la tierra todavía sufre. Y Él se identifica con quienes en todas partes del mundo llevan cicatrices a causa de su fe en Cristo.

Las cicatrices son nuestras maestras: recuerdos vívidos de lecciones dolorosas. A menudo son feas al verlas y con frecuencia no se señalan a fin de que otros las vean. Así mismo, la cicatriz de la persecución en la iglesia no es a menudo el tema de conversación en muchas reuniones cristianas. Lo consideramos desconcertante. Un misterio. Sin embargo, su propósito es enseñarnos. La persecución desempeña un papel importante en el maravilloso plan de Dios de modo que el mundo entero escuche y responda al evangelio. Jesús llevó sus cicatrices de manera pública. A decir verdad, alentó a Tomás a que las tocara para enseñarle. Sus cicatrices son nuestras maestras, recordándonos del precio que se pagó por nuestra salvación. Debemos continuar aprendiendo sobre el precio que ha pagado la iglesia perseguida, no pasarlo por alto.

Elección extrema

INGLATERRA: JOHN LAMBERT

«¿Optará por vivir o morir? ¿Qué me dice?»

El que hacía la pregunta era Enrique VIII, el rey de Inglaterra, que tenía poder irrestricto sobre la tierra. El «criminal» que estaba de pie delante de él, acusado de herejía, era John Lambert, un tutor de griego y latín.

Lambert desafió con audacia a su pastor por haber predicado un sermón que no estaba de acuerdo con las Escrituras. A Lambert lo llevaron ante el arzobispo de Canterbury y después ante el rey Enrique. Citando de las Escrituras y explicando el griego original, Lambert presentó su caso a una asamblea de obispos, abogados, jueces y colegas. Las dos partes discutieron con celo de un lado a otro hasta que Enrique, aburrido de ello, presentó a Lambert una elección final:

—Después de todas las razones e instrucciones de estos hombres entendidos, ¿está ahora satisfecho? ¿Optará por vivir o morir? ¿Qué me dice?

Elijan ustedes mismos a quiénes van a servir [...]. Por mi parte, mi familia y yo serviremos al SEÑOR.

Josué 24:15

Lambert respiró profundo y respondió con confianza:

—Yo encomiendo mi alma a las manos de Dios, pero mi cuerpo doy a su clemencia.

—Usted debe morir —respondió con desprecio Enrique—, porque yo no seré un patrocinador de herejías.

Condenado por herejía, Lambert murió en la hoguera. Lambert se mantuvo erguido en su muerte lenta y tormentosa. Levantó sus manos en adoración, declarando: «¡Ninguno sino Cristo! ¡Ninguno sino Cristo!».

En la era moderna de las posibilidades, nuestro derecho de elegir ha crecido casi de modo insaciable. Doscientos canales de televisión son un derecho «básico», equivalente a la misma libertad. Queremos opciones. Variedad. Surtido. Aun nos entregan cada día en la puerta las decisiones mundanas: qué ponernos, qué comer, qué conducir o qué hacer. Sin embargo, nuestras elecciones ya no son utilitarias; son prácticamente ilimitadas. En contraste, cuando las mayores preguntas de la vida llegan a nosotros, solo tenemos una respuesta que dar: «Ninguno sino Cristo». ¿Hay algún otro camino al cielo? Ninguno sino Cristo; Él es el Camino. ¿Hay alguna otra prioridad en la vida que merezca nuestra devoción total? Ninguna sino Cristo; Él es supremo. ¿Puede alguna otra persona satisfacer el anhelo del corazón humano? Ninguno sino Cristo es capaz de satisfacerlo. Vea usted, la verdad no tiene alternativa. Cuando las preguntas más grandes de la vida vienen, y vendrán, ¿está preparado para testificar que de todas las posibilidades «ninguna sino Cristo» será satisfactoria?

Traición extrema

RUMANIA: EL HERMANO VASILE

En la Rumania comunista, cerraron las iglesias y arrestaron a los pastores como parte de una campaña de siete años para «eliminar toda superstición de las naciones».

Así que cuando el hermano Vasile y su esposa comenzaron a celebrar más reuniones de la iglesia en su pequeña casa, sabían que siempre no escaparían de la atención del gobierno. Cada noche Vasile oraba: «Dios, si tú sabes de algún prisionero que necesita mi ayuda, envíame de nuevo a la cárcel». Su esposa se estremecía cuando ella decía entre dientes un «amén» de mala gana.

Perdónanos nuestras deudas, como también nosotros hemos perdonado a nuestros deudores.

Mateo 6:12

Entonces se enteraron de que se había llevado a cabo una redada en la casa de uno de los miembros de la iglesia y que se confiscaron copias de los sermones de Vasile. También se enteraron de que el pastor asistente, su amigo y colaborador, se convirtió en un informante y denunció a Vasile.

Era la una de la mañana cuando la policía invadió el pequeño apartamento y arrestó a Vasile. Mientras lo esposaban, Vasile dijo: «Yo no saldré de aquí de forma pacífica a no ser que me permitan unos minutos para abrazar a mi esposa». La policía accedió a regañadientes. Se saldrían con la suya en corto tiempo.

La pareja se abrazó, oraron y cantaron con tanta emoción que incluso el capitán se conmovió. Al final, lo escoltaron hasta una camioneta de la policía mientras la esposa de Vasile corría llorando detrás de ellos. Vasile se volteó y gritó sus últimas palabras antes de desaparecer por muchos años: «Dale todo mi amor a nuestro hijo y al pastor que me denunció».

La traición extrema requiere un perdón extremo. Si nuestros enemigos vienen en contra nuestra con tal ferocidad, ¿no deberíamos ser generosos de igual manera con nuestro acto de perdón? Cuando nuestro enemigo se rebaja tanto como para denunciarnos, ¿no debemos ascender más alto para encontrar la disponibilidad de perdonarlo? Jesús nos enseñó que perdonar la maldad es por nuestro propio bien. La traición profunda puede causar que cerremos nuestro corazón a nuestra propia experiencia del perdón. Si encuentras que es mezquino en el ámbito del perdón, experimentará un sentido escaso de liberación de sus propios pecados. Es bastante malo que nos traicionen. Amargarse es una derrota que no se puede permitir. ¿A quién necesita ofrecer un perdón exorbitante hoy?

Regalo extremo

RUSIA: EL CAPITÁN MARCO

«¿Qué es eso?» El capitán soviético Marco le gruñó al niño. «¿Qué quieres?»

El niño, de solo doce años de edad, tragó su temor mientras se paraba frente al agente comunista. «Capitán, usted es el hombre que echó a mis padres en la cárcel. Hoy es el cumpleaños de mi madre y yo siempre le compro una flor para su cumpleaños.

»Como mi madre me enseñó a amar a mis enemigos y a recompensar el mal con el bien, he traído la flor para la madre de sus hijos en su lugar. Por favor, llévesela a su casa para su esposa esta noche, y háblele de mi amor y del amor de Cristo».

Ustedes, por el contrario, amen a sus enemigos, háganles bien.
Lucas 6:35

El capitán Marco, que había observado impasible mientras golpeaban y torturan sin misericordia a los cristianos, estaba anonadado por el acto de amor de este niño. Las lágrimas le corrieron mientras poco a poco le dio la vuelta a su escritorio y tomó al niño en un abrazo paternal. El corazón de Marco cambió por el regalo del amor de Cristo. Ya no podía arrestar y torturar a los cristianos, y pronto a él mismo lo arrestaron.

Unos pocos meses después de la visita del niño a su oficina, Marco estaba desplomado en una celda inmunda rodeado de algunos de los mismos cristianos que él arrestó y torturó antes. Entre lágrimas, le contó a sus compañeros de celda acerca del niño y el sencillo regalo de una flor. Consideraba un honor compartir una celda con los que antes persiguió y atacó.

La generosidad es parte de la naturaleza del cristiano. Jesús enseñó que otros reconocerían a los verdaderos creyentes por sus demostraciones de amor. Y no solamente hacia aquellos que nos aman. A menudo, la generosidad hacia personas que no conocemos y aun hacia enemigos es la mejor aplicación de las enseñanzas de Jesús. Testigos de nuestros actos, si no es que son los mismos receptores, se quedan perplejos al verlos. Imagínese un obrero cristiano herido que ora por el patrón que lo despidió injustamente. Imagínese el impacto de padres afligidos que le dan el regalo del perdón a un conductor ebrio. El mundo no comprende la generosidad. Sin embargo, de todos modos es afectado por ella. Encontramos que nunca somos más como Dios mismo que cuando damos a otros generosamente. Dios dio a su único Hijo para demostrar su amor por el mundo y comprar nuestra salvación. ¿Qué pudiera usted dar hoy que pudiera abrir el corazón de alguien al reino de Dios?

Misionera extrema

PAKISTÁN: SALEEMA Y RAHEELA

«Si promete cargar su cruz, será una vida llena de espinas, montañas y dificultades», dijo la adolescente pakistaní con una voz firme. Saleema, una cristiana que vive en Pakistán, un país dominado por musulmanes, hablaba de su fe a una compañera de escuela, Raheela, que más tarde aceptó a Cristo.

La familia furiosa de Raheela acusó a Saleema de «convertir a un musulmán», un cargo que puede llevar a la pena de muerte en Pakistán. A Saleema y a su pastor los arrestaron, y la policía interrogó y golpeó a los padres de ella. Saleema fue víctima de ultraje mientras estaba bajo custodia policíaca, pero no negaría su fe. Es más, cantaba con suavidad cánticos cristianos en la cárcel, esperando atraer a otros a Cristo.

Pido a Dios que el compañerismo que brota de tu fe sea eficaz para la causa de Cristo mediante el reconocimiento de todo lo bueno que compartimos.

Filemón 6

Raheela se fugó de su casa, pero su familia la persiguió. Cuando le ofrecieron una última oportunidad de retractarse de su fe y regresar a Mahoma, se negó. Por su «crimen» su propia familia ejecutó a Raheela.

Saleema pasó a través de un extenso proceso judicial. La familia de Raheela la culpaba por la muerte de su hija. Al final, retiraron los cargos. Sin embargo, la vida de Saleema nunca será la misma. Se vio obligada a mudarse a otra parte de Pakistán por temor a que los musulmanes radicales la mataran. A pesar de todo, las espinas, las montañas y las dificultades no han atenuado su fe. A decir verdad, se está preparando para servir como misionera. Dice: «No importa cuán grande es la montaña, ¡Jesús le ayudará a vencerla!».

Los misioneros a menudo se les califican mal como un tipo de fuerzas especiales... una tropa singular en el ejército de fe de Dios que actúa a nuestro favor. La verdad es que cada creyente tiene el llamado a ser un misionero. Algunas de las obras más valiosas de Dios quizá ocurran alrededor de la mesa de la cocina, tomando café, en la casa del vecino de al lado. El corazón de nuestra misión permanece igual dondequiera que nos lleve nuestra misión. Tenemos el compromiso de expresar el amor de Cristo. Para algunos, testificar de su fe a sus mejores amigos sería una hazaña de proporciones heroicas. Para otros, una variedad de contextos culturales formará su campo misionero. La medida de nuestra misión no es lo importante. Lo que importa es nuestra motivación. ¿A qué extremo está dispuesto a ir con el fin de declarar las buenas nuevas de Cristo?

Costos extremos

INDIA: EL DOCTOR P.P. JOB

«Sentía como si me hubieran cortado uno de mis brazos», dijo el doctor P. P. Job. Era el sermón más difícil de su vida: el funeral de su propio hijo. Su voz estaba llena de emoción. «Sin embargo, con cualquier cosa que me quede, continuaré sirviendo al reino de Cristo».

El doctor Job dirige la obra de La Voz de los Mártires en la India y a menudo arriesga su vida viajando para alentar a los cristianos en países restringidos. Predica también en grandes cruzadas en la India y ha visto a millares entregarse a Cristo.

Su obra ha enojado a los hindúes radicales en su patria. En junio de 1999, una roca lanzada a través de la ventanilla de su coche le pegó al doctor Job en la frente, dejando una herida ensangrentada. Una semana más tarde, Michael, el hijo menor del doctor Job, caminaba cerca de la escuela de medicina donde estudiaba para ser médico. Un Fiat que venía a exceso de velocidad se estrelló contra Michael y después se marchó. Nunca encontraron al responsable. Michael, con enormes heridas, cayó en coma y falleció unos días más tarde.

Ahora sé que temes a Dios, porque ni siquiera te has negado a darme a tu único hijo.
Génesis 22:12

Como lo prometió, la pérdida de su hijo no ha detenido el ministerio del doctor Job. Desde la muerte de Michael, el doctor Job ha predicado en más cruzadas, ganando a miles para Cristo. El costo del ministerio del doctor Job ha sido alto: su propio hijo. Sin embargo, no está solo. Dios también sabe lo que es perder a un hijo a fin de que otros alcancen la salvación.

El camino por delante de la iglesia perseguida es empinado y puede ser largo. Por más de dos mil años, el mal ha motivado a muchos en su oposición al evangelio de Cristo. Como cristianos debemos estar dispuestos a pagar un precio, aun si nunca se nos requiere que lo hagamos. Esta es la lección de la vida de Abraham. Estaba dispuesto a sacrificar a Isaac, a través del cual iba a venir la promesa. Estar dispuesto a sacrificarnos por nuestra entrega a Cristo nos hace más fuertes. La idea del sacrificio aclara nuestras metas. El sacrificio solidifica nuestro carácter. Los compromisos que nos cuestan algo cambian nuestra familia, nuestro vecindario y nuestro mundo para Cristo. Aprendemos qué tan fuertes podemos ser en verdad. Aunque no deseamos perder lo que estimamos, nos esforzamos para mantenernos inmutables en nuestra devoción, a pesar de cualquier circunstancia.

Señor, hazme un instrumento de tu paz
Donde hay odio, permíteme sembrar amor;
Donde hay agravio, perdón;
Donde hay duda, fe;
Donde hay desesperación, esperanza;
Donde hay oscuridad, luz;
Donde hay tristeza, gozo.

Ah Maestro Divino, permíteme que yo pueda
No tanto buscar ser consolado, como consolar;
Ser comprendido, como comprender;
Ser amado, como amar.
Porque es en dar que recibimos.
Es al perdonar que somos perdonados.
Es en morir que nacemos a la vida eterna.

SAN FRANCISCO DE ASÍS

Sonrisa extrema

SIBERIA: PAULO

Se estaba haciendo tarde, y el agente soviético había golpeado y torturado a Paulo por muchas horas. «No vamos a torturarlo más», dijo él, sonriendo con brutalidad cuando el cristiano levantó la vista. «En lugar de eso lo vamos a enviar a Siberia, donde la nieve nunca se derrite. Es un lugar de gran sufrimiento. Usted y su familia encajarán bien».

En lugar de estar deprimido, Paulo sonrió.

—Toda la tierra pertenece a mi Padre, capitán. A dondequiera que me envíe yo estaré en la tierra de mi Padre.

—Le quitaremos todo lo que posee —dijo el capitán mirándolo con aspereza.

—Necesitará una escalera alta, capitán, porque mis tesoros están guardados en el cielo —respondió Paulo todavía con una sonrisa preciosa.

—Le pondremos una bala entre sus ojos —gritó el capitán, ahora enojado.

—Si me quita la vida en este mundo, comenzará mi verdadera vida de gozo y belleza —respondió Paulo—. No le tengo miedo a la muerte.

El capitán agarró a Paulo por su camisa de prisionero hecha jirones y le gritó al rostro:

—¡No lo mataremos! ¡Lo mantendremos encerrado solo en una celda y no permitiremos que nadie vaya a verlo!

—Usted no puede hacer eso, capitán —dijo Paulo, aún sonriendo—. Yo tengo un Amigo que puede pasar a través de puertas cerradas y barrotes de hierro. Nadie me puede separar del amor de Cristo.

¿Quién nos apartará del amor de Cristo? ¿La tribulación, o la angustia, la persecución, el hambre, la indigencia, el peligro, o la violencia?

Romanos 8:35

A pesar de un futuro incierto, estamos seguros de una cosa: Cristo lo enfrentará con nosotros. Ya sea que estemos pasando a través de una prueba privada o una aflicción pública, nunca vamos a estar solos. En contraste, todo compañero humano nos fallará en algún momento. Habrá lugares en el peregrinaje de la vida donde no pueden caminar con nosotros; el agua estará muy profunda y su entendimiento estaría turbio en el mejor de los casos. Solo Jesús tiene la habilidad de pasar a través de los «barrotes de hierro» de nuestros corazones que sufren y compartir esos tiempos difíciles. Aunque, en su sabiduría, Él puede optar por no liberarnos de nuestras circunstancias, su presencia segura nos ayudará a través de ellas. Sonría, sabiendo que tiene un Amigo del cual nunca lo lograrán separar.

Sacrificio extremo

Se apiñaron en la habitación mientras escuchaban los gritos de sus compañeros cristianos que los masacraban afuera. El pastor Hendrick Pattiwael y su esposa ayudaban a dirigir el campamento juvenil en Indonesia, y se sentían responsables por las personas jóvenes bajo su cuidado.

El campamento había sido un tiempo gozoso de crecimiento espiritual y adoración. Entonces los atacaron.

Cuando la multitud radical musulmana rodeó el edificio donde se escondieron, el pastor Pattiwael salió afuera. Distrayendo la atención de la turba sedienta de sangre de su esposa y de los jóvenes, atacaron al pastor mientras los otros escapaban.

Por lo tanto, hermanos, tomando en cuenta la misericordia de Dios, les ruego que cada uno de ustedes, en adoración espiritual, ofrezca su cuerpo como sacrificio vivo, santo y agradable a Dios.

Romanos 12:1

«Jesús, ayúdame». Esas fueron sus últimas palabras.

Su esposa lo vio de nuevo tendido en un ataúd. Horribles heridas cruzaban su torso y sus brazos. Anonadada y furiosa, la señora Pattiwael clamó a Dios. «¿Cómo pudiste permitir que sucediera esto? ¿Por qué no protegiste a mi esposo?»

Sin embargo, el Espíritu Santo le recordó las palabras de su esposo unos días antes del ataque. «Si tú amas a Jesús, pero me amas a mí o a tu familia más, no eres digna del reino de Cristo». Le dijo que estaba dispuesto a morir por el reino de Cristo.

Recordando esas palabras, ella rehusó amargarse. En la actualidad sigue trabajando con su iglesia en Indonesia. El consejo que les daría a los cristianos en las naciones libres es sencillamente este: «Busquen a Dios con más fervor, a fin de que se mantengan firmes en medio de mayores problemas».

No tenemos que buscar problemas. Ellos ya tienen nuestra dirección. Jesús les recordó a menudo a sus discípulos que las pruebas son parte de la vida cotidiana. Buscar a Dios con más fervor no significa buscar más problemas para nuestras vidas. No, el beneficio de buscar una relación más profunda con Dios es para prepararnos mejor para lo inevitable. No podemos elegir los problemas que surgen en nuestro camino. Sin embargo, podemos elegir tener una relación con Dios que nos prepare para enfrentar problemas. Algunas pruebas quizá signifiquen perder nuestras vidas por la causa de Cristo. Aun así, este no es el verdadero sacrificio. El sacrificio extremo debe venir mucho antes. Debemos sacrificar el egoísmo en todos los niveles para desarrollar con antelación una intimidad con Dios. Cuando hemos sacrificado todo para seguir tras una relación preeminente con Cristo, ya habremos hecho la parte más difícil.

Dolor extremo

SUDÁN: NIÑOS SUDANESES

«Díganlo con nosotros», gritaron los soldados, pateando y golpeando los rostros y los estómagos de los niños. «Alá es Dios y Mahoma es su profeta. Díganlo».

Los cuatro niños sudaneses lloraban y gritaban por sus madres, pero rehusaban repetir las palabras que significarían salvar sus vidas y renunciar a su cristianismo. Su sangre roja comenzó a correr sobre su piel negra, pero no renunciarían a su fe en Cristo.

Los adolescentes mayores miraban horrorizados. Ya habían visto a sus familias del sur de Sudán asesinadas por guerreros islámicos con espadas. Ahora observaban mientras a sus cuatro jóvenes amigos y familiares, el más pequeño de solo cinco años de edad, los mataban a golpes.

Pero si alguien sufre por ser cristiano, que no se avergüence, sino que alabe a Dios por llevar el nombre de Cristo.
1 Pedro 4:16

Ya los soldados habían forzado a cada niño mayor a acostarse sobre carbones encendidos y les habían ordenado a que repitieran el credo musulmán y se unieran a la fe islámica. Ninguno de los niños diría las palabras a pesar del insoportable dolor.

Hubo catorce niños y trece niñas secuestrados en la redada de ese día. Nunca se han encontrado a las niñas y es probable que las vendieran como esclavas o concubinas en el norte de Sudán. Torturaron a todos los niños, pero ninguno cedió.

La noche siguiente los niños mayores escaparon, todavía mostrando las cicatrices de las noches anteriores. Ninguno renunció a su fe.

A menudo el dolor juega un papel importante en el plan de Dios. Es lamentable, pero no hay otra experiencia igual en su habilidad de dominar y enfocar nuestra atención. El dolor físico de una larga enfermedad o de una herida repentina toma toda la atención del cuerpo humano. El cerebro envía señales a través del sistema nervioso a enfocar los recursos del cuerpo en la fuente del problema. De la misma manera, el dolor emocional es también difícil de pasar por alto. La angustia de perder a un ser querido por circunstancias crueles como el cáncer o la enfermedad, la persecución o la injusticia puede ser casi abrumadora. Tenemos dos opciones para lidiar con cualquier situación que nos lleve al dolor. Podemos darnos por vencidos. O podemos crecer. Los que experimentan dolor pueden ser ministros singulares de la gracia de Dios. Como un atleta en entrenamiento cuyos músculos tienen que agotarse a través de tensión y ejercicio a fin de hacerse más fuertes, el dolor es nuestro camino a un nuevo crecimiento.

Oposición extrema

RUMANIA: RICHARD WURMBRAND

«Yo admiro a los comunistas». Las palabras parecían extrañas viniendo de un pastor que pasó catorce años en cárceles comunistas, pero Richard Wurmbrand era sincero cuando las decía.

«Muchos comunistas estaban dispuestos a morir para defender su "Utopía". Estaban más comprometidos a su causa que algunos que conozco en las iglesias».

En todo enemigo el pastor Wurmbrand veía un amigo y un cristiano potencial. Amando a sus oponentes, no solo vio a muchos llegar a conocer a Cristo, sino que también aumentó sus oportunidades de testificar.

«Ustedes han oído que se dijo: "Ama a tu prójimo y odia a tu enemigo." Pero yo les digo: Amen a sus enemigos y oren por quienes los persiguen».
Mateo 5:43-44

«Cuando me llamaron un "judío sucio" y le dijeron a todo el mundo que no leyera mis libros, las personas de inmediato salían para ver qué tenía que decir este "judío sucio"», dijo mientras se reía entre dientes. «Yo recibo bien a cualquiera que tenga una ofensa en contra de mí. Otros no están siempre interesados en lo que usted tiene que decir. Necesita retarlos a aceptar la verdad antes de expresarles sus creencias. Para hacer eso debe comprender el punto de vista de ellos y hablarles con inteligencia. Sin embargo, también debemos recordar hablar siempre con amor».

Las palabras del pastor Wurmbrand no eran algún tipo de ideal noble que no ejemplificara. Él y su esposa Sabina recibieron con los brazos abiertos en su hogar a un agente nazi que trabajó en el mismo campo de concentración donde exterminaron a toda la familia de Sabina. Cuando el agente vio su perdón y su amor por él, lo ganaron para el reino.

Nota: Estas declaraciones se hicieron durante una de las últimas entrevistas con el pastor Wurmbrand antes de su muerte en febrero de 2001.

Jesús nos enseñó que otros reconocerían nuestra fe por nuestro amor, en especial cuando se refiere a tratar con la oposición. La manera en que tratamos a nuestros enemigos es igual de importante a cómo tratamos a los de nuestra propia familia cristiana. Es más, nuestra respuesta a las críticas a menudo es una declaración mayor a favor del cristianismo que cualquier otro ejemplo. Cuando los creyentes ponen en práctica este poderoso principio de le fe cristiana, se distinguen del resto del mundo. La respuesta natural a la oposición es refutarla o devolverles la acción. En lugar de eso, los creyentes se esfuerzan para comprender a sus enemigos, no socavarlos. La oposición, cuando se pone desde esta perspectiva, es acogida como una oportunidad de poner nuestra fe en práctica e imitar los mandamientos de Cristo.

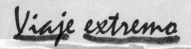

Viaje extremo

EL TITANIC: DOCTOR ROBERT BATEMAN

El doctor Robert Bateman ayudó con cuidado a su cuñada a entrar en el bote salvavidas. «No estés nerviosa, Annie. Esto probará tu fe. Yo me debo quedar y ayudar a los otros. Si nunca nos vemos de nuevo en esta tierra, nos veremos de nuevo en el cielo». Bateman dejó caer su pañuelo a la mujer mientras bajaban el bote a las oscuras y heladas aguas abajo. «Ponte eso alrededor de tu cuello, Annie. Pescarás un resfriado».

Entonces el doctor Bateman reunió unos cincuenta hombres en la popa del barco y les dijo que se prepararan para la muerte. Antes en ese día, había celebrado el único servicio religioso en el gran barco, un culto que terminó con su himno favorito «Cerca de ti, Señor».

El corazón humano genera muchos proyectos, pero al final prevalecen los designios del SEÑOR.
Proverbios 19:21

Robert Bateman había fundado la Misión de Central City en Jacksonville, Florida, un faro espiritual en una ciudad casi siempre llena de marineros ebrios. Lo llamaban «El hombre que distribuye más luz del sol humano que ningún otro en Jacksonville». Bateman fue a Inglaterra a estudiar trabajo social cristiano y venía de regreso a Estados Unidos para poner en práctica lo aprendido.

Sin embargo, tarde en la noche del 14 de abril de 1912, el barco de Bateman chocó con un iceberg. Bateman guió a los hombres que estaban con él en la popa en el Padrenuestro. Mientras la banda tocaba «Cerca de ti, Señor», el gran barco Titanic se hundió bajo las olas.

¡Se dice que una manera segura de hacer reír a Dios es decirle nuestros planes! Cuando aceptamos a Cristo, emprendemos la mayor aventura de nuestra vida. Para que el peregrinaje valga la pena, debemos someternos a su dominio: el capitán del barco. Él organiza el peregrinaje de nuestra vida como estima apropiado, navegando a través de nuestros caprichos y deseos hacia metas mayores. A veces, aun en el peor de los tiempos, su mapa parece anticuado y nos preguntamos si ha perdido el camino. Rocas dentadas sobresalen de las turbias profundidades. La noche sin luna nos envuelve en su oscuridad. Qué tentados nos sentimos en ese momento de tomar el control de los planes para nuestra vida. El viaje es una aventura de fe, no obstante, si se le puede llamar así. Los planes de Dios para nuestras vidas nos guían en direcciones que nosotros quizá no elegiríamos jamás por nuestra propia cuenta. Pero Él sabe lo mejor.

Paso de fe extremo

EGIPTO: UN LÍDER DE JÓVENES CRISTIANO

«He aquí mi plan», dijo el joven líder cristiano al grupo de jóvenes. «A las ocho y media deben comenzar a distribuir en la universidad las invitaciones para la reunión. Deben entregarlas con rapidez antes de que llegue la policía secreta y les pregunte lo que están haciendo. Si no se las pueden dar a alguien, déjenlas en algún lugar. Dios las pondrá en las manos apropiadas».

—¿Quieres que pasemos las invitaciones *antes* de tener permiso?

Imágenes de ser arrestados por la policía egipcia pasaron por las mentes de los hombres y mujeres preocupados que estaban reunidos con su líder.

Ahora bien, la fe es la garantía de lo que se espera, la certeza de lo que no se ve.

Hebreos 11:1

—¡Exactamente! Miren, tenemos que poner en acción un poco de fe. Daremos el primer paso y el resto está en manos de Dios.

En Egipto, las reuniones cristianas se vigilan con sumo cuidado y no se pueden celebrar sin la aprobación del gobierno. Poco después de las ocho y media, el líder de jóvenes llamó a la policía para solicitar permiso para celebrar una reunión cristiana.

—Tiene que llenar los formularios apropiados y le notificaremos en alrededor de un mes.

—Lo siento mucho, señor, pero ya comenzamos a distribuir las invitaciones para la reunión —respondió el cristiano preocupado.

—¿Por qué entregó invitaciones antes de recibir la aprobación? Usted sabe que necesitamos aprobar dichas reuniones. Bueno, creo que como ya ha entregado las invitaciones aprobaré la reunión esta vez.

Poner su fe en acción es todo acerca de dar el primer paso en un trayecto incierto. Como le dirán otros que hicieron ese trayecto, no es ir en sí lo que es difícil. Es «ir sin saber» lo que resulta un poco desconcertante. No hay mapas en un trayecto de fe. Navegamos por la luz de la estrella de la provisión de Dios. Es una aventura fuera del camino que nos lleva a lugares que no podemos ver desde la carretera principal de la vida. Hizo falta una gran fe para que los creyentes enviaran invitaciones a una reunión que no estaban seguros que les permitirían. Dios honró su paso de fe bendiciéndolos con trescientos nuevos convertidos esa noche. ¿Está usted listo para dar un paso de fe?

Durante la última guerra nos enseñaron que, para obtener nuestro objetivo, teníamos que estar dispuestos a ser prescindibles [...]. Sabemos que solo hay una respuesta cuando nuestro país exige que tomemos parte en el precio de la libertad; pero cuando el Señor Jesús nos pide pagar el precio por la evangelización del mundo, a menudo respondemos sin palabras. No podemos ir. Decimos que cuesta demasiado [...]. Los misioneros constantemente se enfrentan a ser prescindibles.

NATE SAINT, MISIONERO MARTIRIZADO
EN LA SELVA ECUATORIANA EN 1956

Decreto extremo

LAOS: CRISTIANOS

El siniestro sello rojo al final de la página llevaba la insignia de la oficina comunista del distrito en esa parte de Laos. Para los cristianos locales, las palabras eran aun más siniestras.

«Si a cualquier persona, cualquier tribu, cualquier familia la engañan a creer en otras religiones, tales como el cristianismo u otras, deben regresar a la religión en la cual creyeron [anteriormente]», declaraba el documento. «Está prohibido propagar esa religión. Por el contrario, esos creyentes ten-

Respondiendo Pedro y los apóstoles, dijeron: Es necesario obedecer a Dios antes que a los hombres.
Hechos 5:29, RV-60

drán que mudarse y vivir en las áreas nuevas. Si hay alguna aldea o familia que cree en otra religión [...] los miembros del comité del partido deben recolectar las estadísticas y hacer una lista de esos grupos de personas [...] y enviarla a la Oficina del Frente para la Construcción. Quisiéramos saber especialmente cuántos creen en Jesús y son cristianos en el distrito». El documento con fecha del 18 de julio de 1996 lo firmó el «Comité Permanente del Frente para la Construc-

ción».

Más recientemente a los cristianos de Laos los han obligado a firmar, a menudo a punta de pistola, un documento renunciando a su conversión al cristianismo. Para el gobierno ateo, parece que cualquier religión es más aceptable que adorar a Jesucristo.

A pesar de los esfuerzos del gobierno, la iglesia en Laos está creciendo a medida que los cristianos testifican de su fe con audacia.

Cuando la autoridad humana contradice los mandamientos de Dios, se traza una línea: hay que hacer una elección. O bien nos resignamos a la autoridad humana o nos alineamos a los mandamientos de Dios y nos arriesgamos a las consecuencias. Mientras que la paz es nuestro objetivo fundamental, no podemos cambiar nuestras prioridades de acuerdo con las exigencias humanas. Por ejemplo, el gobierno de los Estados Unidos ha declarado que la oración es una actividad ilegal en las instalaciones de las escuelas. Sin embargo, en realidad no pueden eliminar la oración de los estudiantes y la facultad que desean tener comunión con su Dios. Otros pueden decretar una restricción religiosa similar o peor. No obstante, Dios está por encima de su autoridad, ya que solo Él es Rey sobre el corazón humano. Nosotros podemos elegir con confianza obedecer a Dios en lugar de hacerlo a la autoridad humana como un acto de nuestra voluntad.

Contrabandista extremo

CHINA: WATCHMAN NEE

Watchman Nee, el líder de la iglesia china, solo tenía seis horas. Necesitaba guiar al guardia enfrente de su celda a Cristo a fin de que se entregara su carta de aliento a los cristianos fuera de la prisión.

El gobierno del presidente Mao estaba enfurecido por la diseminación del cristianismo en China. Para detener la expansión de esta «secta extranjera», obligaba a salir a todos los misioneros extranjeros, o los mataban, y enviaban a miles de líderes de la iglesia china a la cárcel o a campamentos de «reeducación a través del trabajo forzado». Sin embargo, la iglesia seguía creciendo.

Con este fin trabajo y lucho fortalecido por el poder de Cristo que obra en mí.
Colosenses 1:29

Cuando la policía descubrió que las bellas y poderosas cartas de aliento de Nee estaban saliendo de la prisión y llegando a manos de los cristianos, doblaron el número de guardias y nunca le permitían a un guardia estar afuera de la celda de Nee más de una vez. Acortaron los turnos a seis horas, esperando que Nee no tuviera tiempo de convertir al guardia.

Nee le habló al guardia acerca del amor del Padre y su disposición de ofrecer su propia sangre para que el guardia viviera para siempre en el cielo. «El comunismo no lo puede llevar al cielo», dijo él. «Solo la sangre de Jesucristo puede hacer eso».

Cinco horas después de comenzar el sermón, el guardia aceptó a Cristo con lágrimas que le corrían de sus ojos. A pesar de todo, se ganó un alma más para el reino y otra de las cartas de Watchman Nee se entregaría con toda seguridad.

Si los mártires cristianos nos enseñan algo, es que debemos utilizar energía creativa a fin de promover el evangelio. Su ingenio, valentía, y aun astucia, debe despertar nuestro propio espíritu para diseminar las Buenas Nuevas. Mientras que no todo el mundo tiene la oportunidad de pasar Escrituras de contrabando a áreas restringidas, todavía podemos ser siervos dispuestos para el reino. Pudiera significar tener una carne asada en el patio para los vecinos. Pudiera significar inscribirse para tomar lecciones de golf u otra clase en la comunidad con el propósito de conocer a personas que no van a la iglesia. Un nuevo método de testificar siempre tiene riesgo de consecuencias. Sin embargo, siempre debemos estar dispuestos a correr el riesgo en lugar de conformarnos con la mediocridad. ¿Cuál describe su vida evangelizadora hoy? ¿Mundana y mediocre? ¿O creativamente enérgica para Cristo?

Posesiones extremas

PERÚ: EL PASTOR ZAPATA

«En Perú, los cristianos no esperan obtener algo por servir a Jesús», dijo el pastor Zapata. «Ellos esperan dar algo». En las afueras del tranquilo pueblo en las montañas, el pastor Zapata mostró a sus invitados una hilera de cruces blancas hechas a mano, cada una representando a un cristiano muerto por los insurgentes comunistas.

Yaciendo frente al pastor Zapata dentro de la pequeña casa en el pueblo estaba el cuerpo de otro pastor que la noche anterior habían matado los guerrilleros. Su cuerpo, cubierto por una sencilla frazada, estaba rodeado de velas y los angustiados miembros de la familia.

La vida de una persona no depende de la abundancia de sus bienes.

Lucas 12:15

Afuera en la lluvia, la congregación del pastor asesinado cantaba coros de alabanza. Sus zapatos estaban cubiertos de lodo. Los guerrilleros habían destruido su iglesia y quemado muchas de sus casas. Sin embargo, ellos cantaban alabanzas.

Los cristianos no estaban fuera de peligro, pues los guerrilleros podían regresar en cualquier momento. A menudo, elegían a los pastores como blancos, ya que alentaban a todo el pueblo a oponerse a la incursión marxista.

El pastor les recordó a los oyentes que la Biblia nos llama a buscar a Dios, no las bendiciones materiales que vienen de la mano de Dios. «¿Para qué uno compra una camisa?», le preguntaba a la gente. «Para usarla. ¿Para qué los redimió y los compró Jesús con su propia sangre? Para utilizarlos en su reino».

Esos creyentes pobres estaban dispuestos a que Dios los usara.

Cuando nos persiguen por nuestra fe, es fácil enfocarnos demasiado en nuestras pérdidas. Quizá nos angustiemos por amigos anteriores que nos han rechazado por nuestras creencias. Tal vez perdamos las oportunidades de negocio que teníamos antes. Nos lamentamos de nuestra suerte cuando nos dejan fuera de círculos sociales. Sin embargo, hay un sinnúmero de personas que han perdido muchísimo más que posesiones materiales o relaciones superficiales. Estos creyentes sólidos se enfocan en lo que queda para dar en el servicio de Cristo, no en lo que ya se perdió. Muchos de ellos han perdido sus iglesias, sus hogares, sus trabajos y sus familias a causa de la persecución religiosa. Aun así, están dispuestos a dar más en sacrificio a la causa de Cristo. Reconocen que su pérdida terrenal es la oportunidad de que otra persona gane la salvación.

«Temor» extremo

LAOS: LU

El código no escrito de la policía estaba claro: Si ustedes agarran a los kammu o a otros miembros de una tribu convirtiéndose al cristianismo, arréstenlos. Si agarran a alguien evangelizando a los miembros de una tribu, mátenlo.

Después que encadenaron a «Lu» de manos y pies y lo pasearon de manera vergonzosa por toda la aldea, la policía comunista lo arrojó en un pozo. «Lo dejaremos ir», dijeron, «cuando cien cristianos en su aldea renuncien a su conversión al cristianismo». Sin embargo, no lograron encontrar creyentes dispuestos a darle las espaldas a Cristo.

El SEÑOR es mi luz y mi salvación; ¿a quién temeré? Salmo 27:1

Entonces la tragedia atacó a la policía. El hijo de un agente se fracturó ambas piernas en un accidente. Su otro hijo se enfermó de gravedad. El agente de la policía que golpeó y acosó a los nuevos cristianos murió de repente de un infarto cardíaco.

Otros policías sacaron con temor a «Lu» del pozo y le permitieron que regresara a su hogar. Las autoridades gubernamentales estaban demasiado asustadas para tomar acción en contra de los cristianos en la aldea después de ver lo que le había pasado a su líder.

Viendo la demostración del poder de Dios, más de los kammu se volvieron creyentes. Donde antes había cien cristianos, ahora había setecientos. Incluso, enviaron cristianos a otras aldeas a fin de hablarles acerca de Jesús. Mientras que las autoridades de Laos estaban controladas por su temor, los cristianos en el sudeste de Asia vencieron el suyo.

El temor es una de las motivaciones humanas más básicas. Controla la bolsa de valores y fomenta guerras. Sus energías incontrolables pueden ser utilizadas para un gran daño o pueden ser canalizadas para un gran bien. A los boxeadores profesionales les dicen a menudo que el temor es su amigo. El temor los puede hacer mejores boxeadores. Los mantiene alertas. Sensibiliza su determinación. De la misma manera, Dios puede utilizar nuestros temores y hacernos mejores luchadores para su causa. Cuando tenemos miedo, tenemos el potencial para hacer lo imposible. ¿Por qué? Aquello que es imposible por nuestras propias fuerzas se hace posible con la ayuda de Dios. El temor nos hace más dispuestos a abandonar nuestros propios recursos y a depender de Dios en lugar de ello. De esta manera, el temor extremo puede llevarnos a la fe extrema.

Joyería extrema

SUDÁN: PETER

El grillete de bronce se llama, en árabe, *bacle*. Peter lo sostenía como si fuera un objeto sagrado. Era un recordatorio del pasado de su familia y de la gran bendición de Peter.

Su abuelo hizo el bacle, pero no era un proyecto de artesanía. Es más, sus amos islámicos lo obligaron a usarlo. Al abuelo de Peter lo capturaron en la zona sur de Sudán y lo llevaron a la zona norte de Sudán, donde lo compraron y vendieron como esclavo.

Oren sin cesar.
1 Tesalonicenses
5:17

El abuelo de Peter, aunque acosado y atormentado por sus amos musulmanes, no se unía a la fe de ellos. Se afirmó en su fe en Cristo y su cuerpo llevaba las cicatrices de su rechazo. Debido a que no era musulmán, lo veían como si fuera nada más que un animal.

Poco antes de morir, el abuelo de Peter hizo que le quitaran el bacle y se lo dio al padre de Peter. «Nuestra familia no siempre será esclava», dijo él, «pero nunca debemos olvidar».

Más tarde el padre de Peter se lo dio a él, quien lo llevó consigo cuando escapó de su amo musulmán y huyó a la libertad. Hoy en día ya no es un símbolo de posesión, sino del poder vencedor de Dios. Es un símbolo de la mano de Dios sobre una familia, obrando a través de tres generaciones para llevarlos a la libertad.

«Nunca se olviden de mi pueblo», alentó. «Nunca cesen de orar por los cristianos perseguidos en Sudán».

Olvido. Es el enemigo número uno de la oración. Con mucha rapidez ofrecemos nuestras oraciones de apoyo. Desdichadamente, nuestras buenas intenciones pocas veces bastan para ayudarnos a mantener nuestros compromisos de orar por los que están en necesidad. ¿Qué le puede recordar orar por los perseguidos alrededor del mundo? Quizá una pequeña pegatina en el frente de su reloj le recordará. Cada vez que vea su reloj a través del día puede ser una oportunidad para que recuerde a un grupo de personas que viven bajo persecución religiosa. Cualquier método que escoja para ser más consciente de las oportunidades perdidas de orar, utilícelo. Leer historias de creyentes extremos no cambiará nada. Orar por creyentes extremos puede cambiarlo todo, quizá aun hoy.

Valentía extrema

RUMANIA: UNA MUJER JOVEN

Era casi medianoche cuando las prisioneras escucharon que llegaban los guardias comunistas. De inmediato, rodearon a la condenada, una joven de veinte años de edad que sentenciaron a muerte por su fe en Cristo. Ellas susurraron rápidos adiós. No hubo lágrimas de la joven rumana, ni gritos pidiendo misericordia.

Más temprano esa noche, las prisioneras escucharon a la joven mujer con el rostro radiante de amor. «Para mí, esta tumba es la puerta a una ciudad celestial», les dijo. «¿Quién puede contar de la belleza de esa ciudad? Allí no se conoce la tristeza. Solo hay gozo y canto. Todo el mundo está vestido del blanco de la pureza. Podemos ver a Dios cara a cara. Hay tanto regocijo que el lenguaje humano no lo puede expresar. ¿Por qué debería llorar? ¿Por qué debería estar triste?»

Porque para mí el vivir es Cristo y el morir es ganancia.
Filipenses 1:21

Estaba comprometida para casarse, pero esa noche, les dijo, en lugar de estar con su novio terrenal, conocería a su esposo celestial.

Los despiadados guardias entraron a la celda y la mujer avanzó hacia ellos, lista para ir. Mientras abandonaba la celda, rodeada de guardias, comenzó a recitar el credo de los apóstoles. Minutos más tarde, con las lágrimas corriéndole por el rostro, las prisioneras restantes escucharon tiros. Los verdugos pensaron que acababan con la vida de la joven mujer, pero solo la enviaban a vivir para siempre en un mejor lugar.

La valentía es el puente que nos lleva de una existencia solo de nombre en la tierra a un anhelo inexplicable por un futuro celestial. Los que comprenden por completo la certeza de la existencia del cielo encuentran más fácil cambiar sus vidas en comparación miserables de la tierra por una ciudadanía eterna en el cielo. La valentía nos ayuda a soltar todo a lo que nos aferramos en la tierra, todas las cosas que nos hacen anhelar quedarnos aquí. Hace falta valor para creer en una vida después de la muerte. Después de todo, la vida en la tierra es todo lo que en verdad conocemos hasta el momento de morir. Somos valientes cuando nos movemos adelante en fe, creyendo que Cristo ha hecho posible que crucemos a la eternidad con Él. Una vez que tomamos esa firme decisión, somos capaces de enfrentarnos con propósito a la vida y con valentía a la muerte.

No estamos orando a fin
de que se abran nuestras fronteras.
Estamos orando con el propósito
de que se abra el cielo.

LA ORACIÓN DE UNA IGLESIA BAJO PERSECUCIÓN EN VIETNAM

Misiones extremas

BUTÁN: EL PASTOR NORBU PROMILA

El pastor Norbu Promila estaba contento con el servicio mientras les predicaba a las personas de las tribus en las montañas de Bután. Los que se reunieron parecían estar especialmente atentos y receptivos a las Buenas Nuevas. Entonces en medio del sermón, la policía se precipitó a través de cada puerta, asaltó el escenario y agarraron a la fuerza a Norbu.

Al pastor Promila lo echaron en la cárcel y lo torturaron, y las autoridades le ordenaron que renunciara a su llamado a predicar el evangelio. Recibió inmensas heridas en la cabeza, y cuando al final las autoridades lo dejaron salir, había daños permanentes en su cuerpo. Él regresó a su hogar, donde su esposa y sus hijos estaban asombrados al ver su rostro golpeado y ensangrentado. Diez días más tarde, murió como resultado de sus heridas.

Estoy convencido de esto: el que comenzó tan buena obra en ustedes la irá perfeccionando hasta el día de Cristo Jesús.

Filipenses 1:6

La congregación del pastor Promila en este reino militante hindú rehusó dejar su misión. Poco después de su muerte, se reunieron e hicieron un llamado a voluntarios para continuar la obra de Norbu entre las personas de las tribus. Cinco manos se levantaron, una de las cuales era la de su esposa. Ella respondió al llamado de Dios a las misiones mientras también cuidaba de sus cinco hijos.

Ella ministró con fidelidad, y junto con los demás obreros, han visto a muchas personas de las tribus ganadas para Cristo. Dios proveyó para sus necesidades y las de sus hijos. La señora Promila se mantuvo firme en el conocimiento de que un día vería a su esposo de nuevo y sería recompensada por su fidelidad a Cristo.

Lo que hacemos por el Señor no es solo un trabajo, es una misión. La responsabilidad de una misión no es de una sola persona. Se enfoca de manera singular en Cristo y su reino. Por lo tanto, alguien a cargo de la obra de Dios en un área en particular puede retirarse, pero la misión misma nunca se muere. La obra de Dios nunca se deja sin hacer. Continúa para siempre hasta que esté completa. Los que están dispuestos a sufrir persecución por su fe nos enseñan acerca del significado de una misión. Reconocen que solo hay dos cosas que permanecerán por la eternidad: la obra de Dios y las almas humanas. Cuando estamos dispuestos a dedicar nuestras vidas en estas cosas, participamos en una misión con un significado eterno.

Asesino extremo: Drama
BANGLADESH: ANDREW *Primera parte*

Andrew, el evangelista, fijó su mirada en la pistola, preguntándose por qué el hombre no disparaba. El asesino se volvió más frustrado, después aterrado y al final huyó de la habitación.

Sonó el teléfono y Andrew se encontró hablando con el hombre que había venido a matarlo unos minutos antes.

—Los líderes musulmanes me ofrecieron una gran recompensa por matarlo —explicó el supuesto asesino—. Viajé a través de Bangladesh para ir a su oficina. La recompensa era mía. Estaba listo para disparar, pero no podía mover mi brazo. No podía apretar el gatillo.

Yo sé bien que tú lo puedes todo, que no es posible frustrar ninguno de tus planes.

Job 42:2

El evangelista alabó al Señor por su protección. De cierta manera, Andrew lo encontraba cómico.

—Dígame, ¿qué puedo hacer por usted ahora? —preguntó.

—Señor, todavía no puedo mover mi brazo, ¡y es a causa de usted! ¿Puede ayudarme?

Ahí mismo en el teléfono, Andrew oró y al instante el hombre recobró el uso total de su brazo. Asombrado por el milagro, regresó a la oficina del evangelista y comenzó a hacer preguntas acerca de este «Jesús» al cual los líderes musulmanes parecían tener miedo.

El evangelista explicó con paciencia las buenas nuevas del amor de Jesús, incluso le ofreció té al hombre que vino a matarlo. Después de cuarenta y cinco minutos, el hombre oró para recibir a Jesús en su propio corazón. El ministerio del antiguo asesino es ahora destruir las obras del diablo. Hasta este día, es un compañero misionero en Bangladesh.

El supuesto atentado de muerte del asesino fue una comedia de errores. Si fuera una película, el público hubiera vitoreado en voz alta cuando el protagonista, Andrew, entró en la escena. Como cualquier buen héroe de película, Andrew no solo derrotó los planes del enemigo. Los confundió, incluso hasta el punto de tomar té con el asesino que se había vuelto un converso. Esto no estaba procediendo de acuerdo con el plan. Sin cesar, el diablo tiene que regresar a pensar de nuevo los planes para nuestra destrucción. Andrew no fue una víctima de las circunstancias, ni tampoco lo es usted. Si a él le hubieran disparado, su muerte también pudiera haber sido un testimonio, y también lo puede ser usted. Contrario a las conspiraciones del diablo, los planes de Dios para su vida no se pueden frustrar.

Proclamación extrema

RUMANIA: SABINA WURMBRAND

Sabina Wurmbrand extendió su brazo y pellizcó el brazo de su esposo. «Richard», ella dijo furiosamente, «levántate y lava esta vergüenza del rostro de Cristo. ¡Ellos están escupiendo en su rostro!»

«Si lo hago», contestó Richard Wurmbrand, mirando con intensidad a su esposa, «tú perderás un esposo».

Sus ojos se clavaron en los de él. «Yo no quiero un cobarde por esposo».

Estaban sentados en un congreso nacional sobre religión en Rumania poco después que los soldados comunistas asaltaron su país. Los pastores cristianos, sacerdotes y ministros de todas denominaciones reunidos se pusieron de pie, uno por uno, y alabaron a José Stalin y al nuevo liderazgo comunista, que echaron a miles de cristianos a la cárcel.

He completado la proclamación del evangelio de Cristo.

Romanos 15:19

Cuando Richard se puso de pie para hablar, muchos estaban encantados de ver que este pastor bien conocido se uniera a su causa. Sin embargo, en lugar de alabar a los comunistas, alabó a Jesucristo como el único camino a la salvación. «Nuestra primera lealtad», le dijo a los reunidos, «debería ser a Dios, no a los líderes comunistas». La reunión se transmitía en vivo a través de Rumania y miles en todo el país escucharon el reto de Richard.

Al darse cuenta del daño que ocasionaba Richard, los funcionarios comunistas corrieron al escenario. Richard escapó por la puerta trasera, pero a partir de ese momento fue un hombre perseguido. Más tarde él pasaría catorce años en prisión.

Es probable que a la mayoría de nosotros nunca nos reten a tomar una postura a favor de Cristo frente a toda una nación. Sin embargo, todos tenemos el llamado a tomar una postura a favor de Él dondequiera que estamos cada día. Lo que importa no es el tamaño del público al cual testificamos, sino la sinceridad de nuestra postura. Nuestras vidas quizá no dependan de lo que decimos. Aun así, nuestros trabajos pudieran depender de la decisión que tomemos de expresar nuestras convicciones. Es posible que signifique perder una relación. Tal vez signifique la separación de nuestras familias. En cualquier caso, es mucho mejor soportar las consecuencias de nuestras convicciones que lamentar su ausencia evidente. ¿Cuándo y dónde aprovechará la oportunidad de tomar una postura firme a favor de Cristo hoy?

Madurez extrema

JAPÓN: IBARAKI KUN

Después que los juzgaron, encontraron culpables y sentenciaron a muerte, llevaron a los veintiséis cristianos al lugar en el que se elevaban toscas cruces. El arresto ocurrió casi tres meses antes en Kioto, Japón, acusados de seguir a Cristo. Uno de los convictos se llamaba Ibaraki Kun.

Viendo lo joven que era Kun, un oficial lo llamó a un lado y lo alentó a que renunciara a su fe para salvar su vida. Mirándolo a los ojos, Kun dijo con confianza: «Señor, sería muchísimo mejor si usted mismo se convirtiera en cristiano. Entonces podría ir conmigo al cielo».

El oficial lo miró con fijeza, sorprendido por la fe del joven. Al final, Ibaraki preguntó: «Señor, ¿cuál es mi cruz?».

Que nadie te menosprecie por ser joven. Al contrario, que los creyentes vean en ti un ejemplo a seguir en la manera de hablar, en la conducta, y en amor, fe y pureza.
1 Timoteo 4:12

El desconcertado oficial señaló la más pequeña de las veintiséis cruces. El joven Kun corrió a la cruz, se arrodilló delante de ella y la abrazó. Cuando los soldados comenzaron a clavar sus manos y sus pies a la cruz, no gritó de dolor. Aceptó con valentía el camino que le preparó Dios.

La crucifixión de los veintiséis cristianos el 23 de noviembre de 1596 fue el comienzo de un período de intensa persecución contra los cristianos en Japón. Por los siguientes setenta años, matarían por su fe alrededor de un millón de cristianos japoneses. Muchos abrazarían sus propias cruces siguiendo el ejemplo de Ibaraki Kun, un niño muy maduro de doce años de edad.

La madurez espiritual no se mide por un certificado de nacimiento. La edad cronológica tiene poco que ver con la convicción. Más bien la madurez espiritual se mide de día en día. Medimos nuestra madurez por cuán bien aplicamos nuestra fe. Al contrario de lo que muchos creen, la madurez espiritual no es cuánto conocemos acerca de la Biblia. Muchas personas conocen muy bien la Biblia, pero siguen desconociendo la madurez espiritual. La obediencia a los mandamientos de la Biblia es la señal de la madurez. Una pregunta nos ayudará a saber qué tan bien estamos creciendo espiritualmente. Nos debemos preguntar cada día: «¿Cuánto más nos parecemos a Jesús hoy que ayer? Nuestra respuesta es una verdadera reflexión de nuestro crecimiento.

Disponibilidad extrema

LAS FILIPINAS: UNA JOVENCITA

«Mi vestido», murmuró la niña, sus palabras eran casi incomprensibles a través de sus inflamados labios. «Por favor, entrégueme mi vestido. Quiero sostenerlo».

Los cristianos que rodeaban la cama de la niña estaban tristes. A causa de sus extensas lesiones internas, los médicos no podían hacer nada por ella. Semanas antes, los creyentes le habían comprado un vestido blanco para celebrar su nueva vida y su corazón puro en Cristo Jesús.

Su padre no había estado contento con la decisión de su hija de seguir a Cristo. Una noche, ebrio y enfurecido, la atacó, golpeándola y pateándola. La dejó casi muerta y tirada en la calle fangosa.

Pues Dios es quien produce en ustedes tanto el querer como el hacer para que se cumpla su buena voluntad.
Filipenses 2:13

Cuando no se apareció en la iglesia, sus amigas cristianas salieron a buscarla. Encontraron a la niña inconsciente, tirada como un bulto, su vestido, antes blanco como la nieve, ahora estaba cubierto de sangre y lodo. La llevaron a un médico, pero sus lesiones eran muy severas.

Ahora estaba preguntando por su vestido.

«El vestido está arruinado», le dijeron sus amigas. Hicieron el intento de que lo olvidara, pensando que ver el vestido arruinado quebrantaría el espíritu de la niña.

Con la fe sencilla de una niña de diez años, susurró: «Por favor, yo quiero enseñarle el vestido a Jesús. Él estuvo dispuesto a dar su sangre por mí. Yo solo quiero que Jesús sepa que yo estuve dispuesta a dar mi sangre por Él».

Poco después, la niña murió.

A Dios no le interesan nuestras habilidades. Quizá seamos talentosos. Ingeniosos. Ricos. Profesionales, populares y puntuales. Ofrecer nuestras diversas habilidades al servicio de Dios, sin embargo, no es nada comparado a ofrecer nuestra disponibilidad. Nuestras habilidades se refieren a nosotros mismos; nos podemos ver haciendo esto o aquello para Dios. En contraste, nuestra disponibilidad se refiere a Dios; solo nos imaginamos cómo Dios nos utilizará en servicio a Él. Estar disponible para Dios significa estar dispuesto a obedecer sin importar el costo. Dios quiere nuestra disponibilidad para servirle sin importar nuestras habilidades específicas. ¿Cómo nos volvemos tan dispuestos? Eso, también, es un regalo de Dios. Él nos da el «querer», la voluntad o el deseo de estar disponible para Él.

Recuerdo extremo

SUDÁN: JAMES JEDA

«¡Recojan algo de leña!», gruñeron los soldados. El joven James Jeda se imaginó que los soldados iban a cocinar su comida. Más temprano ese día, había observado, horrorizado, cómo los soldados musulmanes radicales mataban a sus padres y a cuatro hermanos en la región sur de Sudán. Salvaron solo a James para utilizarlo como un trabajador.

Cuando el fuego estaba bien encendido, James estaba sorprendido y horrorizado cuando de repente lo agarraron y él trató de escapar. Sin embargo, los soldados eran demasiado fuertes y pronto lo tenían atado de pies y manos.

Doy gracias a mi Dios cada vez que me acuerdo de ustedes.
Filipenses 1:3

«Buenas noticias para usted, joven», dijo un soldado. «Vamos a permitirle vivir. No obstante, tiene que unirse a nosotros y convertirse en musulmán».

«Yo no puedo convertirme en musulmán», dijo James con sencillez. «Soy cristiano».

Enfurecidos por la fe del niño, los soldados lo agarraron y lo lanzaron al fuego. Después recogieron sus pertenencias y se fueron del área, suponiendo que James moriría.

El joven James no murió. Logró rodar fuera del fuego y encontrar ayuda.

Los médicos le salvaron la vida a James, pero siempre llevará recordatorios de ese día. Su cuerpo tiene injertos de piel y cicatrices, y un brazo está deformado en parte por las quemaduras. En el cielo, esas cicatrices serán barras de honor, un recordatorio del día en el que James Jeda rehusó darle la espalda a Cristo.

A la mayoría de las personas les encantan los recuerdos. Uno casi no puede pasar por la infinidad de tiendas de regalos en un aeropuerto o en una estación de tren sin sucumbir a la tentación de comprar un recuerdo de la experiencia del viaje. Sin embargo, ¿qué nos recuerda la experiencia más significativa de nuestra vida, nuestro compromiso a Cristo? Algunos verán sus salarios y recordarán el ascenso que no aceptaron porque no estaban dispuestos a transigir su moralidad. Otros, al ver un aula de una escuela pública, recordarán dónde descubrieron por primera vez lo que se sentía al ser perseguido. Aun otros verán una lápida en la tumba de un creyente y recordarán el significado del compromiso. Esos «recuerdos» son recordatorios infinitamente significativos del precio de la fe en Jesucristo.

Tuve la sensación física de que estaban orando por mí. Aun cuando no sabía nada y no recibía cartas, sentía la calidez como si estuviera sentada junto al fuego. Algunas veces esto sucedía en las celdas de castigo, que son muy frías. Era como escuchar a alguien orar por mí y pensar en mí. Esto me apoyaba mucho. Es difícil de explicar [...]. Sentía y sabía que no me habían olvidado. Esto era suficiente para hacerme resistir los momentos más difíciles.

IRINA RATUSHINSKAIA, POETISA CRISTIANA ENCARCELADA EN LA ANTIGUA UNIÓN SOVIÉTICA HASTA 1987

Injusticia extrema

El pastor Florescu no soportaba ver cómo los agentes comunistas golpeaban a su hijo. A él mismo ya lo habían apaleado y hacía dos semanas que no dormía por temor a que lo atacaran las ratas hambrientas que los comunistas le echaron en su celda. La policía rumana quería que Florescu delatara a otros miembros de su iglesia clandestina a fin de capturarlos también a ellos.

Viendo que las golpizas y las torturas no daban resultados, los comunistas trajeron al hijo de Florescu, Alexander, de solo catorce años de edad, y comenzaron a golpearlo. Mientras Florescu observaba, le pegaban al cuerpo de su hijo sin piedad, diciéndole que matarían a su hijo a golpes si no les decía dónde estaban los demás creyentes.

No vacilará ni se desanimará hasta implantar la justicia en la tierra.

Isaías 42:4

Al final, medio loco, Florescu gritó que se detuvieran. «Alexander, ¡Tengo que decirles lo que ellos quieren!», le dijo a su hijo. «No soporto que te sigan golpeando».

Con su cuerpo magullado, la sangre corriendo de su nariz y boca, Alexander miró a su padre a los ojos. «Padre, no me hagas la injusticia de tener un traidor por padre. ¡Mantente fuerte! Si me matan, moriré con la palabra "Jesús" en mis labios».

La valentía del niño enfureció a los guardias comunistas, así que lo mataron a golpes mientras su padre observaba. No solo se mantuvo firme en su fe, sino que ayudó a su padre a hacer lo mismo.

¿No hay justicia en este mundo? Cuando leemos de las horribles atrocidades cometidas en contra de los inocentes, no podemos evitar preguntarnos. Es posible que titubeemos en nuestra fe cuando escuchamos de sufrimientos crueles a manos de malvados. Quizá hasta nos desalentemos cuando anhelamos el bálsamo de la misericordia que parece tardar. ¿No hay justicia en este mundo? En repuesta a nuestro clamor, la Biblia enseña el principio de «sí y aún no». Sí, algunos malvados encuentran una justicia rápida en el presente. Sin embargo, la poderosa mano de justicia infinita de Dios aún no ha caído sobre esta tierra. Eso esta guardado para los tiempos finales. Nos cansamos de esperar, pero Él continúa sin inmutarse.

Respuestas extremas

CUBA: TOM WHITE

Cuando pusieron la capucha negra sobre la cabeza de Tom White, él no sabía si vería la luz de nuevo. «¿Adónde me llevan?», les preguntó a los guardias cubanos. Los guardias no dijeron nada.

Tom estuvo llevando literatura cristiana secretamente a Cuba durante siete años. Él y otros lanzaban folletos del evangelio desde aviones al océano alrededor de la isla comunista. Sin embargo, ni un solo cristiano en Cuba les dijo que habían llegado los materiales.

«Por favor, Dios», oró Tom, «danos alguna confirmación de que nuestra obra está ayudando».

Ahora, seis semanas más tarde, lo llevaron delante de un agente de la inteligencia cubana, el capitán Santos. Su avioneta se había estrellado en Cuba, y a Tom y el piloto, Mel Bailey, los capturaron y acusaron de poner en peligro la estabilidad del país.

«¡Nuestro pueblo ha encontrado miles de estos en las playas y en los campos!», gritó el capitán Santos, sosteniendo uno de los paquetes marinos que lanzaron años antes.

Tom trató de no sonreír. «Gracias, Señor», oró, «por contestar mi oración. Gracias porque nuestra labor no ha sido en vano».

Así nosotros, por el cariño que les tenemos, nos deleitamos en compartir con ustedes no solo el evangelio de Dios sino también nuestra vida.

1 Tesalonicenses 2:8

La respuesta a la oración de Tom fue costosa. Pasó veintiún meses en cárceles cubanas. No obstante, en la cárcel de Castro, conoció a muchos miembros de la iglesia y se enteró que aun bajo Castro, el cuerpo de Cristo estaba prosperando. Dios contestó su oración.

¿Saben los creyentes lo que significa tener una costosa respuesta a la oración? Si queremos que Dios conteste nuestras oraciones, debemos estar dispuestos a recibir sus respuestas bajo cualquier circunstancia. Una respuesta costosa a la oración es una que nos involucra en el proceso. Ofrecemos nuestras oraciones a Dios, ¿pero le ofrecemos nuestras vidas si es necesario? Es posible que oremos a menudo por los que sufren bajo la opresión. Aun así, ¿qué sucede si nos llaman para ayudar a distribuir comida y auxilio a través de una oportunidad misionera en nuestra iglesia? Si le pedimos a Dios que ayude en tiempos de necesidad, también debemos responder cuando Él nos pide que seamos parte de la solución. ¿Hay algún problema por el cual ha orado y todavía no ha recibido una respuesta clara? ¿Pudiera ser que Dios esté esperando su disponibilidad a ser parte de la solución?

Testimonio extremo

Durante siete años, los clérigos musulmanes radicales trataron de convencer a los «infieles» a seguir el islam. Sin embargo, los cristianos, encerrados en la brutal oscuridad de la prisión, no se convertían.

—Mahoma es el profeta más grande —trataban de explicarles a los cristianos—. Vivió más recientemente que Cristo y fue el último profeta de Alá.

Los cristianos escucharon con atención y respondieron:

—En su propio sistema legal, la legitimidad de una materia se determina por el número de testigos. Jesucristo tuvo testigos de su venida desde Moisés hasta Juan el Bautista. Mahoma solo testificó de sí mismo.

Y serán mis testigos tanto en Jerusalén como en toda Judea y Samaria, y hasta los confines de la tierra.

Hechos 1:8

Confundidos, los imanes trataron un ataque diferente.

—Sin duda, el islam es la religión decretada por Dios, pues nuestro imperio es mucho más grande que las tierras controladas por cristianos —dijeron con sonrisas engreídas.

—Si eso fuera cierto —contestaron los cristianos—, la adoración de ídolos de Egipto, Grecia y Roma hubieran sido una fe verdadera porque en un tiempo sus gobiernos tenían los imperios más grandes. Es obvio que su victoria, poder y riqueza no prueba la verdad de su fe. Nosotros sabemos que Dios algunas veces da la victoria a los cristianos y otras los deja en tortura y sufrimiento.

En el año 845, los musulmanes cerca de la ciudad de Ammoria, en el Oriente Medio, al final se dieron por vencidos de tratar de convertir a los cristianos a seguir a Mahoma. A los siete los decapitaron y echaron sus cuerpos al río Éufrates.

Jesús nos ordenó que fuéramos sus testigos, no que tuviéramos todas las respuestas. Las tres palabras más poderosas que le puede decir a un no creyente son: «Yo no sé». Seguro, es probable que tenga una respuesta, incluso la respuesta, a muchas de las dudas y preguntas de un no creyente. Sin embargo, la experiencia le demostrará que siempre habrá refutaciones a su información. Si alguna vez llega al momento en una oportunidad de testificar que no sabe «las respuestas», dígalo así. Entonces enfóquese en lo que usted sabe que no se puede discutir: su testimonio. Su propia experiencia con Jesucristo y lo que Él ha hecho en su vida es irrefutable. Usted es el experto en la materia. El testimonio eficaz es sencillamente comunicar su historia a otros.

Convicción extrema

INDONESIA: PETRUS

En una entrevista reciente, Petrus, un cristiano de Indonesia, hizo esta sorprendente declaración: «Porque tenemos a Jesús, no es difícil ser cristiano, aunque hay muchas opresiones». Mientras que esta declaración nos parece obvia a muchos de nosotros, seguir a Cristo ha requerido grandes sacrificios para Petrus.

Una furiosa multitud radical musulmana rodeó el edificio de la iglesia, rompiendo ventanas y coreando su odio por los cristianos. El padre de Petrus, el pastor de la iglesia, estaba adentro con la madre de Petrus, su hermana, su prima y un obrero de la iglesia. Su padre trató de calmar a la multitud, pero no se marchaban. Él se retiró a orar dentro de la iglesia, pidiendo la protección y la ayuda de Dios.

Porque nuestro evangelio les llegó no solo con palabras sino también con poder, es decir, con el Espíritu Santo y con profunda convicción.

1 Tesalonicenses 1:5

La multitud, sedienta de sangre, incendió el edificio, gritando salmodias mientras esperaban para atacar a cualquiera que saliera. La policía indonesia estaba demasiado temerosa para tomar acción. El ejército no estaba disponible. Era otra iglesia que quemaban en una nación donde se han quemado más de quinientas iglesias en los últimos diez años.

Cuando horas más tarde Petrus llegó a ese lugar, la iglesia y la casa del pastor eran cenizas. Los cuerpos de sus seres queridos estaban quemados, casi irreconocibles.

Más tarde, un oficial del gobierno se disculpó con Petrus, pero le alentó a no buscar venganza. El deseo de Petrus no es venganza, sino amor. Quiere ver a los musulmanes en su país ganados para el reino de Cristo.

La persecución es a menudo el último campo de batalla en la lucha entre el instinto natural y la convicción espiritual. Al instinto le interesa la preservación propia. La convicción está por encima de nuestros intereses. El instinto dice que nos venguemos de nuestros perpetradores. La convicción nos recuerda de las necesidades espirituales de los que nos persiguen. La mayoría de nosotros, después de ver a nuestros seres queridos asesinados por sus creencias, por instinto encontraríamos difícil tener las mismas convicciones de Petrus. Sin embargo, la alternativa para seguir a Cristo era más insoportable para Petrus. ¿Cómo podía no seguir a Cristo? Su historia prueba que es posible que nuestras convicciones invaliden nuestros instintos. No obstante, esto solo ocurre cuando nuestras inclinaciones naturales se cambian por completo por el apasionante amor de Cristo; una victoria en medio del campo de batalla de la persecución.

Asesino extremo: Segunda parte

BANGLADESH: ANDREW

El líder musulmán estaba asombrado de encontrar a Andrew, el evangelista cristiano, ¡sentado en su sala de estar con su propia familia, compartiendo una comida juntos!

Estaba asombrado porque hacía poco había ofrecido una gran recompensa para que mataran a este cristiano. Ahora Andrew estaba en su casa hablándoles a los miembros de su propia familia acerca de Jesús.

«¿Qué está sucediendo aquí?», gritó él. «¿Qué está haciendo este hombre infiel, este enemigo de Alá, en mi casa?»

Pero yo, cuando sea levantado de la tierra, atraeré a todos a mí mismo.

Juan 12:32

Su nuera comenzó: «Yo le pedí que viniera porque Él, su Jesús, sanó al hijo suyo, mi esposo». Su historia continuó en un torrente de palabras. «Hacía dieciocho años que estaba enfermo, pero hoy este cristiano, Andrew, vino y oró. Puso sus manos sobre él, ¡y ahora está bien! ¡Jesús lo sanó!»

El hombre vio la emoción de su hijo mientras contaba cómo sintió que la enfermedad salía de su cuerpo. Esta era la primera vez en meses que su hijo se había levantado de la cama. Por primera vez en dieciocho años, no sentía dolor.

El enojo del hombre se transformó en una sensación de alivio y felicidad. No decidió aceptar a Cristo ese día, pero se ha convertido en un aliado para los cristianos en esa zona y ha ayudado a muchos a evitar la cárcel y la persecución. El hombre que una vez mandó a matar a Andrew, ahora lo recibe con los brazos abiertos.

El cristianismo es un tipo de experiencia de «véalo por usted mismo». Cuando el padre musulmán entró en su casa, Andrew no estaba predicando un sermón de tres puntos acerca del Dios trino. No estaba regañando a la esposa ni los hijos del hombre porque antes creían en Alá. Disfrutaba de una comida después de orar con la familia musulmana. Ellos tenían una cama de enfermo vacía para probar que Dios era real. De la misma manera, debemos recordar que las verdades de Dios son manifiestas. La presión no está en nosotros como los mensajeros, si decimos y hacemos lo que se debe. Hacemos lo bueno cada vez que proclamamos el evangelio a otros. Jesús atraerá sus corazones a Él. Debemos permitir que la evidencia de la realidad de Cristo hable por sí sola.

Verdad extrema

RUMANIA: EL PASTOR KOCHANGA

«¿No siente temor de lo que le vamos a hacer?», preguntó el coronel comunista, con un tono que era una combinación de burla y reto.

El joven pastor Kochanga, después de predicar un solo sermón en su carrera, estaba de pie frente al coronel, sabía que el hombre tenía el poder de la vida y la muerte sobre él. Entonces respondió en un tono respetuoso, pero ferviente.

«Señor, la verdad nunca tiene temor. Imagine que su gobierno decidiera ahorcar a todos los matemáticos. ¿Cuánto serían dos más dos? Dos más dos seguirían siendo cuatro.

»Nosotros tenemos la verdad, tan cierta como una ecuación matemática. Tenemos la verdad de que hay un Dios, y Él es nuestro Padre amoroso. Tenemos la verdad de que Jesús es el Salvador del mundo y desea salvar a todos, incluso a usted. Tenemos la verdad de que hay un Espíritu Santo que les da poder y luz a los hombres, y tenemos la verdad de que existe un bello paraíso.

»Cualquier látigo y cualquier instrumento de tortura que usted tenga, siempre se mantendrán así. Todavía dos más dos es igual a cuatro».

A Kochanga lo apalearon hasta quedar casi irreconocible y nunca lo vieron de nuevo. Aunque a los demás prisioneros les resultaba difícil reconocer su rostro magullado y ensangrentado, a él lo reconocieron y recibieron de inmediato y con los brazos abiertos en el cielo.

A cualquiera que me reconozca delante de los demás, yo también lo reconoceré delante de mi Padre que está en el cielo.

Mateo 10:32

«Digan la verdad». Los niños aprenden este mandato a una temprana edad, pero su sabiduría es eterna. Si regresáramos a reconocer sencillamente lo que sabemos que es verdad, siempre tendremos las palabras que decir cuando nos llamen a testificar por Cristo. Muchas personas se sienten a menudo incapaces de testificar por Cristo, diciendo que no tienen la «preparación» adecuada. Tememos a que nos hagan una pregunta teológica que no sepamos responder. Sin embargo, profesar a Cristo no requiere un curso de apologética. Solo diga la verdad sobre lo que sabe, al igual que los que han experimentado opresión religiosa. Testificar de Cristo es más fácil de lo que parece. Debemos regresar al principio que aprendimos en nuestra niñez. Tenemos la orden de reconocer a Jesucristo, de decir la verdad.

No es hasta que un hombre descubre que se oponen y atacan a su fe que en verdad comienza a pensar en las implicaciones de esa fe. No es hasta que la iglesia se enfrenta a alguna herejía peligrosa que comienza a darse cuenta de las riquezas y las maravillas de la ortodoxia. Es característico del cristianismo que tenga riquezas inagotables, y que sea capaz de producir siempre nuevas riquezas para satisfacer cualquier situación.

WILLIAM BARCLAY,
THE DAILY STUDY BIBLE [LA BIBLIA DE ESTUDIO DIARIO]

Más misioneros extremos

RUMANIA: EL PASTOR RICHARD WURMBRAND

Mientras el tren comenzaba a salir de la estación, los cristianos de pie en la plataforma desabotonaron sus sacos y sacaron cientos de panfletos de evangelización. Arrojaron con rapidez los panfletos, a puñados, a través de las ventanillas abiertas del tren a las tropas rusas adentro.

Los soldados rusos, algunos de no más de dieciséis años de edad, se reían y silbaban, sobre todo a las atractivas jóvenes que arrojaban cosas a través de las ventanillas. Agarraron los panfletos, preguntándose qué lanzaban dentro del tren del ejército. Cuando el agente político abordó el tren, los soldados enseguida guardaron los panfletos en sus bolsillos. Muy pronto iban a leer el extraño folleto y aprender más acerca de este «Rey».

Predica la Palabra; persiste en hacerlo, sea o no sea oportuno.
2 Timoteo 4:2

De regreso en la plataforma del tren, los cristianos se reunieron, riéndose con nerviosismo. Cuando los agentes de la policía llevaron a un lado a uno de ellos, él abrió su saco por su propia voluntad porque no había nada adentro. Todos los panfletos que llevó a la estación rumana ahora estaban en el tren, en dirección al corazón de Rusia comunista.

La evangelización en los trenes era solo uno de los métodos que Richard Wurmbrand les enseñó a los jóvenes de su iglesia a fin de alcanzar a los rusos para Cristo. Estos «aliados» les robaban toda la riqueza de su país y asesinaban a muchos de su pueblo, pero Richard recibía a los soldados con los brazos abiertos. En cada soldado veía un campo misionero y buscaba una oportunidad de cosechar un alma.

Una misión no es tanto un lugar como una actitud, el enfoque de una persona hacia la vida. Un misionero es sencillamente alguien que encarna esta determinación y enfoque singular y lo expresa en su vida cotidiana. Richard Wurmbrand era un hombre con una misión, y su fervor se esparció a través de la multitud de jóvenes que reconocían su determinación. En ese sentido, todos somos misioneros, embajadores de Cristo, dondequiera que estamos sirviendo. Estar en una misión significa que siempre está al tanto de nuevas oportunidades con el propósito de promover el reino de Dios. En la fuente de agua en el trabajo. En el supermercado. En el tren o en el autobús. En la escuela. El mundo cotidiano es su campo misionero cuando está resuelto a fomentar el reino de Dios.

Legado extremo

Cuando Stenley desembarcó del barco en la remota isla de Indonesia, *sintió* la oscuridad espiritual. Las personas practicaban una combinación de brujería e islam. Stenley acababa de graduarse de la escuela bíblica y estaba listo para la obra a la cual lo llamó Dios, alcanzando a las personas de esa isla para Cristo.

Stenley predicaba con denuedo, llamando a la gente a venir a Cristo y después a quemar sus ídolos y las reliquias de su vida anterior. Un musulmán quemó su ídolo, pero dentro de él había un rollo del Corán. Cuando los musulmanes radicales escucharon que habían quemado el Corán, denunciaron a Stenley ante los agentes de la zona. A Stenley lo arrestaron de inmediato.

Ustedes son la luz del mundo. Una ciudad en lo alto de una colina no puede esconderse.

Mateo 5:14

Aunque a Stenley lo golpearon de manera horrible y yacía en coma, su mentor de la escuela bíblica, el pastor Siwi, fue a verlo y vio que las lágrimas le corrían por sus mejillas. Poco después, Stenley murió de sus heridas.

Sin embargo, aun la muerte no logró terminar el ministerio de Stenley. Cuando contaron su historia en la aldea de su hogar, once musulmanes aceptaron a Cristo como Salvador. Cincuenta y tres aldeanos tomaron la decisión de asistir a la escuela bíblica, siete de los cuales pidieron que los enviaran como misioneros a la misma aldea donde murió Stenley.

Esperando extinguir el fuego del evangelio, los agentes de la aldea apagaron la vida de Stenley. No obstante, aun en medio de su violencia, la mano de Dios estaba obrando. Hoy en día las llamas del evangelio arden con brillantez en esa aldea.

«Dejar las luces encendidas». Eso es lo que todos los que siguen a Cristo deben tratar de hacer cuando dejen este mundo. Un cristiano comprometido deja la luz encendida para un mundo que está perdido en la oscuridad. Eso se llama dejar un legado. Parece que a menudo escuchamos de personas famosas que dejan un legado en las películas, en el deporte o en algún otro sector público. Sin embargo, mientras que las vidas de muchos cristianos santos se extinguen en el anonimato, sus luces fieles siguen ardiendo con brillantez a través del mundo. La muerte no puede apagar su legado de fe, integridad, esperanza y amor. Es más, la muerte puede aun acelerar la llama, pues un legado como ese a menudo lo imitan por la voluntad propia de los que permanecen.

Familia extrema

INDONESIA: LA MADRE DE STENLEY

A la mujer le faltaba un mes para graduarse de la escuela bíblica junto con su hija. Era la misma escuela bíblica a la que asistió su hijo, Stenley, antes de ir a otra isla de Indonesia como misionero. A Stenley lo mataron por llevar el evangelio, pero su testimonio alentó a muchos otros a asistir a la escuela bíblica y aceptar el llamado de Dios de hablar de su amor.

Después que terminaran su preparación, la mujer y su hija planeaban ir a la misma aldea donde murió Stenley. Esperaba tener una oportunidad de mostrar el amor de Cristo, incluso a los hombres que mataron a su hijo a golpes. Un visitante a la escuela bíblica, escuchando de sus planes, estaba sorprendido. «¿No le teme a la muerte?», le preguntó.

¿Dónde está, oh muerte, tu victoria? ¿Dónde está, oh muerte, tu aguijón?

1 Corintios 15:55

La mujer parecía confusa por la pregunta, como si fuera algo que no había pensado antes. «¿Por qué debería yo tener temor de morir?», respondió ella con sencillez.

Su fe en la bondad de Dios era absoluta. Si Él decidía utilizarla en la aldea donde murió su hijo, que así sea. Y si le permitía morir allí, también aceptaría ese llamado. Su muerte la llevaría a la presencia del Cristo que amaba. La muerte no era un obstáculo ni un castigo, sino solo una puerta a la presencia eterna de Dios.

Enfrentarnos a la muerte tal vez nos recuerde a los niños parados al borde de una laguna. Abrazamos nuestros propios hombros fuertemente contra nuestros cuerpos, estremeciéndonos en anticipación de lo desconocido. ¿Dolerá? ¿Lo lograré? No queremos ser el primero en saltar al agua, no con todas estas incertidumbres. Por fortuna, no tenemos que serlo. La historia está llena de miembros de la familia que han saltado a través del lindero entre la vida y la muerte. Eran santos que murieron con total seguridad de su destino. Es más, Jesucristo fue a donde no ha ido antes ninguna otra persona: a la muerte y de regreso. Cristo, la cabeza de nuestra familia cristiana, le quitó el terror a la muerte y lo sustituyó con seguridad. Acepte el llamado a entrar. El agua está muy buena.

Lados extremos

RUSIA: HIPÓCRITAS

Estaban cantando coros cuando los dos soldados entraron con rifles. El culto se detuvo mientras los soldados rusos miraban fijamente a los creyentes con ojos desorbitados.

«¿Qué hacen aquí?», gritaron. «¿Adorando a su Dios imaginario?» Los miembros de la iglesia se encogieron de miedo en los bancos, preguntándose si había más soldados y más rifles afuera.

«Todos los que son fieles a Dios, muévanse a la derecha de la iglesia», dijo uno de los soldados, su rostro como una máscara de odio. «A ustedes

El que no está de mi parte, está contra mí; y el que conmigo no recoge, esparce.

Mateo 12:30

los vamos a fusilar por su fe. Los que quieran irse a casa y mantener su vida, párense al lado izquierdo. Usted debe decidir si vive o muere. Los que son fieles a este "Dios" morirán. Los que lo niegan pueden vivir con libertad».

Diez minutos antes, todos cantaban alabanzas por igual. Ahora era una situación de vida o muerte. Algunos se pusieron de pie a la izquierda, mirando con tristeza, o diciendo adiós con la mano, disculpándose de los que estaban a la derecha. Algunos se pusieron de pie a la derecha, con sus ojos cerrados en una oración de último momento.

«Ustedes a la izquierda están libres para retirarse», dijo uno de los soldados unos momentos más tarde. Esas personas salieron, echando una mirada final a los que pronto iban a morir.

Cuando solo quedaron los de la derecha, los soldados bajaron sus armas. «Nosotros también somos cristianos», dijeron, «pero deseábamos adorar sin hipócritas».

Los momentos que nos definen vienen a nosotros cuando menos los esperamos y no podemos prepararnos para ellos. Debemos experimentarlos «como son» y aprender de las consecuencias. Un momento que nos define es cualquier situación que involucra una pregunta de carácter. Pudiera ser tan complejo como un culto de la iglesia interrumpido por perpetradores que exigen nuestra alianza a una fe u otra. O es probable que sea tan sencillo como decidir si vemos o no una película ofensiva. Nuestra respuesta a un momento que nos define nos pondrá del lado de lo que es como Cristo o de lo que es cuestionable. Estemos preparados o no, nos encontramos frente a frente con nuestro verdadero carácter en el momento que decidimos elegir un lado.

Más oración extrema

BOHEMIA: JUAN HUSS

«Ah, Cristo muy misericordioso», escribió Juan Huss mientras esperaba su ejecución, «dame un espíritu valiente para que pueda estar preparado. Y si la carne es débil, que tu gracia vaya delante de ella, pues sin ti no podemos hacer nada, y sobre todo, sin ti no podemos enfrentarnos a una muerte cruel. Danos una valentía audaz y una fe recta, una esperanza firme y un amor perfecto, que podamos dar nuestra vida por ti con toda paciencia y todo gozo. Amén».

Huss llamó a la Reforma en la iglesia del siglo quince, retando a sacerdotes que vendían indulgencias (el derecho a pecar sin consecuencias) y llamando a normas de justicia bíblicas. A Huss se le prometió protección real para presentar su defensa. Sin embargo, ahora estaba sentado en un calabozo, a la espera de la muerte, y clamó a Dios.

La oración del justo es poderosa y eficaz.

Santiago 5:16

El 6 de julio de 1415, a Huss lo desnudaron y encadenaron a un poste. Mientras encendían el fuego a su alrededor, Huss oró: «Señor Jesucristo, es por causa del evangelio y la predicación de la Palabra que sufro con paciencia y humildad esta muerte terrible, vergonzosa y cruel».

A medida que las llamas se elevaban a su alrededor, Huss, con un suspiro final, clamó: «Cristo, Hijo del Dios viviente, ten misericordia de mí».

El testimonio de Huss fue crucial en terminar la práctica de vender indulgencias y de influir en los cristianos a regresar a las enseñanzas bíblicas.

La oración. Lo que hace más, a menudo lo hacemos menos. La oración es nuestra primera defensa contra la guerra espiritual. Aun así, a menudo es nuestro último recurso. Los perseguidos por su fe nos enseñan la prioridad de la oración. Sus últimos comentarios no son palabras de pelea. Sus últimas acciones en la tierra no son de resistencia. En lugar de eso, la oración es su suspiro final, desconcertando a sus acusadores y convenciendo a otros con su fe resuelta. La historia nos muestra que las oraciones de la muerte de los santos perseguidos pueden influir en otros por el evangelio, quizá más que si hubieran vivido. Cuando está en el crisol de la vida y las «llamas» arden a su alrededor, ¿se volverá a la oración? ¿Verán otros que su primera y su última defensa es su comunicación con su Padre celestial?

Ánimo extremo

VIETNAM: EL PASTOR NGUYEN LAP MA

Cuando los comunistas tomaron control de Vietnam, el pastor Nguyen Lap Ma se negó a renunciar a la Iglesia de la Alianza Cristiana y Misionera en Can Tho. Por este «crimen», a él y toda su familia los pusieron bajo arresto domiciliario en una pequeña aldea rural sin poder viajar ni recibir correspondencia durante los primeros doce años.

Al final, cuando las autoridades aflojaron las restricciones de correspondencia, el pastor Lap Ma estaba contentísimo de ver las cartas que llegaban a su casa. La Voz de los Mártires publicó la historia del pastor Lap Ma y su dirección. Estudiantes, amas de casa, pastores y hombres de negocio escribieron cartas de ánimo al pastor y su familia. La policía vietnamita se quedó asombrada cuando el pastor Lap Ma recibió más de tres mil cartas de todas partes del mundo.

Tengo muchos deseos de verlos para impartirles algún don espiritual que los fortalezca; mejor dicho, para que unos a otros nos animemos con la fe que compartimos.

Romanos 1:11-12

«Leí todas las cartas con oraciones y lágrimas», dijo el pastor Lap Ma. «Devoro cada carta y medito en las Escrituras citadas en ellas. Después le comunico estas palabras de aliento y las Escrituras en vietnamita a mi familia. Estamos contentos y animados por los mensajes en ellas».

«Dios nos ha fortalecido y ayudado», continuó el pastor. «Así que seguimos esperando en Él y manteniendo nuestros ojos en Jesús. Lo seguimos al soportar la cruz, menospreciando su vergüenza hasta la muerte. Mientras estamos vivos, Dios nos usa para consolar a los otros cristianos que están sufriendo». Las cartas los animan mientras ellos felizmente animan a otros creyentes.

El ánimo es un combustible necesario para la carrera cristiana. Sin ánimo, como un corredor sin agua, nadie soportaría por mucho tiempo el esfuerzo a menudo agotador. Mientras hacemos nuestro peregrinaje, aprendemos que el ánimo va en ambas direcciones. Nosotros animamos a otros y así lo recibimos de otros creyentes y aun de Dios mismo. Un poco de ánimo hace mucho para fortalecer a los cansados y motivar a quienes se les está consumiendo su fe. Con frecuencia encontramos que el ánimo espiritual que recibimos de las oraciones de los que nos rodean nos rejuvenece para la segunda milla. En algunos casos, eso significa otros doce años en prisión por nuestra fe. En otros casos, es solo la capacidad de soportar otro día más.

*Si usted no está dispuesto a morir
por lo que está en la Biblia, no debe
dar dinero para Biblias. Pues si lo da,
nosotros pasaremos más Biblias
de contrabando. Y si pasamos
más Biblias de contrabando,
habrá más mártires.*

PASTOR RICHARD WURMBRAND, FUNDADOR
DE LA VOZ DE LOS MÁRTIRES

Madre extrema

Diez de los diecinueve hijos de Susana murieron antes de los dos años de edad y una de sus hijas estaba deformada. Sin embargo, escribió en su diario que todos sus sufrimientos servían para «promover mi bienestar espiritual y eterno. Gloria sea a ti, Señor».

Su padre se negó a someterse a la ley inglesa de 1662, que obligaba a todos los clérigos a obedecer el Libro de la Oración Común. Cinco mil de esos cristianos, llamados disidentes, murieron en cárceles inglesas por su fe.

Su esposo, un disidente, permaneció con la Iglesia de Inglaterra. Por eso les quemaron sus graneros, y su propia congregación descontenta lo mandó a arrestar y lo envió a la cárcel. Durante ese tiempo, Susana sufrió una pobreza terrible. Un ladrón incluso cortó la ubre de la vaca de la familia así que ella no tenía leche para sus hijos.

Traigo a la memoria tu fe sincera, la cual animó primero a tu abuela Loida y a tu madre Eunice, y ahora te anima a ti. De eso estoy convencido.
2 Timoteo 1:5

Un día, miembros de la iglesia enfurecidos quemaron su techo. Toda la familia escapó, pero Juan, de seis años de edad, se vio obligado a saltar de una ventana. Sobrevivió a la caída y este hijo, Juan Wesley, creció para ser el fundador de la denominación metodista. Otro de sus hijos, Carlos Wesley, escribió el canto clásico de Navidad «Se oye un son en alta esfera», entre otros himnos memorables.

Susana Wesley lo expresó con sencillez: «La religión no es nada más que hacer la voluntad de Dios y no la nuestra. El cielo o el infierno solo dependen de eso».

«Él tiene el mentón de su padre» «Ella es la imagen exacta de su abuela». Los ojos, las orejas, el cabello, las manos o algún otro rasgo genético es posible que nos asocie a los miembros de nuestra familia, algunas veces a través de varias generaciones. Así, también, están relacionados los miembros de la familia de Dios. Como cristianos estamos conectados a través de varias características como el amor, la esperanza, el gozo y la paz, las cuales recibimos de forma directa de nuestra herencia celestial. Aun si no tenemos padres o abuelos biológicos como los Wesley de los cuales heredemos la fe cristiana, Dios nos da una familia espiritual que nos nutre y nos ama. ¿Quién es su madre o su padre espiritual, alguien que le enseñó acerca de Cristo? ¿De quién puede ser un hermano espiritual?

Calor extremo

RUSIA: NADEJDA SLOBODA

Nadejda Sloboda apenas lograba contener su entusiasmo. Acababa de aprender acerca de Cristo por un programa de radio de onda corta transmitido desde Europa. Como la primera cristiana en su aldea rusa, deseaba muchísimo hablarles a todas sus amigas sobre el Dios que cambió su corazón de manera milagrosa. Aun así, sabía que las autoridades locales prohibían estrictamente cualquier conversación acerca de Dios o del cristianismo.

Sin embargo, Nadejda apenas lograba contener su fervor y pronto nació una iglesia. Cuando la policía no pudo detener el crecimiento de la iglesia aun con barricadas en la calle, arrestaron a Nadejda y la sentenciaron a cuatro años de prisión. A sus cinco hijos los llevaron a la fuerza a una escuela interna atea, lo cual atormentaba a Nadejda. No obstante, ella se sentía más cerca de Dios que nunca y persistía en hablar de Cristo aun con sus compañeras de prisión.

Como se negó a dejar de hablar de Cristo, los agentes la pusieron en una celda incomunicada y sin calefacción por dos meses. Era en medio del invierno y no le permitieron ninguna ropa de cama . La obligaron a dormir en el piso de concreto frío. Después que regresó a la celda común, sus compañeras prisioneras le preguntaron cómo logró soportar ese trato. Ella respondió: «Me dormía en el piso de concreto frío confiando en Dios, y Él se convirtió en calor a mi alrededor. Yo descansaba en los brazos de Dios».

Si digo: «No me acordaré más de él, ni hablaré más en su nombre», entonces su palabra en mi interior se vuelve un fuego ardiente que me cala hasta los huesos. He hecho todo lo posible por contenerla, pero ya no puedo más.
Jeremías 20:9

La mayoría de los cristianos recuerdan algún momento en su peregrinaje cristiano cuando parecía que no podían tener suficiente de Dios y de su Palabra. El entusiasmo espiritual era parte de su naturaleza. El fervor era un amigo constante. Aun así, de alguna manera nuestra fe se volvió fría en el camino. Quizá fue la persecución lo que aplastó nuestro entusiasmo. Tal vez fue una tragedia personal. O a lo mejor no fue nada en particular, solo las actividades ordinarias que enfriaron nuestros espíritus y reclamaron nuestras prioridades. ¿Son ahora las llamas del fervor espiritual solo cenizas que arden sin llama? ¿Se ha dormido su entusiasmo? ¿Es posible encender una nueva relación con Dios y echarle combustible al fuego interno? Pídale que le ayude a animarse con esa idea hoy.

«Visión» extrema

COSTA DE MARFIL: CLOE

Los golpes parecían venir de todas partes y Cloe trató de poner sus brazos alrededor de su cabeza para protegerse. Aunque no sabía cuántos atacantes había, sentía el fuerte ruido sordo de cada golpe mientras perdía el conocimiento. Sus atacantes le gritaban, burlándose de su fe y de su Jesús. Cloe oró, clamando en silencio a Dios para que le diera fortaleza.

Cada semana Cloe camina más de treinta y dos kilómetros en su tierra natal de Costa de Marfil para predicar en una aldea llamada Sepikaha. Un pequeño grupo de cristianos le da la bienvenida a Cloe, pero la inmensa mayoría de los residentes de la aldea son musulmanes. Los que eran musulmanes radicales militantes fueron los que golpearon al predicador.

Pido también que les sean iluminados los ojos del corazón.
Efesios 1:18

A Cloe lo llevaron a un hospital donde le atendieron sus muchas heridas. Cuando la policía le preguntó a Cloe quiénes lo golpearon, él dijo que no sabía. Hacía muchos años que Cloe era ciego.

La semana después que salió del hospital, Cloe estaba de nuevo en Sepikaha arriesgando su vida para predicarles a personas que no podía ver. Sus ojos estaban ciegos, pero su corazón veía con claridad. Vio una necesidad de Jesús en la pequeña aldea, y vio a jóvenes cristianos hambrientos de crecer en su fe. Así que regresa todas las semanas a Sepikaha. Los rostros que no puede ver ahora, los verá un día en el cielo.

No hace falta visión de rayos x para ver en el corazón de una mujer o un hombre que está perdido espiritualmente. Los años de malas decisiones a menudo son muy evidentes, grabados en sus rostros cansados. La visión espiritual significa utilizar los «ojos» de nuestros corazones para darnos cuenta de las necesidades de otros. Eso es todo. El poder de darnos cuenta es el primer paso para distinguirnos. ¿Qué ve cuando mira los rostros de las personas a su alrededor? ¿O es que acaso los ve? En la cultura de hoy en día es posible estar rodeado de un grupo de personas en un elevador, en el aeropuerto o en un centro comercial y nunca mirar a otro ser humano a los ojos. ¿Ve a las personas que necesitan conocer a Cristo? ¿Están sus ojos espirituales preparados para notar a los que están en necesidad a su alrededor? Pídale a Dios que lo ayude a desarrollar la visión espiritual para darse cuenta y tomar acción.

Parábola extrema

EUROPA ORIENTAL: LA PARÁBOLA DE LOS TRES ÁRBOLES JÓVENES

Un día en un bosque, tres árboles jóvenes acordaron orar a fin de que los usaran en algún propósito noble en lugar de pudrirse de viejos.

El primer árbol quería convertirse en un pesebre donde las reses cansadas comieran después de un largo día de trabajo. Dios recompensó al árbol por tener tanta modestia. Se convirtió en un pesebre muy especial, aquel en el cual acostaron al Hijo de Dios.

El segundo árbol oró y pidió convertirse en una barca. La oración fue contestada y pronto su fina madera tenía un pasajero muy especial, el Hijo de Dios. Escuchó a Jesús calmar una furiosa tormenta diciendo: «¡Silencio! ¡Cálmate!». El árbol consideraba que su vida valía la pena por haber presenciado tal escena.

Al tercer árbol, sin embargo, lo convirtieron en una gran cruz para servir como un instrumento de sufrimiento. Al principio, el árbol estaba muy desilusionado por su destino. No obstante, un día clavaron en sus ramas a Jesús de Nazaret. Era extraño, pero la cruz no escuchó gemidos ni maldiciones como otras cruces. En lugar de eso escuchó al Hijo de Dios ofrecer palabras de amor y perdón divino... palabras que abrieron el paraíso a un ladrón arrepentido.

El árbol entonces comprendió que su parte en la crucifixión de Jesús proporcionó la salvación de la humanidad.

Y no solo en esto, sino también [nos regocijamos] en nuestros sufrimientos, porque sabemos que el sufrimiento produce perseverancia; la perseverancia, entereza de carácter; la entereza de carácter, esperanza. Y esta esperanza no nos defrauda, porque Dios ha derramado su amor en nuestro corazón por el Espíritu Santo que nos ha dado.

Romanos 5:3-5

En las iglesias clandestinas a través de Europa oriental, la parábola de los tres árboles se contaba a menudo como aliento para los que sufrían por su fe. Esos creyentes necesitaban ver un propósito en sus sufrimientos. Deben haber tenido esperanzas y aspiraciones muy grandes cuando en un inicio dijeron que querían que Dios los utilizara para su gloria. Sin embargo, la opresión parecía que los había desconectado de los planes de Dios. ¿Cómo el sufrimiento injusto jugaría un papel en tales planes? Como el árbol que formó la cruz, se dieron cuenta que también los estaban moldeando al propósito fundamental de Dios para sus vidas. Desde esta perspectiva, el sufrimiento no se ve como una interrupción de los planes de Dios para su vida, sino como una parte integral del proceso.

Debilidad extrema

«Si renuncia a su fe y pisotea la cruz, será libre», dijo la banda bolchevique. «Si no lo hace, lo mataremos».

El reverendo Mijaíl había visto a ochenta mil de sus compañeros líderes ortodoxos rusos y personas laicas asesinadas por los comunistas. En medio de todo ese dolor y sufrimiento, decidió que Dios, si Él existía, no hubiera permitido tal desgracia.

«Yo no creo», pensó mientras se enfrentaba a la banda. «¿Qué significa una cruz para mí? Déjame salvar mi vida».

Pero él me dijo: «Te basta con mi gracia, pues mi poder se perfecciona en la debilidad».

2 Corintios 12:9

Sin embargo, cuando abrió la boca para estar de acuerdo con la orden de la banda, las palabras que salieron de su boca lo asombraron. «Yo solo creo en un Dios. ¡No pisotearé la cruz!»

La banda puso un saco alrededor de sus hombros como si fuera una vestimenta real y usaron su gorra de piel como la corona de espinas de Jesús. Uno de ellos, un antiguo miembro de la iglesia de Mijaíl, se arrodilló delante de él, diciendo: «¡Salve, Rey de los judíos!». Y por turnos lo golpearon y se burlaron de su Dios.

En silencio, el reverendo oró: «Si tú existes, por favor, salva mi vida». Mientras lo seguían golpeado, clamó de nuevo: «Yo creo en un solo Dios».

Su demostración de fe hizo tal impresión en la banda ebria que lo soltó. Cuando llegó a su casa, cayó postrado con su rostro en el piso, llorando y repitiendo: «Yo creo».

La fe cristiana está llena de paradojas. Morir para vivir. Perder para ganar. Ser débil para ser fuerte. Es más, a no ser que estemos dispuestos a abrazar nuestros propios fracasos, no disfrutaremos de la fortaleza de Dios. Cuando experimentamos privaciones y pruebas o aun somos testigos desde lejos del sufrimiento injusto de otros, podemos comenzar a dudar de la bondad de Dios. Esa es una respuesta natural, humana. Sin embargo, Dios no rechaza nuestra debilidad humana. Él restaura nuestra debilidad con su fortaleza. Por lo tanto, nos regocijamos en nuestros fracasos porque nos recuerdan que la fortaleza humana no es un sustituto del poder divino. Podemos fracasar, pero nuestro Dios permanece fuerte. ¿Qué está aprendiendo acerca de su propia debilidad? ¿Qué le enseña eso de la fortaleza de Dios?

Sabiduría extrema

ISRAEL: ESTEBAN

Los testigos lo acusaron falsamente. «Lo escuchamos maldiciendo a Moisés y a Dios. Este hombre habla sin cesar en contra de la ley de Dios. Le hemos oído decir que este Jesús de Nazaret destruirá este lugar y cambiará las tradiciones que nos dejó Moisés».

El sumo sacerdote del Consejo se dirigió al acusado. «¿Qué tienes que decir al respecto?»

Con calma se levantó y su tono suave cambió. «Sus antepasados mataron a cualquiera que se atrevía a hablar de la venida de Jesús. Y ustedes han mantenido sus tradiciones religiosas; ustedes traidores y asesinos, todos ustedes. Tuvieron la ley de Dios que los ángeles les entregaron, ¡envuelta como un regalo! ¡Y ustedes la desperdiciaron!»

Gritos y maldiciones fueron la respuesta, pero Esteban continuó sin inmutarse. Miró al cielo y declaró: «¡Veo el cielo abierto y al Hijo del hombre de pie a la derecha de Dios!». Ellos se taparon los oídos con sus manos, se abalanzaron sobre él y lo sacaron a empellones fuera de la ciudad. Uno de los fariseos llamado Saulo recogía tranquilamente los mantos de los otros para que la sangre de Esteban no los manchara.

Si a alguno de ustedes le falta sabiduría, pídasela a Dios, y él se la dará, pues Dios da a todos generosamente sin menospreciar a nadie.

Santiago 1:5

Mientras las piedras comenzaron a dar contra el cuerpo de Esteban, él clamó: «Señor Jesús, toma mi vida». Entonces cayó de rodillas, orando con una voz lo bastante alta como para que todos escucharan: «¡Señor, no les tomes en cuenta este pecado!». Estas fueron sus últimas palabras. Entonces murió.

Adaptado de Hechos 6:11-7:60 (parafraseado), The Message [El Mensaje]

Mantener la calma frente a situaciones difíciles es lo más sabio que podemos hacer. Cosas tan insignificantes como que alguien cruce su auto delante de nosotros en el tránsito, recibir una calificación baja en la escuela o una reprimenda en el trabajo es todo lo que hace falta en estos días para perder el control. Sin embargo, se necesita más que sentido común para maniobrar a través de situaciones estresantes poco comunes. Hace falta sabiduría divina. Cuando se enfrentó a acusaciones falsas y aun al peligro de muerte, Esteban expresó verdadera sabiduría. No tomó represalias. No maldijo a sus acusadores. Solo se aferró a lo que sabía que era cierto y lo que los fariseos rehusaban creer: Jesús es el Hijo de Dios. Este mismo Jesús que abrazó a Esteban mientras moría también lo abrazará a usted cuando necesite la sabiduría que solo viene de Dios.

Yo predicaré hasta que muera.

PASTOR LI DEXIAN,
PASTOR DE UNA CASA-IGLESIA CHINA QUE LO HAN ARRESTADO
MÁS DE VEINTE VECES POR PREDICAR SIN UNA LICENCIA

Cartas extremas:

Primera parte

RUSIA: MARÍA

Queridos mamá y papá:

Los saludo con el amor de Cristo. Me va bien y me siento muy bendecida. Una de mis compañeras de la escuela, Varia, es miembro de la Organización de Jóvenes Comunistas. Yo le he estado testificando y creo que al fin estoy comenzando a alcanzarla. Hace poco dijo: «Yo no puedo comprenderlos a ustedes en lo absoluto. Muchos de los estudiantes los insultan y los hieren, y aun así ustedes los aman».

Yo le dije que Dios nos ha enseñado a amar a todos, no solo a los que son amables con nosotros, sino en especial a los que son crueles, a fin de que vean a Dios en nosotros. Varia ha sido una de las que ha tomado parte en las burlas y los insultos, pero eso solo me ha hecho orar por ella aun más.

¡Hoy me preguntó si yo en verdad podía amarla también! Nos abrazamos y ambas comenzamos a llorar. Creo que está muy cerca de recibir a Cristo. Por favor, oren por ella.

Como les he dicho a menudo, y ahora lo repito hasta con lágrimas, muchos se comportan como enemigos de la cruz de Cristo.
Filipenses 3:18

Cuando escuchan a los que niegan a Dios a voz en cuello, parece que lo hacen en serio. Sin embargo, la vida nos muestra que muchos de ellos en realidad tienen un gran anhelo en sus corazones. Y ustedes pueden escuchar el gemido del corazón; ellos buscan algo y tratan de cubrir su vacío interior con su ateísmo.

Escribiré pronto. Por favor, envíen mi amor a todos en casa.

María

Dios creó a los seres humanos con un vacío espiritual en su interior que solo Él es capaz de llenarlo por completo. Cuando nos encontramos a alguien que es hostil al cristianismo, recordamos las tremendas necesidades en la vida de esa persona. Imagínese un espacio como una caverna en la cavidad torácica de su enemigo, un cuerpo sin corazón. Este vacío interior es lo que impulsa a muchas personas a una búsqueda espiritual. O bien responden en fe, deseando aceptar la oferta de Cristo para llenar ese vacío, o responden con amargura, rechazando del todo a Cristo. A menudo, la presencia de un cristiano solo les recuerda a los que rechazan a Cristo lo que les falta en sus propias vidas. No están molestos con usted en lo personal. Están molestos por lo que representa.

Cartas extremas: Segunda parte

RUSIA: MARÍA

Queridos papá y mamá:

En mi última carta les conté acerca de la chica atea, Varia. Ahora estoy muy contenta de decirles las emocionantes noticias: ¡Varia ha recibido a Cristo! Es muy diferente y ya le está testificando a todo el mundo abiertamente.

Al principio, cuando Varia creyó, todavía sentía culpabilidad en su ser. Creo que se sentía triste por lo que creyó durante tanto tiempo y porque se aseguraba de decirles a otros que no había Dios. Sentía que necesitaba sufrir y pagar por eso.

Por lo tanto, si alguno está en Cristo, es una nueva creación. ¡Lo viejo ha pasado, ha llegado ya lo nuevo!

2 Corintios 5:17

Fuimos juntas a la asamblea de los impíos (la reunión de la Organización de Jóvenes Comunistas). Aunque le advertí que fuera reservada, fue en vano. Después de rehusar unirse a cantar el himno comunista, Varia fue al frente para dirigirse a toda la asamblea. ¡Con valentía les dijo a todos que había aceptado a Cristo como su Salvador!

Ella les rogó a todos que renunciaran al camino del pecado y vinieran a Cristo, y el lugar completo quedó en silencio. Cuando terminó de hablar, cantó con su increíble voz el antiguo himno: «Yo no estoy avergonzado de proclamar al Cristo que murió, para defender sus mandamientos y el poder de su cruz». Yo solo me quedé observando sin poder hacer nada mientras se la llevaban. Hoy es el 9 de mayo y no hemos sabido nada de ella.

¡Por favor, oren!

María

Los mayores enemigos del cristianismo son un blanco primordial para orar por ellos. Como Saulo de Tarso, es posible que un antiguo enemigo se convierta en uno de los más grandes voceros para Cristo. Sin embargo, sin la oración, solo permanecerá como una posibilidad. En lugar de temerles o tener resentimiento en su contra, debemos orar por quienes en nuestra comunidad, en nuestro país y a través del mundo se oponen a Cristo de manera categórica. Cuando oramos por los no creyentes, aun por los ateos, podemos visualizar los cambios que ocurrirían si sus energías se redirigieran hacia Cristo en lugar de ir en contra de Él. Hasta quizá se conviertan en los próximos evangelistas que declaren un poderoso testimonio de la gracia de Dios. Ninguno de nuestros enemigos está fuea del alcance de Dios y la oración los mantiene a su alcance.

Cartas extremas: Tercera parte

RUSIA: MARÍA

Queridos papá y mamá:

Ayer, 2 de agosto, logré hablar con Varia en la cárcel. Estaba delgada y pálida, pero sus ojos resplandecían con la paz de Dios y un regocijo no terrenal.

Mi corazón se acongoja cuando pienso en ella. Solo tiene diecinueve años de edad. Como creyente, todavía es un bebé espiritual. Sin embargo, ama al Señor con todo su corazón y enseguida optó por tomar el camino más difícil.

Por favor, oren por ella. Le han quitado todas sus cosas excepto la ropa que tenía puesta. Hemos hecho varias colectas y le hemos enviado paquetes, pero no creo que reciba todas las cosas que le enviamos.

Cuando le pregunté a Varia si se arrepentía de lo que había hecho, me dijo: «No, y si me dejan en libertad, lo haría de nuevo. No creas que estoy sufriendo. Me alegro de que Dios me ame tanto y me dé el gozo de resistir por su nombre».

Le doy gracias a Dios que tenemos la paz para comprender esto. Si estamos en Cristo, ningún sufrimiento ni frustración nos debería detener. Yo solo oro que mi fe fuera tan fuerte si estuviera en su lugar.

Pero los que confían en el SEÑOR renovarán sus fuerzas; volarán como las águilas: correrán y no se fatigarán, caminarán y no se cansarán.
Isaías 40:31

Ahora creemos que la enviarán a un campamento de trabajo forzado en Siberia. Creo que Dios le dará la fortaleza que necesita para resistir.

Su María

El cristianismo no es una carrera de cien metros. Es un maratón de resistencia. Las Escrituras nos enseñan que hay tiempos en que remontamos el vuelo como las águilas y corremos sin fatigarnos. Sin embargo, también hay tiempos en nuestras vidas donde surgen trechos de caminos largos y solitarios frente a nosotros. En esos tiempos vamos bien si solo caminamos sin desmayar hasta que obtenemos más fortaleza. Esta es la imagen de los que sufren persecución. Durante la persecución solo estamos aprendiendo a dar el siguiente paso sin darnos por vencidos. La resistencia es una gran victoria que trae gloria a Dios. Si está experimentando una prueba que no comprende, resista y continúe adelante. Se está fortaleciendo más cada día, algunas veces sin darse cuenta. Pronto, remontará el vuelo de nuevo.

Cartas extremas: Cuarta parte

Querida María:

Al fin puedo escribirte. Llegamos bien al nuevo campamento, que está como a dieciséis kilómetros de la ciudad. No puedo describir la vida aquí, pero le doy gracias a Dios que estoy bastante saludable y tengo la fortaleza para trabajar.

Me pusieron a trabajar en un taller de reparación con otra hermana cuya salud está muy mal. Yo tengo que hacer el trabajo de ambas o nos castigan a las dos. Trabajamos de doce a trece horas diarias, y la comida es escasa. Sin embargo, no quiero quejarme.

Hermanos, quiero que sepan que, en realidad, lo que me ha pasado ha contribuido al avance del evangelio.

Filipenses 1:12

Quería decirte que le doy gracias a Dios que Él te utilizó para llevarme a Cristo. Por primera vez siento que mi vida tiene un propósito y sé por quién sufro. Tengo un deseo ardiente de hablarle a todo el mundo acerca del gran gozo de la salvación.

En el trabajo me maldicen y me castigan porque no puedo estar callada. ¿Cómo pudiera estarlo? Mientras pueda hablar, le testificaré a todo el mundo del gran amor de Dios.

Hay muchos creyentes aquí. Anoche pudimos escabullirnos hasta el río, donde nos bautizaron a siete hermanos y a mí. ¡Nunca olvidaré este maravilloso día! Por favor, no llores por mí. Mi propósito aquí está claro y mi fe se mantiene fuerte.

Con amor,

Tu Varia

Algunos lo llaman destino. Otros se refieren a ello como suerte. De cualquier manera, la mayoría de las personas anhelan entregarse a alguna causa. Los cristianos lo conocen como un «llamado»: el propósito de Dios para sus vidas. Cuando satisfacemos el propósito de Dios para nuestra vida, nos volvemos parte de un cuadro mucho mayor. Nos satisface cualquier cosa que hacemos y todo lo que nos sucede promueve el evangelio de Jesucristo. Estamos conectados. Somos útiles. Por primera vez en la vida, sin importar cuáles sean las circunstancias, sentimos que en verdad contribuimos a algo más allá de nosotros. Nada es capaz de derrotar a alguien una vez que hace suyo este propósito. ¿Cuál siente usted que es el mayor propósito de su vida?

Cartas extremas: Quinta parte

RUSIA: VARIA

Mi querida María:

Al fin he encontrado una oportunidad de escribirte de nuevo. Me alegra informarte que la hermana que estaba tan enferma se está sintiendo mejor. Ahora nos han trasladado a otro campamento.

En mi última carta te conté de mi bautizo. Sin embargo, nunca tuve la oportunidad de pedirte que me perdonaras por todas las veces que te hice daño antes de recibir a Cristo. Es solo a través de tu amable actitud de perdón que yo soy cristiana en este momento. Por favor, acepta mis disculpas.

También quiero agradecerte por todos los paquetes que estás enviando. Sobre todo, gracias por la Biblia. Desde que el Señor me reveló el profundo misterio de su amor santo, me considero la persona más feliz del mundo. Considero que el sufrimiento que he tenido que soportar es una gracia especial. Me alegro que Dios me diera esta tremenda oportunidad de sufrir por Él.

> A fin de conocer a Cristo, experimentar el poder que se manifestó en su resurrección, participar en sus sufrimientos.
> Filipenses 3:10

Por favor, ora por mí a fin de que permanezca fiel hasta el final. Que el Señor los guarde a todos y los fortalezca para la batalla. No se preocupen de nosotros. ¡Estamos contentos y gozosos porque nuestra recompensa en el cielo es grande!

Tu Varia

Nunca se escuchó de nuevo de Varia, pero su amor y su testimonio para Cristo nunca se han olvidado. Es probable que su joven vida la apagaran las crueles autoridades que la encarcelaron por su fe. Sin embargo, su legado arde con fulgor en los corazones de los que conocen su historia. Su vida trae evidencia irrefutable acerca del extraño nivel de amistad que proporciona el sufrimiento. Sufrir por Cristo puede en realidad llevarnos más cerca de Él en maneras que ninguna otra experiencia es capaz de hacerlo. La Biblia lo llama participar en los sufrimientos de Cristo, un nivel selecto de la experiencia humana. Acercarnos más a Cristo a través del sufrimiento es algo que se comprende mejor a través de la experiencia propia. ¿Cómo ha visto que su propio sufrimiento lo lleva a un andar más cercano con Jesucristo? ¿Cómo ocurrió eso?

Pasos extremos

SUDÁN: EL PASTOR JEREMÍAS LOGARA

Jeremías Logara nunca conoció la resignación, sino solo la determinación. Los soldados musulmanes arrestaron a seis niños de su iglesia y los acusaron falsamente de ser espías. Cuando Jeremías, su pastor, trató de explicar que los niños eran cristianos, no espías, los soldados decidieron arrestarlo también a él.

Los soldados islámicos ataron juntos los brazos y los pies del pastor Logara y lo colgaron con una soga a más de un metro de altura. Lo azotaron

El que afirma que permanece en él, debe vivir como él vivió.

1 Juan 2:6

y derramaron cera caliente derretida sobre su pecho. Él recordó la oración de Jesús en el huerto. Él oró: «Oh Dios, si es tu voluntad que yo muera hoy, hágase tu voluntad». No soportaba que se fuera a rendir por las torturas de los árabes del norte de Sudán mientras estaba de pie frente a los niños en los que influía con facilidad.

Sin embargo, la voluntad de Dios era que viviera como un testimonio para esos niños. Lo soltaron, pero mantuvieron a los niños detenidos. El pastor Logara se imagina que quizá estuvieran obligando a los niños a entrenarse como soldados.

Cuando el pastor reflexionó acerca del incidente, recordó: «Pensé en la muerte de Jesús, que Él murió para salvar al mundo entero. Pensé que mi muerte quizá fuera parte de la salvación de esos niños mientras yo seguía los pasos de mi Señor. Oro que mi ejemplo de sufrimiento por ellos aliente a otros a permanecer fieles a Dios».

A los niños les encanta caminar en los pasos de sus padres. En las playas arenosas, tratan de alargar sus pasos y poner sus pequeños pies dentro de las pisadas de su madre o su padre. Siempre confiando, siguen el camino a dondequiera que los lleve. De la misma manera, los pasos de Jesús nos pudieran llevar a través de algún terreno de pruebas. Pudiéramos seguirle a través de pruebas y sufrimientos que nunca hubiéramos escogido nosotros mismos. Sin embargo, si estamos comprometidos a seguir a Jesús, hemos cedido nuestro derecho de elegir nuestros propios destinos. Seguir a Jesús proporciona un ejemplo claro a imitar para nuestros hijos y otros observadores. El camino que tomamos es importante. ¿Qué impresiones está dejando en las mentes de los que lo rodean?

Dios, yo no pido que hagas mi vida fácil;
solo pido que me hagas fuerte.

DE UN NIÑO JUDÍO, ENCONTRADO EN LOS ESCOMBROS DE UN GUETO
JUDÍO EN POLONIA DESPUÉS QUE LO BOMBARDEARAN LOS NAZIS

Lugares extremos

RUMANIA: PASTOR RICHARD WURMBRAND

Richard Wurmbrand, un pastor rumano que sufrió prisión por catorce años, una vez contó una historia que escuchó de un compañero prisionero. Lo ayudó a través de los momentos más difíciles de tortura. El hermano le dijo:

«Una vez fui a un circo y presencié una escena muy impresionante. Un tirador experto puso una vela encendida en la cabeza de su esposa. Entonces se paró en el centro de la arena y desde una distancia considerable tumbó la vela de su cabeza con una flecha.

Dichosos serán ustedes cuando por mi causa la gente los insulte, los persiga y levante contra ustedes toda clase de calumnias.

Mateo 5:11

»Después que terminó la función, me acerqué a ella y le pregunté si tuvo temor en algún momento que la flecha le diera. Ella contestó: "¿Por qué debería tener miedo? Él le estaba apuntando a la vela, no a mí"».

Cuando el pastor Wurmbrand escuchó esta historia pensó: «¿Por qué le debo temer a los torturadores? Ellos no me apuntan a mí. Pueden golpear mi cuerpo, pero mi verdadero ser es Cristo dentro de mí. Yo estoy sentado con Él en las regiones celestiales, y por lo tanto no pueden tocar a mi verdadera persona. Desde este increíble punto de vista puedo mirar hacia abajo y ver la inutilidad de sus esfuerzos».

El pastor Wurmbrand vivió a través de años de sufrimiento y estuvo cerca de la muerte muchas veces. Sin embargo, esta sencilla lección lo animó e incluso su espíritu floreció porque sabía que su lugar con Cristo estaba seguro, sin importar lo que le ocurriera a su cuerpo.

La persecución, aunque indescriptiblemente dolorosa, tiene sus límites. Ni el tormento físico ni el trauma emocional son capaces de destruir las partes más profundas de lo que somos. Lo que llevamos dentro es la parte más valiosa de nosotros, nuestras almas. El Espíritu de Cristo vive en nosotros y protege nuestra alma de un daño emocional o físico. Es cierto que quizá nuestros enemigos nos ataquen e incluso maten nuestros cuerpos. Sin embargo, cuando nuestros enemigos asestan un golpe en nuestra contra, en realidad difaman el nombre de Cristo, que vive en nosotros. Y Él nunca puede morir de nuevo. Sin importar qué tan personal y enfocada sea la oposición, en realidad es parte de un cuadro mayor. Es probable que la batalla nos involucre a nosotros, pero es parte de una guerra global entre el bien y el mal.

Alas extremas

RUSIA: UN JOROBADO

«Yo pasé muchos años en gulags soviéticos», comenzó la carta escrita a mano. El texto era claro, pero mostraba la evidencia de un pequeño temblor en la mano, un reconocimiento de edad avanzada y años en la cárcel.

»En el campamento me obligaron a trabajar bajo tierra en una mina. El trabajo era duro y nuestros guardias no tenían misericordia ni decoro humano. Un día, en la mina, hubo un accidente. Me lastimé la espalda y desde ese día he sido un jorobado.

»En cierta ocasión», continuaba la carta, «había un niño que no podía dejar de mirarme. "Señor", preguntó, "¿qué tiene en su espalda?"

»Yo estaba seguro que venía alguna burla cruel acerca de mí, pero aun así dije: "¿Una joroba?".

»El niño sonrió con afecto. "No", dijo él, "Dios es amor. Él no le da a nadie deformidades. Eso que usted tiene no es una joroba; es una caja debajo de sus hombros. Escondidas dentro de la caja hay alas de ángeles. Un día, la caja se abrirá y usted volará al cielo con sus alas de ángeles."

Así sucederá también con la resurrección de los muertos. Lo que se siembra en corrupción, resucita en incorrupción.
1 Corintios 15:42

»Yo comencé a llorar de gozo. Aun ahora», termina la carta, «mientras le escribo, estoy llorando».

Muchos cristianos perseguidos llevan las marcas de su experiencia sobre sus cuerpos. Algunas veces Dios les tiene que recordar, aun a través de la voz de un niño inocente, de las bendiciones ocultas detrás de esas cicatrices.

Solo hay un recuerdo de la tierra en el cielo. Jesús, aun en su cuerpo de gloria resucitado, todavía lleva las cicatrices de su propia persecución. Jesús les mostró sus cicatrices a los discípulos poco después de su resurrección. Tomás tocó la herida en su costado y las cicatrices en sus manos. Un día, sus manos con cicatrices de clavos nos abrazarán a nosotros también cuando entremos al cielo. Servirán como un recuerdo amoroso de las bendiciones que resultaron de su sufrimiento. Sin embargo, las cicatrices de nuestras propias vidas difíciles se borrarán de nuestros nuevos cuerpos celestiales. Los que han soportado sufrimientos, insultos e injusticias por causa de Él cambiarán sus cicatrices, una por una, por las bendiciones más abundantes de Dios.

Regreso extremo

«Yo no lo permitiré», le dijo el pastor chino Wang Min-tao a los soldados japoneses. «No colgaré ese retrato del emperador en mi iglesia».

Varios años más tarde los comunistas exigieron que el pastor Wang colgara un retrato de su líder, el presidente Mao, en su santuario.

«Yo ni siquiera tengo un cuadro de Jesús en mi iglesia», dijo el pastor. «Me niego a colgar un retrato del emperador japonés y me niego a colgar uno de Mao».

Vuélvanse al Señor su Dios, porque él es bondadoso y compasivo, lento para la ira y lleno de amor.

Joel 2:13

A Wang lo arrestaron en 1955, y por dos años lo sometieron a tortura severa y a lavado de cerebro. Por último, vuelto casi loco por la tortura, firmó una «confesión» que resumía todos sus «crímenes» contra la República Popular. Con la confesión, el pastor Wang obtuvo su libertad de la cárcel.

Sin embargo, afuera de la prisión no tenía paz. Se dijo: «Yo soy Judas. Soy como Pedro cuando negó a Cristo». Al final, regresó a la policía china.

«Yo rechazo mi confesión», les dijo. «Hagan conmigo lo que les parezca».

Los guardias no estaban satisfechos de simplemente encarcelar a Wang de nuevo. Así que también metieron a su esposa en la cárcel. En una carta desde la prisión, escribió: «No se preocupen por mí; valgo más que muchos gorriones».

Wang Min-tao murió en la cárcel, con la única culpabilidad de amar a su Salvador.

¿Quién no quisiera ser valiente como Pedro, pegándole de un modo impulsivo a los que vinieron a arrestar a Jesucristo? Sin embargo, ¿quién no es también débil como Pedro, negando a Cristo casi en la misma situación bajo la amenaza de oposición? Dios no nos reprende por nuestra humanidad. Acepta nuestra debilidad y trabaja con nosotros hasta que recobremos las fuerzas. Al igual que Dios restauró a Pedro y a otros creyentes como Wang Min-tao a una posición de fe, también puede restaurar nuestra valentía sólida de nuevo. ¿Ha sufrido por el recuerdo de una oportunidad perdida para mantenerse firme por Cristo? Pídale a Dios que lo restaure hoy. Él comenzará a prepararlo aun ahora para su próxima oportunidad de mantenerse firme.

Perspectiva extrema

RUMANIA: FLOREA

«Nuestro Señor nos ordenó a recordar el sábado y mantenerlo santo», le dijo Florea con calma a los guardias de la prisión. «Yo no puedo trabajar en este día».

A los prisioneros rumanos los obligaban a trabajar todos los días, pero cada sábado Florea se negaba a trabajar. Por su negativa, los guardias por rutina lo golpeaban con tanta fuerza que perdió el uso de sus brazos y piernas. Solo podía mover la cabeza.

Debido a que ya no podía trabajar, a Florea lo obligaban a sentarse en su celda todo el día. Tenía que depender de otros prisioneros para que le dieran de comer. A pesar de su situación, él no estaba abatido.

La actitud de ustedes debe ser como la de Cristo Jesús.
Filipenses 2:5

Cuando los demás prisioneros se quejaban de su situación, Florea los animaba. «Si la perspectiva es mala», decía, «traten de "mirar hacia arriba". Cuando apedrearon a Esteban, él miró hacia arriba y vio a Jesús de pie a la derecha de Dios. Esto consoló el corazón de Esteban y también consolará los suyos». Alentaba a sus compañeros de prisión a no «mirar hacia afuera» a sus circunstancias, sino a «mirar hacia arriba» a Jesús.

Uno de los compañeros prisioneros de Florea era Richard Wurmbrand, a quien pusieron en libertad de la prisión y encontró al hijo de Florea, de nueve años de edad. Él le dijo la bendición que fue su padre en la cárcel.

El niño sonrió y contestó: «Yo quisiera sufrir por Cristo y servir de aliento igual que mi padre».

Un cristiano no es un privilegiado en ciertos tipos de circunstancias. Un buen hogar. Una familia perfecta. Buena salud. No, un cristiano es una persona con una actitud específica hacia todas y cada una de las circunstancias. La actitud de una persona es lo que distingue, sin importar las circunstancias. Una actitud celestial se enfoca en la presencia de Dios en medio de las pruebas. Concentrarnos en nuestras dificultades nos distrae de una perspectiva celestial. Nos sentimos agobiados. Deprimidos. Sin esperanza. En contraste, una perspectiva piadosa de nuestros problemas nos da la seguridad de que Dios está obrando. Descansamos en la presencia de Dios, esperando ver cómo va a resolver nuestras preocupaciones. ¿Está pasando por una prueba en este momento? ¿Dónde se encuentra enfocado? Pídale a Dios que redirija sus energías a fin de que logre ver más allá de sus problemas y sentir su presencia a su lado.

Cadenas extremas

CUBA: UN PRISIONERO CRISTIANO

«¡Firme la declaración!», gritó el agente cubano, forzando una pluma en la mano del prisionero cristiano. «¡Firme la declaración!»

La declaración escrita frente al prisionero contenía acusaciones acerca de otros cristianos. Su firma era todo lo que el gobierno necesitaba para arrestar a los demás.

—Yo no puedo firmar este papel —dijo el cristiano, mirando con calma al agente a los ojos.

Por tanto, también nosotros, que estamos rodeados de una multitud tan grande de testigos [...] corramos con perseverancia la carrera que tenemos por delante.

Hebreos 12:1

—¿Por qué no? —preguntó el capitán, con una calma exagerada, antes de maldecir al hombre—. ¿No sabe cómo escribir su propio nombre?

—Es a causa de la cadena, mi amigo. La cadena no me permite firmar esto.

Agarrando con brusquedad las manos del prisionero, el militar las sostuvo delante de su rostro.

—¡Pero usted no está encadenado, idiota! —gritó él.

—Ah, pero sí lo estoy —dijo el creyente cristiano—. Estoy atado por las cadenas de testigos que a través de los siglos han dado sus vidas por Cristo. Soy todavía un eslabón en esa cadena y no la romperé.

Aunque lo amenazaron y maltrataron, el prisionero se negó a firmar.

Los mártires cristianos dejan tras ellos un gran testimonio de aplomo increíble en medio de circunstancias horribles. Su fortaleza es heroica. Sus palabras son sabias. Su calma es inquebrantable. Tomás de Aquino escribió: «Las palabras pronunciadas por los mártires ante las autoridades no son humanas, la expresión sencilla de una convicción humana, sino palabras pronunciadas por el Espíritu Santo a través de los que confiesan a Jesús». Vida por vida, eslabón por eslabón, las palabras habladas a través del poder del Espíritu Santo en medio de la opresión están formando un poderoso testimonio. Usted también es un eslabón en la cadena de creyentes. ¿La mantendrá usted unida?

Escuela extrema

LITUANIA: NIJOLE SADUNAITE

La atmósfera era sombría, casi cruel. El tribunal de Lituania se estaba reuniendo a fin de dictar sentencia a Nijole Sadunaite. Su «crimen» como el de muchos otros, era solo ser cristiana en un país comunista.

Entonces el juez le ofreció una última oportunidad de hablar. Esperaba con ansias que la joven mujer rogara entre lágrimas pidiendo misericordia. Hasta quizá que renunciara a su absurda fe en Dios. Sin embargo, se iba a llevar una sorpresa.

No hubo lágrimas de Nijole. Su rostro estaba radiante y una bella sonrisa comenzó a formarse. Sus ojos se mantenían cálidos, aun para sus acusadores.

«Este es el día más feliz de mi vida», dijo la condenada. «Me juzgan por la causa de la verdad y el amor hacia los hombres».

Carguen con mi yugo y aprendan de mí.
Mateo 11:29

Ahora, todos los ojos en el tribunal estaban fijos en ella. «Tengo un destino envidiable, un destino glorioso. Mi condena aquí en este tribunal será mi triunfo supremo».

La pasión en su voz era inconfundible. «Solo siento que he hecho muy poco por los hombres. Amémonos los unos a los otros, y todos seremos felices. Solo el que no ama estará triste».

Quitó su atención del juez y miró con fijeza a los ojos de otros creyentes que observaban el juicio. «Debemos censurar la maldad, pero debemos amar al hombre, aun a aquel que está errado. Esto solo lo pueden aprender en la escuela de Jesucristo».

Cuando vaya a aprender sobre los perseguidos por la causa de Cristo, tome notas. La clase está en sesión. Desde la seguridad relativa de nuestros hogares y comunidades, leemos las historias de mártires cristianos. Incluso hasta nos estremecemos mientras volteamos las páginas. Sin embargo, ¿estamos listos para matricularnos en la escuela de Jesucristo? ¿Estamos listos para estudiar hombro con hombro con los que han andado por el camino solitario de la opresión? Debemos aplicar lo que aprendemos de ellos acerca de la fe, el amor, la santidad y la resistencia. Solo cuando nos identificamos con los sufrimientos de Cristo a través de las experiencias de otros podemos en verdad llamarnos «cristianos», significando «pequeños Cristos». Solo entonces estaremos preparados para pasar el examen.

El sufrimiento logra evitar el pecado,
pero el pecado nunca evitará
el sufrimiento.

UN COMENTARIO ESCRITO A MANO EN UNA EDICIÓN
DE 1800 DEL LIBRO DE LOS MÁRTIRES DE FOXE

Declaración extrema

RUMANIA: EL PASTOR RICHARD WURMBRAND

«¡Usted está mintiendo!», gritó el teniente Grecu al pastor encarcelado, Richard Wurmbrand. «¡Díganos la verdad acerca de sus actividades cristianas y sobre otros en su iglesia! Aquí debe escribirme todas las reglas que ha violado en la prisión».

Wurmbrand se sentó y escribió con tranquilidad todas las reglas de la prisión que había violado. Cuando terminó, añadió un último párrafo: «Nunca he hablado en contra de los comunistas. Soy un discípulo de Cristo, quien nos ha dado amor por nuestros enemigos. Yo los comprendo y oro por su conversión para que ellos se vuelvan mis hermanos en la fe». Con audacia, firmó su nombre al final.

Grecu leyó la «declaración». Su rostro se suavizó al llegar al final, asombrado de que Wurmbrand fuera capaz de escribir acerca de amar a un gobierno que lo había arrestado y torturado. «Este amor», dijo él, «es uno de sus mandamientos cristianos que nadie puede cumplir».

Ahora, Señor, toma en cuenta sus amenazas y concede a tus siervos el proclamar tu palabra sin temor alguno.
Hechos 4:29

«No es cuestión de cumplir un mandamiento», respondió Richard con suavidad. «Cuando me convertí en cristiano era como si hubiera nacido de nuevo, con un nuevo carácter lleno de amor. Del mismo modo que el agua es lo único que fluye de un manantial, el amor es lo único que brota de un corazón amoroso».

En los meses subsiguientes, Wurmbrand le habló muchas veces más del amor de Cristo al teniente Grecu, ¡el cual al final oró para recibir a Cristo!

Declarar su fe en Cristo es solo expresarla en una voz lo bastante alta de modo que otros escuchen y la reciban. No significa que usted sea aborrecible. No significa que tenga que ser muy extrovertido. Solo significa que usted es un libro abierto para que otros lean acerca de Jesucristo. Y que está dispuesto a leerlo en voz alta cuando sea necesario. A menudo titubeamos en nuestro testimonio por Cristo. No deseamos ofender. No queremos que nos reciban mal. Y, sin embargo, nuestro testimonio taciturno quizá dé lugar a que perdamos la oportunidad de guiar a alguien a la fe en Cristo. ¿Qué significaría para usted declarar hoy su fe en Cristo? ¿A quién debería definirle y expresarle el mensaje de gracia de Dios?

Reunión extrema

ESPAÑA: ANTONIO HERREZUELO

Aunque lo estaban quemando en la hoguera por orden de las autoridades españolas, el dolor de Antonio Herrezuelo estaba en su espíritu. Se dio cuenta que su esposa había renunciado a su fe en Cristo a fin de escapar de una muerte similar.

Antonio pudo también haber salvado su vida y haber recibido cadena perpetua en la cárcel como su esposa. Quizá lo hubieran perdonado algún día y lo habrían reunido de nuevo con su esposa.

Después de esto miré, y apareció una multitud tomada de todas las naciones, tribus, pueblos y lenguas; era tan grande que nadie podía contarla. Estaban de pie delante del trono y del Cordero.

Apocalipsis 7:9

Sin embargo, no podía renunciar a su fe. Las últimas palabras que dijo, antes que los soldados lo amordazaran, fueron súplicas a su esposa. «Por favor regresa a Cristo y recibe su perdón. Nos reuniremos de nuevo en el cielo. ¡Por favor, regresa!», le gritó a su esposa. Aunque no tenía esperanza terrenal de reunirse con ella, quería estar a su lado por la eternidad.

Después de la muerte de su esposo, a la señora Herrezuelo la llevaron de nuevo a la cárcel a servir su cadena perpetua. Durante ocho años luchó con Dios y con su propio espíritu. No encontraba paz por su fatídica decisión.

Al final, regresó de manera pública a la fe en Cristo, rechazando su negativa anterior aun cuando los inquisidores del siglo dieciséis la amenazaron. Un juez la sentenció a morir en la hoguera, ahora por segunda y última vez.

Ella estaba ansiosa por morir y reunirse con su esposo. La señora Herrezuelo, aunque muriendo, estaba de nuevo en paz. Sus primeras palabras serían decirle que había regresado a la fe.

¡Qué reunión tan maravillosa será el cielo! Todos los que sufrieron y murieron por su fe en Cristo brillarán como lumbreras de su gracia y su misericordia. Las familias que se separaron debido a regímenes malvados se reunirán de nuevo. Esposos y esposas. Madres e hijas. Amigos y vecinos de países enteros que fueron acorralados y exiliados se verán unos a otros de nuevo. Los miembros de la iglesia clandestina y las congregaciones de países perseguidos estarán allí con sus historias de rescates angelicales. Solo las historias pudieran tomar una eternidad para contarlas; testimonios de generaciones de mártires acerca de la fidelidad de Dios. ¿Estará usted allí en el cielo para escucharlas? Mejor aun, ¿tendrá su propia historia que contar?

Gracia extrema

KENIA: UNA VIUDA

«Antes que terminemos este culto fúnebre», su voz la escucharon con claridad las mil personas que asistían, «quiero decirles lo que mi esposo me dijo antes de morir. Me pidió que les dijera a sus asesinos que él se va al cielo amando a todo el mundo de corazón, incluyendo a sus asesinos. Los perdonó a todos por lo que hicieron debido a que Jesús los ama y también los perdonará».

Ella estaba de pie junto al ataúd de su esposo. Había lágrimas en sus ojos, pero su voz era fuerte. Los moretones en su cuerpo les decían a los dolientes que a ella también la habían golpeado.

Como cristianos, ella y su esposo se negaron a hacer un juramento de la tribu kikuyu que no se ajustaba a su fe cristiana. Por esto, a su esposo lo mataron a golpes, y a ella la apalearon y hospitalizaron.

La multitud estaba callada, silenciada por el poder de las palabras de la viuda, y por su voluntad. Muchos de los que vivían en Kenia en 1969 también se enfrentaron al acoso y ataque por valorar su fe por encima de su lealtad a la tribu.

De modo que se toleren unos a otros y se perdonen si alguno tiene queja contra otro. Así como el Señor los perdonó, perdonen también ustedes.

Colosenses 3:13

«Yo, como su viuda, también les digo a todos ustedes, en la presencia de mi esposo muerto, que no odio a ninguno de los que lo mataron. Amo a los asesinos. Los perdono, sabiendo que Cristo murió también por ellos».

Ninguno de los asistentes ese día olvidaría jamás las palabras de la viuda ni su ejemplo de perdón y gracia extrema.

El perdón es un ejemplo extremo de lo que significa ser como Cristo, a fin de extender su gracia a otros. Nadie jamás ha tenido que perdonar más que Jesucristo. Nada se compara al peso sobre sus hombros de los pecados de todo el mundo en el Calvario. Por lo tanto, cuando perdonamos a los que nos odian, nunca nos parecemos más a Jesús como en ese momento. El perdón no convierte en bien los males que le han hecho. El perdón lo pone a usted en buen estado. El perdón no significa que saca a sus perpetradores de un apuro. El perdón significa salir de un apuro y liberarse de la tiranía de los pensamientos vengativos. Perdonar a otros por el mal que le han hecho le da una oportunidad de brillar para Cristo como nunca antes. ¿Dónde brillará usted hoy la luz del perdón de Dios?

Bondad extrema

Drama

RUMANIA: BARTO

Barto estaba a punto de morirse de hambre. El que una vez fuera dirigente del Partido Comunista oficial y fiscal, ahora el mismo partido lo consideraba innecesario. Lo sentenciaron a un campamento rumano de trabajo forzado. Su estómago, en un tiempo lleno, ahora se consumía. Se preguntaba cuánto tiempo lograría continuar así.

Viendo la débil condición de Barto, un compañero de prisión fue a él y ofreció compartir sus raciones de comida.

—Gracias, mi amigo —le dijo al otro prisionero y le preguntó mientras engullía la comida—. ¿Cuánto tiempo debe estar aquí?

—Veinte años —respondió el prisionero. Sus ojos parecían cuestionar a Barto.

—¿Qué crimen cometió?

—Me juzgaron y sentenciaron por darle de comer a un pastor fugitivo que perseguía la policía —dijo el hombre con calma.

Barto notó que su voz no llevaba remordimiento como él había escuchado de tantos otros.

—¿Quién le dio un tratamiento tan duro por hacer una buena obra? —preguntó Barto.

El prisionero respondió con humildad:

—Señor, usted era el fiscal en mi juicio. Ahora no me reconoce, pero yo me acuerdo de usted.

—Yo soy cristiano —continuó el hombre—. Cristo nos enseñó a vencer el mal con el bien. En aquel momento deseaba que se diera cuenta que es justo y bueno darle de comer a un hambriento, aun a su enemigo. Ahora, se lo puedo demostrar.

Barto comenzó a comprender ese día que sus propias necesidades espirituales eran mayores que sus necesidades físicas.

¿No ves que desprecias las riquezas de la bondad de Dios, de su tolerancia y de su paciencia, al no reconocer que su bondad quiere llevarte al arrepentimiento?
Romanos 2:4

La bondad es el camino a los corazones de nuestros enemigos. Y pudiera hacer algo por sus almas. Dios utiliza la bondad como su estrategia preferida cuando trata con nosotros. En lugar de darnos exactamente lo que merecemos por nuestras ofensas en su contra, nos trata con bondad. Su bondad es un ejemplo de cómo debemos moldear nuestro propio enfoque hacia los que nos ofenden. La bondad atrae su atención. Es tan inesperada como inmerecida. Como Barto, nuestra bondad hacia un enemigo logra despertar un hambre espiritual por la fuente de nuestra compasión. Sin embargo, cualquiera que sea su respuesta, debemos seguir el ejemplo de nuestro Señor cuando estamos tratando con nuestros enemigos. ¿Quién necesita su bondad hoy?

Niños extremos

RUSIA: PADRES ENCARCELADOS

En países restringidos, los niños cristianos a menudo sufren junto con sus padres. Cuando arrestan a sus padres y madres por sus actividades de la iglesia, a menudo los hijos quedan como huérfanos. Si tienen suerte, miembros de su familia o amigos pueden cuidar de ellos. Aun así, en el peor de los casos, los envían a orfanatos o a instituciones operados por el estado. No hay más historias bíblicas al acostarse, ni hay más oraciones familiares antes de las comidas.

Sin embargo, las cartas de los hijos a sus padres encarcelados muestran una tremenda valentía y tenacidad durante los tiempos difíciles de separación. Sus palabras transmiten esperanza de una reunión.

Les aseguro que el que no reciba el reino de Dios como un niño, de ninguna manera entrará en él.
Marcos 10:15

«Dios te bendiga amada mamá. No te preocupes por nuestra separación temporal, no durará para siempre. Nuestro gozo regresará pronto... Deja que ese pensamiento te aliente. Mamá, no puedo imaginar la fiesta que vamos a tener cuando regreses. He estado manteniéndome al día en mi trabajo en la escuela. Ahora es de noche, mañana será otro día. Los días van pasando, pero sé que pronto estaremos juntos de nuevo. Yo te abrazo. Tu amorosa hija».

«Querida mamá, cuando regreses a casa, no pensaré más en la soledad ni el dolor. Te ruego que no llores, mamá. Yo te amo. Escribí un pequeño poema para ti:

Tienes un corazón de oro muy santo,
Y no eres anciana, sino joven de corazón.
El Señor te observa y cuida desde lo alto,
Pronto tú yo nos uniremos en amor.

Los niños son a menudo los últimos que consideramos cuando pensamos en los efectos de la persecución. Por cada padre encarcelado, hay un hijo que se queda atrás. Sin embargo, como Jesús señaló en numerosas ocasiones, la fe de un niño es significativa. Si un niño es capaz de demostrar una valentía increíble en medio de circunstancias intensas, ¿cuál es nuestra excusa? En lugar de volverse resentidos en contra de circunstancias que están fuera de su control, los hijos de cristianos perseguidos crecen en gracia. ¿Podemos decir lo mismo de nuestras vidas? Como adultos, corremos el riesgo de enfocarnos demasiado en los golpes y tropiezos que nos trae la vida. Nos beneficiaríamos si mostráramos la fe resistente de los niños. ¿De qué maneras necesita crecer en la fe como un niño? Comience hoy recordando a los niños.

Protesta extrema

RUSIA: CRISTIANOS BAUTISTAS

Fue una protesta como ninguna que haya visto el mundo jamás. La mayoría de los disturbios alrededor del mundo son violentos, gritando consignas, agitando pancartas y banderas, y aun tirando piedras. Sin embargo, el 16 de mayo de 1966 quinientos bautistas soviéticos se reunieron en el patio del Comité Central comunista. Contrario a la mayoría de las protestas, no gritaron consignas ni exigencias.

Estaban de pie juntos orando y cantando himnos. Georgi Vins y Gennadi Krivchkov le presentaron una petición a su favor al gobierno soviético, pidiendo el reconocimiento oficial de sus iglesias, una petición para detener la interferencia gubernamental, la libertad de los creyentes encarcelados y libertad para los ciudadanos soviéticos de enseñar y que les enseñaran la fe religiosa.

Con tus buenas obras, dales tú mismo ejemplo en todo [...] Así se avergonzará cualquiera que se oponga, pues no podrá decir nada malo de nosotros.

Tito 2:7-8

En la mañana del día diecisiete, soldados y agentes de la KGB rodearon la reunión pacífica. Alrededor de la una de la tarde, una serie de autobuses llegaron y los soldados atacaron, golpeándolos y forzándolos a subir a ellos. Nadie se defendió. En lugar de eso, los manifestantes unieron sus brazos y comenzaron a cantar de nuevo por encima de los gritos de los soldados atacantes. Todo esto se hizo en público con muchos espectadores que se reunían para observar la fe inquebrantable de los cristianos. Entonces, a ellos los llevaron a la cárcel.

Aun en la cárcel continuaron orando y cantando. Los comunistas habían rechazado las peticiones de estos que protestaban en forma pacífica, pero ellos no quebrantaron sus espíritus.

Las personas que convierten al cristianismo en una causa corren el riesgo de confundir la violencia con la obediencia. Sin embargo, nada está más lejos de la verdadera descripción. La obediencia radical significa que protestamos cualquier cosa que es contraria a las enseñanzas de Cristo. No obstante, como los bautistas soviéticos, buscamos la paz y no queremos provocar daños. Los perseguidos por su fe dejan un ejemplo de demostración y determinación pacífica. No pagan el mal con el mal, sino que aceptan con calma las consecuencias de su obediencia a los mandamientos de Cristo. Si usted quiere ser un cristiano radical, debe obedecer a plenitud los mandamientos de Cristo. ¿En qué esfera de su vida lo llama Dios a una obediencia radical para Él? ¿Qué significa para usted ser un cristiano radical?

La causa, no el sufrimiento,
hace un mártir genuino.

SAN AGUSTÍN

Instrumentos extremos

UNA CÁRCEL COMUNISTA: UN PASTOR CRISTIANO

«¿Por qué es que tantos cristianos solo cantan una vez a la semana? ¿Por qué nada más que una vez? Si es bueno cantar, hágalo todos los días. Si es malo cantar, no lo haga los domingos».

El pastor había pasado varios años horribles en la cárcel a manos de las autoridades comunistas. Lo encarcelaron por creer en Cristo, y aunque recordaba las torturas allí, no se enfocaba mucho en ellas. En lugar de eso hablaba de los tiempos de gozo en la presencia de su Señor. Él y sus compañeros de prisión cristianos formaron una comunidad de alabanza en medio de la prisión.

Vengan, cantemos con júbilo al Señor; aclamemos a la roca de nuestra salvación.

Salmo 95:1

«Cuando estábamos en la cárcel, cantábamos casi todos los días porque Cristo estaba vivo en nosotros. Los comunistas fueron muy amables con nosotros. Sabían que nos gustaba alabar a Dios con instrumentos musicales, así que le dieron a cada cristiano en la cárcel un instrumento musical. Sin embargo, no nos dieron violines ni mandolinas; esos eran muy caros. En lugar de eso, pusieron cadenas en nuestras manos y pies. Nos encadenaron para acentuar nuestro suplicio. Aun así, ¡descubrimos que las cadenas son excelentes instrumentos musicales! Cuando las sonábamos unas con otras en ritmo, podíamos cantar. "Este es el día (clin, clan), este es el día (clin, clan), que hizo el Señor (clin, clan), que hizo el Señor (clin, clan)"». ¡Qué sonido tan gozoso al Señor!

Para los que no lo han experimentado todavía, la persecución parece enfocarse por completo en la pérdida. La pérdida de libertad. La pérdida de esperanza. Aun la pérdida de la vida. Sin embargo, los que han sufrido por su fe en Cristo pasan por alto lo que falta y se enfocan en nuevos descubrimientos. Se deleitan en las pocas libertades que tienen en lugar de lamentarse por lo que no tienen. En esta historia, los captores comunistas les robaron a los creyentes la mayoría de las libertades y la dignidad de la vida. Aun así estos creyentes firmes se enfocaron en lo que aún tenían: su gozo en el Señor. Es bueno cantarle al Señor cuando lo tiene todo; es bueno también cantarle cuando lo ha perdido todo. ¿Qué hará hoy para asegurarse de no perder su gozo cristiano?

Ejemplo extremo

COLOMBIA: CHET BITTERMAN

Los guerrilleros encapuchados y armados, miembros del grupo revolucionario marxista conocido como M-19, ataron a los doce adultos y cinco niños que estaban presentes en las oficinas principales de Traductores Bíblicos Wycliffe en Bogotá, Colombia. «¿Dónde está su director? ¿Dónde está Al Wheeler?», le gritó el líder al rostro de una de las secretarias. «¡Queremos a Wheeler!»

«No le haga daño», fue la rápida respuesta. «Wheeler no está aquí».

El marxista se estremeció como si le fuera a pegar, entonces cambió de idea. «Muy bien, entonces lo llevaremos a usted en su lugar. ¡Vamos!»

Imítenme a mí, como yo imito a Cristo.

1 Corintios 11:1

Sus demandas llegaron varios días más tarde. «Si su organización no sale de Colombia para el 19 de febrero, ejecutaremos a nuestro prisionero». Los guerrilleros incluso llamaron al presidente Reagan y exigieron que su manifiesto se publicara en el *New York Times* y en el *Washington Post* o el señor Chet Bitterman moriría.

A medida que se acercaba la fecha, se establecieron cadenas de oración. En una estación local de radio se recibió una cinta confirmando que Chet había estado testificando a los guerrilleros. Su esposa Brenda recibió una carta pidiendo una Biblia en español.

Chet alcanzó su meta en la vida: predicar el evangelio dondequiera que se necesitara. Al final, dejaron el cuerpo de Chet en un autobús abandonado por los terroristas. Colombianos, junto con cristianos a través de Estados Unidos, conmemoraron su muerte dando un paso al frente para llenar el vacío que dejó Chet. El siguiente año, las solicitudes para servir con Traductores Bíblicos Wycliffe fueron el doble.

El liderazgo por ejemplo personal es un principio popular de preparación ejecutiva. Los ejecutivos de más alto nivel deben modelar las prioridades de una compañía. En el caso del cristianismo, el liderazgo por ejemplo es igual de importante. Es más, Jesús lo ordenó. Él demostró cómo los líderes cristianos deben modelar la fe a fin de que otros creyentes los sigan. No solo nos dio sus enseñanzas, las vivió. ¿Cuántos de nosotros estamos dispuestos a vivir bajo una norma de obediencia radical a Cristo? Si estamos dispuestos, no controlaremos nuestros propios destinos. Seremos un ejemplo para otros a medida que seguimos el ejemplo de Cristo. ¿Quién está observando su vida hoy? ¿Qué aprenden de su ejemplo sobre cuán de cerca sigue a Cristo?

Preparaciones extremas

SUDÁN: NIÑOS SUDANESES

Las trincheras en el patio de una escuela son muy comunes en el sur de Sudán. En medio de un patio de recreo lleno de niños corriendo y riendo se encuentra un gran cilindro de metal con aletas en la parte trasera medio enterrado en el suelo. Una bandera sobresale de la bomba sin explotar como un recordatorio a fin de que los niños no se acerquen.

Hace poco un equipo misionero entregó ayuda a esta escuela primaria en la provincia de Yei. Como la mayoría de las áreas en Sudán, esta escuela funciona muy mal debido a la falta de materiales y maestros capacitados.

El que tiene al Hijo, tiene la vida; el que no tiene al Hijo de Dios, no tiene la vida.

1 Juan 5:12

Esta escuela en particular se encuentra en un área que bombardea con regularidad el gobierno islámico de Sudán.

Estos niños han cavado a mano más de veinte trincheras en el patio de recreo. Se han preparado con algún tipo de protección contra las bombas. Cuando escuchan los motores de los bombarderos, corren a las trincheras, cuidándose de la metralla que salta.

Algunos logran llegar a las trincheras a salvo, pero otros no. Cuando el equipo misionero preguntó qué se podía hacer por los niños, la respuesta fue sencillamente: «Oren por su protección».

La Biblia muestra que muchos creyentes vivieron una existencia precaria para mantener su fe en Cristo. En el caso de esos niños, sufrir o aun morir por su fe era una realidad cotidiana. Para nosotros, son valientes soldados por Cristo.

Los niños de Sudán están preparados para entrar en una batalla terrenal. Lo que es más importante, están preparados para entrar un día por las puertas del cielo. Han asegurado una protección en la tierra de los ataques aéreos de los campamentos enemigos. Aun así, su fe en Cristo les ha asegurado una protección eterna en los brazos de Dios. Quizá, como los niños sudaneses que juegan cerca de una bomba sin explotar, usted ya ha aprendido que la vida a menudo se desenvuelve a un paso del desastre. Es posible que hasta haya dado pasos para cavar y proteger su vida en la tierra, esperando lo mejor en medio de tiempos inestables. Sin embargo, ¿ha seguido también el ejemplo de ellos de estar preparado para la vida en el más allá? ¿Está preparado para la vida eterna a través de una relación personal con Jesucristo?

Revolución extrema:
Primera parte

RUMANIA:
LOS CRISTIANOS
DE TIMISOARA

Cuando el poeta rumano Constantin Ioanid escribió el poema titulado «Dios existe», no se imaginaba el significado que sus palabras tendrían en la historia de Rumania.

Una noche de 1989, los cristianos estaban protestando en la ciudad de Timisoara. Un obispo que se había convertido en un títere a favor de los comunistas había despedido al pastor reformista Tokes por predicar fielmente la Palabra de Dios.

El día que el pastor Tokes iba a dejar su hogar y su iglesia, los cristianos rodearon su casa a fin de impedir que la policía lo desalojara. La multitud creció enseguida y llamaron al ejército para detenerlos.

Y conocerán la verdad, y la verdad los hará libres.

Juan 8:32

Los soldados comenzaron a disparar y mataron o hirieron a muchos. Entonces ocurrió algo sorprendente. La multitud, en lugar de pelear contra el ejército, se arrodilló y oró. Asombrados, los soldados se quedaron anonadados y rehusaron disparar más.

Mientras tanto, toda la ciudad se había reunido y un pastor local se dirigió a la multitud desde el balcón del teatro de la ópera. Recitó el poema del hermano Ioanid y toda la multitud comenzó a gritar: «¡Dios existe! ¡Dios existe!». Se distribuyeron volantes con el texto del poema, y los que conocían la música que se compuso para esa letra comenzaron a cantar. Pronto miles la cantaban una y otra vez.

El canto se convirtió en el comienzo de la revolución rumana que llevó a la caída del dictador comunista, Nicolae Ceausescu.

Una revolución es un nuevo resurgimiento de creencia en una idea muy vieja, ya bien sea libertad, dignidad personal o aun la existencia de Dios. Estos principios manifiestos se mantienen inmutables durante el ciclo de opresión. Aunque quizá sean «clandestinos» por un tiempo, no se cuestiona su existencia. Una revolución espiritual resucita la creencia en la existencia de Dios, aunque Dios mismo nunca estuvo muerto. La revolución comienza con la revelación de Dios de la verdad. Todos necesitamos valentía para resucitar nuestra fe en la proposición básica, poderosa, y que cambia la vida de que Dios existe. Somos parte de una revolución cuando nos unimos a otros cristianos que comienzan a vivir como si lo creyeran. ¿Qué parecería una revolución espiritual en su propia vida?

Revolución extrema:
Segunda parte

Después que cientos murieron sin necesidad en Timisoara en 1989, otras demostraciones estallaron de forma espontánea en diferentes ciudades a través de Rumania. Durante una protesta, un grupo de trece niños hizo una barrera humana con sus cuerpos a fin de impedir que los soldados avanzaran sobre la multitud. Cuando los soldados comenzaron a avanzar de todos modos, los niños se arrodillaron y gritaron: «Por favor, no nos maten».

Entonces dijo: «Les aseguro que a menos que ustedes cambien y se vuelvan como niños, no entrarán en el reino de los cielos».

Mateo 18:3

Los soldados pasaron por alto a los inocentes niños y comenzaron a dispararles. Sin embargo, los niños no retrocedieron. Un monumento conmemorativo se erigió donde mataron a los niños.

Una leyenda ha circulado en torno a Rumania de que en realidad los ángeles comenzaron la revolución al rodear a los niños y darles el santo valor que necesitaban para mantenerse firmes frente al mal.

En cada ciudad, se llamaron tanques y tropas a fin de contener el alzamiento. Aun así, al final, los soldados sucumbieron a las multitudes pacíficas. En la ciudad de Sibiu, soldados y oficiales se unieron a la multitud de miles mientras dos ministros parados encima de tanques le pidieron a todo el mundo que se arrodillara para orar. Ya estaban tan hartos con el gobierno como el pueblo, y pronto se volvió imposible reprimir el alzamiento.

Se cree que el martirio de un pequeño grupo de niños le dio al país la victoria sobre una generación de opresores comunistas.

Cuando nos volvemos como niños en la fe, deseamos desde lo más profundo alcanzar lo que Cristo ha preparado ante nosotros. Como niños, debemos aprovechar el momento y hacer lo mejor de él. Los niños rumanos suplicaron sin éxito por sus vidas, pero se mantuvieron firmes en su misión. ¿Hay alguna circunstancia o consecuencia que amenaza su lealtad a su misión? ¿Qué está dispuesto a sacrificar para entregarse por completo a la causa de Cristo?

Un paso extremo

CAMPAMENTO DE CONCENTRACIÓN NAZI: MARÍA SKOBTSOVA

«... siete, ocho, nueve; ¡usted! ¡Dé un paso al frente!» El guardia nazi le gritó a la mujer. El comandante había ordenado la ejecución de una de cada diez prisioneras como castigo por la huida de dos mujeres la noche anterior.

«¡Por favor, tenga misericordia de mí! Yo tengo un niño», rogaba la décima mujer.

María Skobtsova era la siguiente en la línea. En su corazón María escuchó. *Da un paso al frente y diles que tú deseas morir en su lugar*. Ella le respondió a la voz interior: «¿Por qué? No es cristiana. Es una comunista judía. Cuando derroquen a los nazis y los comunistas tomen el poder, serán tan malos como los nazis».

Entonces María recordó que era viernes santo. La voz dijo: *Un día como hoy no morí por los buenos, sino por los malos, por los pecadores*.

Entonces María dio un paso adelante. «Yo deseo morir».

El oficial se rió. «Si usted es lo bastante estúpida para morir en lugar de ella, está bien, pase adelante. Su turno vendrá bastante pronto».

Mientras María iba para ser ejecutada e incinerada en los hornos, les dijo: «Cuando Dios sacó a su pueblo de la esclavitud en Egipto, en nuestra Biblia está escrito que Él fue delante de ellos en una columna de fuego. Yo oro que cuando mi cuerpo se queme sea una columna de fuego que les muestre a ustedes el camino a Dios».

Los pasos del hombre los dirige el Señor. ¿Cómo puede el hombre entender su propio camino? Proverbios 20:24

Un paso adelante puede ser determinante. A menudo, los cristianos viven sus vidas balanceándose de manera precaria sobre una cerca entre la seguridad y lo desconocido. Los que han dado el pequeño paso adelante a lo desconocido siempre han encontrado la fidelidad de Dios. Noé. Moisés. Abraham. Débora. Rut. María. Pablo. La lista de ejemplos bíblicos es interminable, sin mencionar una multitud de la galería de personajes de la historia. Un paso de fe cambió sus vidas de ordinarias a extraordinarias. ¿Está Dios llamándolo hoy a dar un paso adelante en fe? ¿Escucha su voz en su corazón? Escuche. Prepárese a moverse. Su pequeño paso de obediencia les mostrará a otros el camino a Dios.

*Un mártir es aquel que se ha convertido
en el instrumento de Dios, que ha
perdido su voluntad en la voluntad de
Dios, no la ha perdido, sino la ha
encontrado, porque ha encontrado
libertad en someterse a Dios. El mártir
ya no desea nada para sí mismo, ni
siquiera la gloria del martirio.*

T.S. ELIOT, MURDER IN THE CATHEDRAL [ASESINATO EN LA CATEDRAL]

Secreto extremo

LAS CATACUMBAS ROMANAS

A los cristianos en los primeros siglos se les conocía por dos cosas: oración bajo tierra y persecución sobre tierra. Todo el mundo conocido estaba en contra de los cristianos en el Imperio Romano. En 162 d.C., Marco Aurelio Antonino firmó un decreto que decía: «¡Cualquiera que profesa ser cristiano merece la muerte más dolorosa!». Un período de casi cuatro siglos de secreto extremo comenzó para la iglesia. Prácticamente, la iglesia se fue bajo tierra, creando las catacumbas romanas.

Una red extensa de cuartos y corredores se construyó debajo de Roma para enterrar a los muertos. Sin embargo, esos se convirtieron en las catedrales secretas de la iglesia primitiva. Los creyentes podían encontrar un lugar de adoración y oración sin estorbos ni protección.

Las catacumbas muestran la devoción de los primeros creyentes de buscar un lugar para adorar a Cristo. Los huesos rotos y quemados de sus tumbas muestran la intensidad de las persecuciones que sufrieron. Quizá más significativas son las notas secretas de victoria y paz escritas en las paredes. A pesar de la crueldad que les mostraban encima de la tierra, decoraban las paredes abajo con símbolos de su fe y de la paz a través de la cruz.

No hay nada escondido que no esté destinado a descubrirse; tampoco hay nada oculto que no esté destinado a ser revelado.

Marcos 4:22

No es raro ver inscripciones crípticas como la siguiente en las tumbas: «Victorioso en *paz* y en Cristo» o «Siendo llamado, se fue en *paz*» o «Aquí yace María, puesta a descansar en un sueño de *paz*». La clave para su triunfo no es un secreto: paz perfecta en Cristo Jesús.

Muchas personas mantienen su fe como un secreto toda la vida. Sostienen que la religión es un asunto privado, algo que es solo entre Dios y ellos. Sin embargo, esto no era así en la iglesia primitiva. Los creyentes eran tan francos en su fe que los identificaban con facilidad y los perseguían. Las catacumbas romanas servían como un lugar privado de adoración; sin embargo, encima de la tierra su lealtad no era un secreto. Es por eso que muchos de ellos fueron martirizados por su fe. La oración constante y franca bajo tierra les daba la paz que experimentaban en la persecución sobre la tierra. ¿Ha estado su fe «bajo tierra» por toda su vida cristiana? Es tiempo que el secreto salga a la luz. Sin importar las consecuencias, no mantenga su cristianismo escondido.

Confianza extrema

LA CIUDAD DE NUEVA YORK

«Y quiero que sepan, amados hermanos, que cuanto me ha sucedido ha contribuido a la propagación de las Buenas Nuevas [...]. Además, gracias a mis prisiones, muchos de los cristianos de estos alrededores han perdido el miedo [...] y ahora hablan de Cristo con más valor [...]. Porque por Cristo les ha sido concedido a ustedes no solo el privilegio de confiar en Él, sino de sufrir por Él» (Filipenses 1:12, 14, 29, LBD).

Si los cristianos estadounidenses estuvieran más activos en la evangelización, ¿verían los Estados Unidos un aumento en la persecución dentro de sus fronteras? Metro Ministries, un ministerio de evangelización que alcanza las áreas más difíciles en la ciudad de Nueva York, ha visto este efecto en su propio ministerio. A medida que su evangelización penetra más profundamente en la ciudad, se han enfrentado a mayor resistencia. A varios miembros de su personal los han golpeado, apuñalado y violado mientras llevaban a cabo su misión. Incluso, a un miembro del personal lo mataron.

Esta es la confianza que delante de Dios tenemos por medio de Cristo.

2 Corintios 3:4

A su director, el pastor Bill Wilson, lo han apuñalado y golpeado en varias ocasiones. Sin embargo, el peligro de maldad no lo ha mantenido alejado de la gente que ama. También contrajo tuberculosis por ministrar a personas sin hogar.

Debbie, una chica de quince años de edad en uno de los barrios más pobres de Brooklyn, Nueva York, habla por muchos de los jóvenes que han experimentado persecución dentro de los Estados Unidos. Ella dice: «Es muy duro ser un cristiano sincero en mi escuela. Me acosan y presionan sin cesar a fin de que forme parte de una de las pandillas».

En muchos países restringidos, no persiguen a los cristianos por creer en Jesús, sino porque les hablan a otros acerca de Él. En esos países, la evangelización provoca persecución, lo cual a menudo da origen a testigos más fuertes por Cristo. Lo que tuvo la intención de destruirlos, en realidad los hace más resueltos. Asimismo, la evangelización, en los Estados Unidos y en otros países abiertos no siempre es segura. Aun así, ¿debería esta realidad aminorar nuestro entusiasmo por la obra? Un país como los Estados Unidos, fundado sobre la base de la libertad religiosa, no está acostumbrado en lo absoluto al sufrimiento y a la persecución. En lugar de utilizar este principio como un amortiguador para mantenernos seguros, deberíamos depender de él para hacernos más audaces. Como una persona que vive en una democracia libre, tiene aun más razones para hablar de su fe con denuedo y confianza. ¿Dirá lo que piensa hoy?

Dedicación extrema

INDIA: GLADYS STAINES

Gladys Staines tenía todo el motivo para estar amargada y enojada. Nadie la hubiera culpado por irse de la India. Aun así, cuando hindúes fanáticos en la ciudad india de Manoharpur asesinaron a su esposo y a sus dos hijos, Gladys y su hija de trece años de edad, Esther, decidieron quedarse. Ella continuaría su obra con los leprosos en el área.

A su esposo, Graham, y a sus dos hijos menores, Philip y Timothy, los asesinaron mientras dormían en su Jeep fuera de una iglesia. Estaban allí para ministrar a la congregación. Sin embargo, antes que saliera el sol esa terrible mañana, una banda de unos cien hindúes vertieron gasolina sobre su vehículo y le prendieron fuego. Los hindúes, armados con arcos y flechas, rodearon el vehículo para impedir su huida.

En cambio, los que viven conforme al Espíritu fijan la mente en los deseos del Espíritu.

Romanos 8:5

Gladys dijo que Graham nunca se había propuesto evangelizar entre los hindúes. Solo demostraba el amor de Cristo. Como resultado, la pareja australiana vio cómo muchos se convertían al cristianismo y quemaban sus ídolos. Los peligros de su testimonio nunca los desalentaron en su dedicación para demostrar el amor de Jesucristo.

En el culto fúnebre por Graham, Philip y Timothy, Gladys y Esther cantaron:

Porque Él vive, triunfaré mañana,
Porque Él vive ya no hay temor;
Porque yo sé que el futuro es suyo,
La vida vale más y más solo por Él.

«Porque Él vive», letra de William J. y Gloria Gaither, tr. Sid D. Guillén, música de William J. Gaither. Copyright © 1971 William J. Gaither, en Himnario de Alabanza Evangélica, Editorial Mundo Hispano.

El peligro nunca amedrenta a la dedicación. La preocupación no la debilita. Ni siquiera se preocupa por las consecuencias. La dedicación solo sabe una cosa: la obra pendiente. Para muchos, perder su familia por extranjeros hostiles quizá sea una excusa racional para abandonar su misión. No es así para quienes los motiva una dedicación extrema. Aunque tal vez se sientan devastados por la prueba, su decisión de seguir adelante no se inmuta. Solo Dios nos da la fortaleza espiritual necesaria para reanudar nuestra misión a pesar de la desgracia. ¿Se encuentra tratando de determinar si debe seguir o no en la obra de Dios? ¿Sucedió algo que lo quiere desviar de su rumbo? Pídale a Dios que le dé dedicación diaria a fin de mantenerse en la obra.

Adolescente extrema

CUBA: ROSA

«Nací en un hogar comunista donde nadie podía siquiera mencionar la palabra Dios. Mis padres son ateos. Mi padre es dirigente del Partido Comunista de Cuba. Mi madre es secretaria del Comité de Defensa de la Revolución. Quizá diga que mi hogar es un nido del comunismo. Sin embargo, mi abuela ama a Dios y me enseñó del Señor. Sembró en mí las semillas de la Palabra de Dios. En varias ocasiones yo traté de ir a la iglesia con ella, pero mis padres no lo permitieron.

«Un día, yo recibí al Señor Jesucristo como mi Salvador. Mi vida comenzó a cambiar. Incluso cambió la forma en que me vestía. Mi madre no lo aceptó. Nunca antes me había pegado, pero ahora lo hace a menudo. Cuando mi padre se enteró que yo era cristiana, me dijo que eligiera entre Dios y él. Yo elegí a Dios porque he comprendido que Él es el único por el que vale la pena vivir.

> *Pero el que recibió la semilla que cayó en buen terreno es el que oye la palabra y la entiende. Éste sí produce una cosecha al treinta, al sesenta y hasta al ciento por uno.*
>
> *Mateo 13:23*

»Ahora, aunque solo tengo catorce años de edad, tengo que estudiar lejos de mi hogar. La primera vez que llegué a este lugar yo era la única cristiana, pero he sembrado la Palabra de Dios y ahora somos cuatro. Nos reunimos bajo un árbol, escondidas, para hablar de la Palabra de Dios. Continuamos sembrando y esperando, creyendo que pronto seremos muchos».

Sin la influencia de su abuela, tal vez la niñez de Rosa estuviera destinada al adoctrinamiento comunista y al ateísmo. Es una adolescente extrema porque siguió los pasos de su abuela, la cual corrió un riesgo al hablarle de Cristo. Rosa corre el mismo riesgo con sus compañeros en su internado, proclamando y sembrando la Palabra de Dios. Trabaja de creyente en creyente a fin de causar un buen efecto. Sin embargo, Rosa ha descubierto, como muchos adolescentes cubanos que viven bajo Fidel Castro, que la fe trae consecuencias. Aun así cree que, a pesar de las probabilidades, alguna de su semilla caerá en tierra fértil. ¿En la vida de quién sembrará semillas de la Palabra de Dios y esperará una cosecha?

Conquistadores extremos

Drama

RUMANIA: EL PASTOR RICHARD WURMBRAND

«Mi esposa está durmiendo en la otra habitación porque ha estado enferma», comenzó el pastor Richard Wurmbrand. «Ella y yo somos judíos. Su familia pereció en el mismo campamento de concentración nazi donde usted acaba de jactarse de haber matado a judíos con niños aún en sus brazos. Es probable que usted asesinara a la familia de mi esposa».

Al escuchar esto, el invitado del pastor, un soldado, se enojó mucho y se puso de pie para retirarse. Sin embargo, Richard lo detuvo. «Espere. Quiero proponerle un experimento. Quiero decirle a mi esposa quién es usted y lo que hizo. Y mi esposa no lo maldecirá y ni siquiera lo mirará con enojo. Lo aceptará».

El hombre se sentó con la boca abierta, sin poder decir palabra.

El pastor continuó: «Y si mi esposa, que es solo un ser humano lo puede perdonar, ¿cuánto más lo amará y lo perdonará Jesús?».

El hombre ocultó el rostro entre sus manos. «¿Qué he hecho? ¿Cómo puedo continuar viviendo con la culpabilidad de tanta sangre? Jesús, por favor, perdóname». El soldado procedió a entregar su vida a Cristo.

Entonces Richard fue y despertó a su esposa Sabina. «Este es el asesino de tus hermanas, tus hermanos y tus padres», dijo él presentándole al hombre. «Pero ahora se ha arrepentido». Ella puso sus brazos alrededor de su cuello y lo besó en la mejilla.

> *Ahora, pues, permanecen estas tres virtudes: la fe, la esperanza y el amor. Pero la más excelente de ellas es el amor.*
>
> *1 Corintios 13:13*

«El amor todo lo conquista» es un dicho popular. Los cristianos, sin embargo, conocen la verdad de este dicho personalmente. Cuando estamos a la merced de nuestro enojo, nos consume el odio. No obstante, cuando permitimos que Dios (que es amor) controle nuestras vidas, encontramos que nuestras emociones naturales como el enojo se someten a Él. Ni siquiera nos sentimos molestos por situaciones que solían enfurecernos. El amor debe conquistar cualquier cosa dentro de nosotros que va en contra del carácter de Cristo. El resultado final es que el amor nos consume de tal forma que aun nuestro peor enemigo se beneficia de nuestra transformación. ¿Está experimentando victoria sobre la amargura y la venganza? Pídale al Dios de amor que conquiste hoy su enojo.

Drama

Ternura extrema

CAMBOYA: UNA ADOLESCENTE

Los soldados del Jemer Rojo irrumpieron en la habitación, blandiendo sus armas y gritando insultos y amenazas. Cuando el Jemer Rojo tomó control de Camboya en 1975, mataron a miles de cristianos. Incluso echaban a los niños a los cocodrilos para que los soldados se «ahorraran sus balas».

Ningún miembro de la pequeña congregación se movió. Un oficial fue donde estaba el pastor, agarró la Biblia que había estado leyendo y la arrojó al piso.

Si sienten algún estímulo en su unión con Cristo [...] algún afecto entrañable, llénenme de alegría teniendo un mismo parecer.

Filipenses 2:1-2

—Los dejaremos ir —dijo él—, pero primero deben escupir sobre este libro de mentiras. Mataremos a cualquiera que se niegue a hacerlo.

Otro soldado agarró a un hombre del brazo y lo obligó a moverse adelante.

—Padre, por favor, perdóname —oró él mientras se arrodillaba donde había caído la Biblia y escupió ligeramente sobre ella.

—Bien, usted se puede ir.

Entonces el agente señaló a una mujer. Ella también se arrodilló junto a la Biblia. Mojó la Biblia lo suficiente para satisfacer a los solados.

Una chica adolescente de repente se puso de pie y caminó hacia la Biblia. Con lágrimas en sus ojos, se arrodilló y recogió la Biblia, tomando el borde de su vestido y limpiándola.

—¿Qué le han hecho a tu Palabra? —dijo ella—. Por favor, perdónalos.

El soldado bajó su revólver detrás de su cabeza y apretó el gatillo.

A los cristianos que en un principio se les permitió retirarse también les dispararon. Sus acciones no hicieron nada para salvarlos.

Un acto de resolución con ternura es capaz de inspirar más a una congregación que cualquier número de traiciones. La adolescente en esta historia despierta una visión de lo que significa estar unidos en Cristo. En lugar de reprender a sus hermanos y hermanas más débiles, solo guió con el ejemplo personal en su tratamiento tierno de la Biblia. Imagínese si cada persona en esa iglesia hubiera actuado de la misma manera. ¡Qué poderoso testimonio para Cristo! En cualquier momento que actuamos juntos, somos más fuertes. La ternura y la compasión, combinadas con un fuerte ejemplo, guiarán a los que son débiles a unirse a un compromiso mayor. Si se siente frustrado con otros que batallan en su compromiso, recuerde que Dios lo llama a que se una a los que son más débiles y los ayude en el camino.

*La persecución de cristianos no es
asunto de los derechos humanos,
es un rito de pasada.*

STEVE CLEARY

Paciencia extrema

COREA DEL NORTE

«Este regalo es para usted».

«¿Qué es?», le preguntó el misionero a su amigo mientras se preparaba para ir a Corea del Norte.

«Solo llévatelo. Lo sabrás cuando lo abras».

Disfrazado como un hombre de negocios, el misionero viajó a Corea del Norte. Le asignaron un guía comunista con una inclinación a tomar largas siestas.

Confía siempre en él, pueblo mío.
Salmo 62:8

Viendo su oportunidad, el misionero salió del hotel en silencio mientras dormía su «guía». Entró a una aldea cercana y se reunió con un pequeño grupo de creyentes. En cuanto se dieron cuenta que el joven misionero era un ministro ordenado, dijeron: «¡Usted tiene que bautizarnos! ¡Hemos estado esperando por alguien que nos bautice!».

En una tierra donde poseer una Biblia puede significar una sentencia de quince años, un bautizo formal pudiera significar una muerte segura.

Sin ningún lago o río cercano, el misionero sencillamente oró sobre los creyentes uno por uno como un símbolo de su fe. Sin embargo, para su asombro, ellos no estaban satisfechos. «Hemos esperado cuarenta años para recibir comunión».

Uno de los creyentes trajo enseguida algunos panecillos de arroz. El misionero pensó. «Ellos han tenido un bautizo sin agua, quizá pudieran recibir comunión sin beber». Entonces recordó el «regalo» que su amigo le dio antes de salir para Corea del Norte. Tomó de inmediato su maletín de viaje y sacó el paquete: una botella de vino. Sin poder hablar, cada aldeano lloró sin ocultarse, alabando a Dios por su regalo muy a tiempo.

Mientras que la mayoría de las personas en la cultura moderna no se imaginarían la vida sin un calendario y un reloj, Dios mantiene su propio tiempo. A Él no lo motiva la tiranía de lo urgente. Sin embargo, debemos aprender a tener paciencia para vivir felizmente dentro de su tiempo. La paciencia significa confiar en que Dios está obrando, aun cuando no vemos la evidencia. La paciencia es el principio de gratificación retardada. Cuando esperamos por las bendiciones de Dios en la vida, las apreciamos muchísimo más. Lo que esperamos lo valoramos más. Ya bien sea una comunión con panecillos de arroz o una necesidad específica en nuestra vida, el tiempo de Dios es seguro. ¿Qué le preocupa respecto al tiempo de Dios en su vida? ¿Es tiempo que confíe en Él?

Evangelización extrema

UGANDA: EL OBISPO HANNINGTON

«La única oportunidad que un torturador tiene de salvarse quizá sea a través de un prisionero cristiano. Nunca van a la iglesia ni leen la Santa Biblia. Sin embargo, un prisionero cristiano puede hablarles con amor, aun cuando los golpean». Esta es la creencia de un miembro de la iglesia clandestina.

Otra mujer que había pasado sus años sirviendo a Cristo bajo peligro de tormento dijo: «A través de la historia de la iglesia, muchos prisioneros cristianos han llevado a sus atormentadores al cielo. Hay una placa en una cárcel romana que contiene los nombres de los que se convirtieron mientras Pablo estaba en prisión allí. Estuvieran en el infierno si Pablo no les hubiera dado la oportunidad de pegarle a él». Ella hizo una pausa. «No me importa sufrir si la salvación de los torturadores es el resultado».

No me avergüenzo del evangelio, pues es poder de Dios para la salvación de todos los que creen.

Romanos 1:16

El obispo Hannington sabía que el riesgo era alto cuando decidió llevarles el mensaje de Cristo a los caníbales en Uganda. Unas pocas semanas después que llegó el obispo, los caníbales rechazaron el mensaje y lo ejecutaron. Antes que Hannington muriera, los caníbales escucharon las siguientes palabras en voz alta: «Amen a sus enemigos y oren por quienes los persiguen».

Este era el mismo mensaje que los dos hijos del obispo llevaron con ellos cuando salieron hacia la misma aldea después de la muerte de su padre. Estaban resueltos a continuar evangelizando a las mismas personas que mataron a su padre.

Algunos suponen que la muerte y la resurrección de Cristo es un simple engaño inventado por personas que querían hacerse ilusiones y querían que el recuerdo de su amado maestro continuara vivo. Sin embargo, ¿cómo explica eso el martirio de la mayoría de los discípulos y de más generaciones después de ellos? Parece razonable que reconocerían su locura en el momento de su arresto y sin duda antes de una muerte segura. ¿Por qué estarían dispuestos a llevar a cabo un aparente engaño hasta tal extremo? Es más, la historia documenta sus intentos de convertir a sus torturadores hasta el último minuto. Esta evangelización extrema era una evidencia de su convicción: Este era el verdadero evangelio de Dios. ¿Qué tan convencido está del mensaje del evangelio? ¿Está dispuesto a llevarlo hasta el límite de lo extremo?

Campo misionero extremo

JAPÓN: FRANCISCO JAVIER

Japón, un país rodeado de bellas montañas, fue bendecido por la fe de valientes hermanas y hermanos cristianos que decidieron arriesgarlo todo para ser los primeros en llevar el mensaje del amor y el perdón de Cristo a Japón.

En 1549, Francisco Javier fue el primer misionero a Japón. Bajo su ministerio, se convirtieron muchos y la iglesia creció con rapidez. Sin embargo, los soldados japoneses veían a los cristianos como una amenaza y comenzó una severa persecución. La oposición al cristianismo creció como una montaña dentada contra los cielos de Japón, ensombreciendo a los cristianos abajo. En ciudades como Unzen, a los cristianos los hirvieron en lava volcánica. A otros los crucificaron en cruces de madera en la ciudad de Nagasaki. Los soldados japoneses acorralaron a los cristianos conocidos en 1637, como treinta mil de ellos, y los mataron a todos.

Les aseguro que si tienen fe tan pequeña como un grano de mostaza, podrán decirle a esta montaña: «Trasládate de aquí para allá», y se trasladará.
Mateo 17:20

Después de esto, la iglesia se volvió clandestina con la esperanza de proteger a los que lograron sobrevivir. La iglesia batalló por varios años. Sin embargo, por la gracia de Dios la iglesia sobrevivió. Misioneros fieles no cesaron de ir. Escuchaban acerca de la enorme persecución y respondieron al llamado a ministrar a los pocos creyentes fieles que quedaban.

Japón ahora tiene 1,7 millones de cristianos activos, y la iglesia está añadiendo creyentes cada día. Javier y los misioneros modernos representan la fe de una semilla de mostaza que movió una montaña de oposición a fin de realizar el cambio en una nación.

La vida está llena de vistas obstruidas. Los creyentes se enfrentan a menudo a una montaña de oposición de miembros de familia mundanos que no aceptan sus creencias. Muchos cristianos se encuentran en los Alpes del ateísmo en el trabajo. Enormes cumbres de persecución de sus propios gobiernos ensombrecen a los creyentes en países restringidos. Sin embargo, una bella vista está más allá de cada montaña de oposición a la que se enfrenta la iglesia hoy en día. El panorama es el de miles de hombres, mujeres y niños que tienen hambre por el evangelio. La fe puede dejar el camino libre para que otros sean salvos. A muchos cristianos antes de usted los han perseguido con el propósito de demostrar esa verdad. ¿Continuará la obra de ellos con una fe que es capaz de mover montañas? ¿En qué montaña de oposición se enfocará hoy?

Lugares extremos

RUSIA: ZOYA KRAKHMALNIKOVA

Un compañero de prisión que era un sacerdote en una cárcel en Rusia traicionó a Zoya. Hizo falsas acusaciones sobre ella de manera que lo dejaran en libertad de la cárcel y escapar de su propia tortura. Durante el juicio, Zoya rehusó decir ni una palabra en su contra. Dijo: «Cuando Judas traicionó a Jesús, era un hombre traicionero. Sin embargo, Jesús lo llamó "amigo" en Getsemaní. ¿No deberíamos aprender del ejemplo de Cristo y actuar de esta manera con los que nos traicionan?».

Zoya Krakhmalnikova pasó seis años en una cárcel rusa por hablarles de Cristo a otros. Su tiempo allí le dio un entendimiento singular sobre la Palabra de Dios y cómo se aplica a las duras realidades de la vida.

«En la cárcel, la puerta de cada celda tiene un hueco llamado el hueco de Judas. A través de él los guardias lo pueden controlar a uno cada cinco minutos. Lo observan con mucha atención, lo inspeccionan e instruyen. Esto me ayudó a comprender que si los comunistas son tan diligentes de estar pendientes de mí, ¿no harían eso Dios y sus ángeles con una diligencia aun mayor?

Era muy fácil para Zoya dejar que la amargura controlara su corazón. No obstante, tomó las lecciones de las Escrituras y las aplicó de forma directa a su vida. Fueron lecciones difíciles. Aun así, sirvieron para hacer más brillantes su vida y las vidas de quienes la rodeaban.

Esfuérzate por presentarte a Dios aprobado, como obrero que no tiene de qué avergonzarse y que interpreta rectamente la palabra de verdad.
2 Timoteo 2:15

Ir a un largo viaje sin hacer las maletas parece una propuesta absurda. ¿Quién viajaría sin hacer los preparativos? Sin embargo, los cristianos emprenden un viaje espiritual cada día sin preparar sus espíritus de manera adecuada para su expedición. Necesitamos estar preparados con la Palabra de Dios en nuestros corazones para aplicarla cuando lo necesitemos. Muchos batallamos por triunfar en pruebas espirituales porque no hemos estudiado antes los principios de Dios. Terminamos sintiéndonos un fracaso cuando pudiéramos haber sido victoriosos como Zoya aplicando la Palabra de Dios a nuestra situación. Su fe en Cristo puede llevarlo a lugares extremos. ¿Está preparado para el trayecto? Asegúrese de tener suficiente de la Palabra de Dios... la necesitará.

Guerrillero extremo

PERÚ: JUAN

A Juan lo sentenciaron a servir quince años en la prisión Miguel Castro por sus actividades terroristas. Juan comprendía cómo pensaban los terroristas. Era un miliciano del grupo comunista conocido como «Sendero Luminoso». Su mayor comisión fue enseñar a otros cómo matar y destruir. Era un oficial de alto rango y un experto en dinamita, armas y aniquilación. Su trabajo le daba un sentido de inspiración y destino.

Juan continuó su trabajo aun en la cárcel. Mientras trabajaba tratando de reclutar a un joven llamado Fernando para la milicia, se dio cuenta que muchas de sus ideas marxistas no estaban funcionando con él. A cambio,

Sin embargo, todo aquello que para mí era ganancia, ahora lo considero pérdida por causa de Cristo.

Filipenses 3:7

Fernando le hizo a Juan una pregunta penetrante. «Si muriera esta noche, mi amigo, ¿dónde pasaría la eternidad?»

Juan había visto o planeado las innumerables muertes de otros, pero nunca había considerado su propia muerte. La pregunta de Fernando comenzó a molestarle. Fernando continuó hablándole cada día acerca del amor de Cristo y su sacrificio. Al final, Juan se convirtió en creyente.

Fernando alentó al nuevo discípulo: «Del mismo modo que dio su vida por la revolución, ahora désela a Cristo su Señor».

Por último, Juan fue pastor de un grupo en la cárcel. En su pasado, reclutaba personas para la escuela de la milicia; en la cárcel organizó una escuela dominical. Su misión de muerte cambió a ayudar a otros a encontrar la vida eterna.

Las pasiones de la gente le dan un sentido de inspiración y destino. Algunas personas tienen una pasión por su trabajo. A otras les apasionan sus familias. Aun otras les apasionan las causas que se oponen de forma directa a la causa de Cristo. Los que persiguen a los cristianos no se les puede acusar de apatía. Su determinación incesante casi sería admirable si no estuviera mal dirigida. Sin embargo, Dios está en el negocio de cambiar viejas vidas para hacerlas nuevas. Con la misma pasión que antes sentía por el marxismo, Juan comenzó a reclutar a otros para Cristo. Dios tomó su pasión perversa y la convirtió en una pasión para Cristo. Ore para que Dios transforme cualquier cosa que compite por su devoción espiritual. Pídale que le dé un deseo ardiente de promover su reino.

Otra elección extrema

LAS FILIPINAS: PETER

Peter sintió que valía la pena el riesgo. Le encantaba viajar con su tío Michael, un evangelista en las Filipinas, a las remotas aldeas donde las personas tenían tanta hambre por escuchar acerca de Cristo.

Los viajes a las aldeas eran unas aventuras y algunas veces eran peligrosos, viajando a través de la densa selva por horas y horas. Durante muchos años, el pueblo de las Filipinas estaba aterrorizado por el Ejército del Pueblo Nuevo, una rama del partido comunista. Peter y su tío tenían que esconderse a menudo para mantenerse libres de peligro. Peter amaba a los niños y disfrutaba ver sus ojos brillar cuando al final comprendían cuánto los amaba Dios.

El viernes santo, el Ejército del Pueblo Nuevo trató de acabar con el ministerio del tío Michael. Así que capturaron a Peter y lo amenazaron con la muerte si su tío no dejaba de hablar sobre Cristo. Los padres de Peter contestaron: «No podemos decirle a Michael que cese su obra. Sin embargo, les suplicamos que nos devuelvan a nuestro hijo. Él no ha hecho nada malo».

El que esté dispuesto a hacer la voluntad de Dios reconocerá si mi enseñanza proviene de Dios o si yo hablo por mi propia cuenta.

Juan 7:17

Por último, con sus manos atadas detrás de su espalda, Peter escuchó a sus padres decirles a los soldados: «Vivir es Cristo y morir es ganancia». Y con esas palabras, Peter fue a su hogar celestial a encontrarse con su Salvador ese sombrío viernes santo. Su tío Michael aún les habla a los habitantes de la aldea montañosa sobre el poder del amor de Cristo y sobre su joven y fiel sobrino llamado Peter.

Todos los riesgos se deben a las elecciones. Algunas personas optan por arriesgar sus fortunas, apostando en las actividades más mundanas. El resultado de un juego de fútbol. El ganador de una carrera alrededor de la pista. El número de canastas que cierto jugador logra en una noche. Otros arriesgan sus propias vidas eligiendo actividades egoístas sin ningún significado eterno como las drogas y el alcohol. Jesús llama a las personas a otra elección del todo diferente. Dice que debemos elegir arriesgar nuestra seguridad terrenal por ganar una recompensa celestial al hacer su voluntad. Esto trae una recompensa mayor que el dinero ganado en las carreras o una euforia artificial debido a la última droga. ¿Ha experimentado la recompensa de Jesús por arriesgar su fe? Sí o no, ¿por qué?

No oramos para ser mejores cristianos,
sino para que ser el único tipo de
cristianos que Dios quiere que seamos;
cristianos como Cristo, eso es, cristianos
que cargarán por su propia voluntad la
cruz para la gloria de Dios.

DE UNA CARTA SACADA DE CONTRABANDO
DE LA IGLESIA CLANDESTINA EN RUMANIA

Himno extremo

COREA DEL NORTE: LOS HABITANTES DE LA ALDEA DE GOKSAN

La jovencita de ojos castaños miró a su madre. ¿Qué decidiría su mamá?

Más temprano esa mañana, a la madre de la jovencita, su pastor y otras veintiséis personas en su aldea de Goksan en Corea del Norte las ataron y llevaron ante una escandalosa multitud de comunistas.

Uno de los guardias le ordenó al pastor Kim y a los otros cristianos: «Nieguen a Cristo o morirán». Las palabras les dieron escalofríos. ¿Cómo le pedirían a ella que negara a Jesús? Sabía en su corazón que era real. Todos se negaron a hacerlo con mucha tranquilidad.

Entonces el guardia comunista les gritó de forma directa a los cristianos adultos: «Nieguen a Cristo o ahorcaremos a sus hijos». La jovencita miró a su madre. Ella apretó su mano sabiendo cuánto la amaba su mamá. Entonces, su madre se inclinó. Con confianza y paz ella susurró: «Hoy, mi amor, te veré en el cielo».

Ahorcaron a todos los niños.

Luego, a los creyentes restantes los llevaron al pavimento y los obligaron a acostarse frente a una enorme apisonadora. Los comunistas les dieron una última oportunidad. «Nieguen a este Jesús o los aplastarán». Los cristianos ya habían sacrificado a sus hijos; no había retroceso.

Mientras el chofer arrancaba el equipo pesado, el canto de los habitantes de la aldea comenzó con suavidad. «Sentir por ti, Señor, más grande amor, más grande amor».

> *Porque tanto amó Dios al mundo, que dio a su Hijo unigénito, para que todo el que cree en él no se pierda, sino que tenga vida eterna.*
>
> *Juan 3:16*

Más. Eso es lo que Dios dio cuando envió a su Hijo. Más. Eso es lo que dio Jesús cuando lo crucificaron. Más. Eso es lo que los creyentes dan sencillamente por amor a Cristo. Quieren dar más a Aquel que les dio tanto. En una época mundana que valora dar solo lo que uno necesita dar para sobrevivir, los creyentes establecen una nueva norma. «Sentir más grande amor por ti» es más que simples palabras de un himno tradicional. Es un estilo de vida sin límite. Cada día es un camino para descubrir cómo darle más amor a Jesucristo. Para algunos creyentes, este camino los ha llevado a la muerte. Para otros, «sentir más grande amor por ti» ha significado un sacrificio financiero. ¿Qué significa «sentir más grande amor por ti» para su vida cotidiana?

Película extrema

Ahora todo el mundo quería ver la película. Susurraban acerca de ella en el mercado y aun en la mezquita. «¿De qué se trata?» «¿Es en verdad tan mala que hay que arrestar a las personas por tenerla?»

La película de que hablamos es el film JESÚS; una película de alta calidad que representa la vida, el ministerio, la muerte y la resurrección de Jesucristo. Muestra el plan de salvación en la pantalla grande, haciendo viva la historia de Jesús. En Jacobabad, Pakistán, arrestaron dos hombres por distribuir la película y otros materiales cristianos. A los dos hombres los golpearon y los mulahs locales, líderes religiosos musulmanes, alentaron a que se presentaran acusaciones en contra de ellos y de otros que participaron en la distribución de los materiales. Dieron un paso más allá, alentando a los musulmanes en la ciudad a tomar acción en contra de todos los cristianos. Pronto, les robaron las posesiones a un pastor local y dispararon cerca de una escuela cristiana. La ciudad parecía estar al borde de una violencia absoluta.

«Porque mis pensamientos no son los de ustedes, ni sus caminos son los míos», afirma el SEÑOR.
Isaías 55:8

Sin embargo, las cosas pronto comenzaron a cambiar. En lugar de boicotear el film, todo el mundo en la ciudad quería ver la película «pecaminosa». Querían saber todo el escándalo por ellos mismos. Copias del mercado negro comenzaron a distribuirse, y al final la película JESÚS se pasó incluso por la televisión local. El juez de la ciudad vio la película y declaró que no iba en contra del islam.

A través de los esfuerzos involuntarios de los mulahs, el mensaje del evangelio alcanzó toda la comunidad. Planeaban erradicar la película JESÚS de su país. Sin embargo, su campaña en realidad promovió el ministerio. Dios no convierte el mal en el bien por métodos convencionales. Bendice los esfuerzos de sus siervos, pero no de las maneras que pudiéramos esperar. Los cristianos en los países restringidos están aprendiendo esto de una manera difícil, pero se regocijan al ver el misterio de Dios obrando en sus países. Dios abre un camino para nosotros aun cuando no tiene sentido. Hay momentos cuando todo parece que sale mal. ¿Son esos los momentos en los que confía más en Dios? Él sabe lo que está haciendo aun cuando usted no lo sabe.

Perdón extremo

PERÚ: RICARDO

El papel estaba sucio, rasgado en los bordes. La tinta negra pasaba a través de la página en un garabato casi ilegible. Al final, la carta estaba firmada: Ricardo.

«Escribo desde un campamento guerrillero comunista en Perú. Hace poco busqué algunos programas de radio para animarme. Los programas llenos de odio de mis camaradas estaban vacíos para mí. Entonces descubrí su programa, "El evangelio en el lenguaje marxista". Usted dijo que Jesús, el gran maestro, habló de perdonar a nuestros enemigos.

»Ese pasaje penetró hasta lo más profundo de mi ser. De repente, experimenté paz y lloré como un niño. No comprendo lo que sucedió.

»Mis padres fueron víctimas de un terrateniente que los explotó y durante toda mi vida odié a los ricos. Sin embargo, por alguna razón, dejé de odiar. No me lo explico. ¿Es *posible* que no odie?

»Esa fue la primera vez que escuché su programa. Cuán feliz me siento. Ahora no perderé ni un solo programa. Quiero leer el libro del cual usted habló».

Si alguien afirma: «Yo amo a Dios», pero odia a su hermano, es un mentiroso; pues el que no ama a su hermano, a quien ha visto, no puede amar a Dios, a quien no ha visto.
1 Juan 4:20

Más tarde, Ricardo dejó a los guerrilleros para unirse a una iglesia. Dos años después volvió al campamento con la esperanza de hablarles a sus antiguos camaradas sobre su Salvador. Desde entonces, no se sabe de él. Si murió, lo hizo con amor por los que lo mataron.

Una de las emociones más perniciosas de la naturaleza humana es el odio. Se ha comparado con un ácido que corroe su propio envase. Los que odian pronto se destruyen por su propia amargura. Sin embargo, un creyente tiene una naturaleza espiritual que puede ser victoriosa sobre nuestras tendencias naturales. Jesús les muestra a las personas cómo amar a sus enemigos y estos cambian como resultado. ¡La transformación puede ocurrir con tanta rapidez que el converso no sabe a dónde se fueron todos los años de odio acumulado! ¿Está envenenando su propia alma con odio? ¿Lo mantienen despierto pensamientos de venganza en la noche? Vaya a Jesús para que lo sane del odio. Perdone a sus ofensores hoy y descubra la esperanza para mañana.

Tesoro extremo

RUMANIA: LOS VECINOS DE DOBRUDJA

Nicolae Ceausescu tuvo una idea llamada «colectivización». Como despiadado dictador de Rumania, es probable que pensara que era una buena idea hacer que las personas entregaran de forma voluntaria sus posesiones al estado para el bienestar común de todos.

Agricultores, terratenientes y campesinos en cada lugar lo perdieron todo: campos, ovejas, ganado, casas y muebles. El sector agrícola de Rumania, en un tiempo floreciente, se destruyó. Ahora cada agricultor se convertía en un esclavo del estado, trabajando en los campos del estado por un mísero salario. Las familias tenían que hacer cola aun para obtener pan.

Porque para el SEÑOR tu Dios tú eres un pueblo santo; él te eligió para que fueras su posesión exclusiva entre todos los pueblos de la tierra.

Deuteronomio 7:6

A fin de impedir que el pueblo se resistiera a su estrategia, el mismo dictador ayudó en la promoción inicial. En la provincia rumana de Dobrudja, a todos los vecinos los reunieron en el centro de la ciudad y se les pidió que de forma voluntaria entregaran sus posesiones. Cuando nadie se ofreció a hacerlo, Ceausescu mató a diez personas con su propia pistola. Se pasó de nuevo a votar: «¿Quién está dispuesto a entregar todas sus posesiones?».

Tocaron música militar y cantaron las alabanzas del comunismo. Cuando las personas se vieron obligadas a bailar, se hizo un vídeo como propaganda de su adhesión entusiasta al socialismo. Un agricultor que lo había perdido todo informó más tarde: «Pensaron que nos quitaron todo. Sin embargo, dejaron algo muy importante: nuestros himnarios. Así que nos sentamos y cantamos alabanzas al Señor».

La gente a menudo participa en un juego para lograr que nuevas personas hablen y se conozcan entre sí. Una de las preguntas más reveladoras es preguntarles a las personas qué llevarían si estuvieran perdidos en una isla desierta y se les permitiera llevar una sola cosa. A la mayoría de las personas les cuesta trabajo decidir y tienen que recordarles que es solo un juego. Sin embargo, el pueblo de Rumania no tenía el lujo de estar en un juego; era una experiencia de la vida real. El gobierno ni siquiera les permitió una posesión. Aun así, los vecinos se dieron cuenta que la presencia de esos himnarios pasados por alto traía gozo a su aldea, la cual ahora se parecía a su propia isla desierta. El pueblo atesoraba los himnarios y Dios atesoraba al pueblo.

Ofrenda extrema

LÍBANO: MARÍA

María solo tenía diecisiete años de edad cuando fanáticos musulmanes invadieron su aldea en el Líbano. A María y sus padres los enfrentaron a una dura elección: «Conviértanse en musulmanes o los mataremos».

Con audacia, María le dijo al hombre: «Yo elijo a Dios. Adelante, dispare». Les dispararon a María y a su familia y los dejaron por muertos. Dos días más tarde, la Cruz Roja llegó a la aldea y encontró un milagro. María estaba viva... paralizada por la herida de bala.

Devastada y angustiada, María se aferró a su fe y oró. Al final, una paz extraña inundó su ser. Hizo este compromiso a Dios: «Todo el mundo tiene un trabajo que hacer. Yo nunca me puedo casar ni hacer trabajo físico. Así que ofreceré mi vida por los musulmanes, como los que mataron a mi padre y a mi madre y trataron de matarme a mí. Mi vida será una oración para ellos».

Y aunque mi vida fuera derramada sobre el sacrificio y servicio que proceden de su fe, me alegro y comparto con todos ustedes mi alegría.

Filipenses 2:17

Sus oraciones y su testimonio indudable de Cristo llevaron a muchos musulmanes a la fe en el Hijo de Dios. En Líbano, el año de 1990 fue el más brutal de la guerra civil de quince años. Miles murieron o recibieron heridas, y cientos de miles huyeron. Sin embargo, la ofrenda de María de su vida herida animó a muchos cristianos a quedarse y adoptar una postura firme por Cristo.

El mayor regalo al servicio de Dios no cabrá en un plato de la ofrenda. Cuando vemos toda nuestra vida como una ofrenda a Dios, nuestros recursos para beneficiar a su reino son ilimitados. Muchos de los que sufrieron persecución, como María, tienen una historia similar. Continúan ofreciendo sus vidas como un acto de adoración a fin de servir a quienes los oprimen. Teresa de Lisieux una vez dijo: «Los sufrimientos que se padecen gozosamente a favor de otros convierten más personas que muchos sermones». La mayoría de los cristianos encontrará fácil decir las excusas comunes de ofrecer sus vidas: «demasiado ocupado» y «está sucediendo demasiado». Sin embargo, Dios revela maneras singulares en las que podemos ser testigos para él.

Tristeza extrema

RUMANIA: ARCHIMANDRITA GHIUSH

La cárcel comunista de Jilava era especialmente dura. Las ventanas rotas permitían que entrara el gélido frío del invierno. Incluso, algunos de los prisioneros murieron de frío. No había compasión para los cristianos en Jilava. Es más, a menudo sufrían palizas «especiales» de los crueles guardias.

Sin embargo, ahora me alegro, no porque se hayan entristecido sino porque su tristeza los llevó al arrepentimiento. Ustedes se entristecieron tal como Dios lo quiere.

2 Corintios 7:9

Uno de los prisioneros nuevos, el archimandrita Ghiush, era un pastor en la ciudad de Libertatea, Rumania. Cuando el archimandrita miró con ansias a su alrededor en su nuevo «hogar», notó un rostro conocido: un hombre que había servido con él en Libertatea. Era el pastor Richard Wurmbrand. «¿Cómo es posible que aún esté vivo?», se preguntó el archimandrita. «Hace casi ocho años que nadie sabe de él». Los dos pastores fieles se abrazaron. El archimandrita sonrió, agradecido por un viejo amigo para ayudarlo a través de los horribles sufrimientos que iba a comenzar a soportar.

Así que el pastor Wurmbrand no sonrió. Se sintió triste al ver un pastor tan bueno en la cárcel. Comenzó a preocuparse por él. ¿Sobreviviría el frío y el tratamiento cruel? ¿Se volvería loco, como les sucedió a otros? Después de ocho años en prisión, Wurmbrand sabía lo que le esperaba.

Los dos amigos se sentaron en silencio por un rato. Al final, Richard rompió la tensión y preguntó con suavidad: «¿Está triste?». Para su asombro el archimandrita contestó con sencillez: «Hermano, yo solo conozco una tristeza: La de no estar entregado por completo a Jesús».

Es difícil leer las historias reales de los mártires cristianos sin sentirse menguados en lo emocional. La reacción natural es una de tristeza y un sentido de compasión por los inocentes que sufrieron muertes tan horribles. Sin embargo, los héroes y las heroínas de las historias quizá desearían una respuesta del todo diferente. Esperaban que su sacrificio inspirara a otros hacia un compromiso similar, no a la compasión. Sin duda, sus muertes tocan nuestros corazones. De modo que al darnos cuenta de nuestra propia fe insignificante debería quebrantar nuestros corazones. Eso es en verdad triste. ¿Se siente retado más allá de la compasión humana hacia el arrepentimiento por su propia complacencia? ¿Tiene un sentido divino de determinación como resultado de su lectura? Pídale a Dios que despierte su decisión de vivir hoy por Él.

*La fe ni siquiera merece el nombre
hasta que brota en acción.*

Perdón extremo

RUMANIA: DEMETER

Demeter sufrió por muchos años en cárceles comunistas. Se mantuvo fuerte de espíritu durante su encarcelamiento, pero su cuerpo comenzaba a agotarse. Había un cierto carcelero que se divertía pegándole a Demeter en la columna vertebral con un martillo, lo cual lo paralizó para siempre. Sin embargo, la actitud semejante a Cristo de Demeter nunca titubeó, y al final lo pusieron en libertad.

Veinte años más tarde, escuchó a alguien tocar a la puerta de su hogar. Se asombró al ver parado delante de él al mismo carcelero que años antes le pegó con tanta crueldad en su columna vertebral y lo paralizó. Todavía Demeter no titubeó en su expresión de fe.

De modo que se toleren unos a otros y se perdonen si alguno tiene queja contra otro. Así como el Señor los perdonó, perdonen también ustedes.

Colosenses 3:13

Aun antes que Demeter lo saludara, el antiguo carcelero dijo: «Soy consciente que nunca recibiré el perdón por lo que le hice a usted. Fue demasiado atroz. Aun así, por favor, solo escuche mis palabras de disculpa y después me retiraré».

Demeter hizo una pausa por un momento mientras miraba con compasión y asombro al hombre. Él contestó con suavidad: «Durante veinte años he orado por usted todos los días. Lo estaba esperando. Hace veinte años que lo perdoné». Si estamos dispuestos a mostrarle amor y perdón a todo el mundo, aun a los que nos han herido, el amor de Cristo logra conquistarlo todo.

La mayoría de las personas nunca sufrirán tormento físico a propósito. Sin embargo, las heridas que otros nos infligen emocionalmente pueden ser igual de devastadoras. Recuerdos de palabras crueles, la traición de un amigo, un divorcio amargo, quizá permanezcan con nosotros toda una vida. Sentimos la tentación de guardar rencor o hasta quizá de tomar venganza contra el ofensor. El perdón no es algo natural para nosotros, pero es inseparable de la naturaleza de Dios. Si hemos probado de la gracia de Dios, podemos permitir que otros reciban del perdón de Dios. El perdón no depende de que el ofensor lo pida primero. Es un acto de obediencia, al igual que un acto de fe. Pídale a Dios que abra su corazón al milagro del verdadero perdón.

Visita extrema

EUROPA ORIENTAL: JON LUGAJANU

Un joven cristiano de Europa Oriental, Jon Lugajanu, regresó a la cárcel después de su juicio. Sus compañeros de celda le preguntaron con ansias: «¿Qué sucedió?».

—Lo mismo que el día en que el ángel visitó a María, la madre de Jesús —contestó él—. Ahí estaba ella, una joven piadosa sentada sola meditando, cuando un ángel radiante de Dios le dijo las increíbles noticias. Llevaría en su cuerpo al Hijo de Dios».

Curiosos por saber cómo se relacionaba esta historia con la experiencia de Jon en el tribunal, los demás prisioneros escucharon con atención.

—Por todo el gozo que Jesús le trajo, María tendría un día que pararse al pie de una cruz y verlo sufrir y morir por los pecados del mundo —continuó Jon declarando el evangelio de paz a través de la historia de María—. Dios resucitó a Jesús, donde ahora reina en el cielo. María sabía que una vez que llegara al cielo, estaría con Jesús de nuevo y experimentaría un gozo eterno.

Así, por la gracia de Dios, la muerte que él sufrió resulta en beneficio de todos.
Hebreos 2:9

Los otros prisioneros estaban confusos con esto.

—Bueno, pero lo que te preguntamos es qué sucedió en el tribunal —le recordaron a Jon.

Jon los miró, su rostro brillando de paz, y dijo:

—Me dieron la pena de muerte. ¿No son bellas esas noticias?

Jon se dio cuenta que las noticias que el ángel llevó a María eran igual de agridulces; después del sufrimiento de Jesús habría regocijo en el cielo. Él esperaba con ansias su gozo eterno en la presencia de Jesús.

En muchas culturas, la muerte es un tema prohibido. La gente a menudo hace grandes esfuerzos por aislarse de lo inevitable de su propia muerte. Les gusta utilizar frases como «pasó a mejor vida» en lugar de «murió». Nos resistimos a hacer un testamento o a comprar un seguro de vida, pensando: «Nunca me ocurrirá a mí». Las compañías obtienen enormes ganancias vendiéndonos productos que prometen juventud eterna. Dios no nos da la opción de pasar por alto la muerte, pero nos da la clave para enfrentarnos a ella. El visitante angelical de María no esquivó decirle que sufriría gran angustia en la cruz. Sin embargo, a ella también se le dio la esperanza de la resurrección para hacer su angustia soportable. Como cristianos, la promesa de Dios de vida eterna nos ayuda a aceptar nuestra propia muerte de una manera realista al igual que valiente.

Defensa extrema

RUSIA: JORGE JELTONOSHKO

Jorge Jeltonoshko sabía que su gobierno no quería que personas propagaran el evangelio de Cristo, pero tenía una convicción más fuerte de obedecer los mandamientos de Cristo, aun si estaban en conflicto con las leyes de su país.

No fue una enorme sorpresa para él cuando la policía llegó a su puerta. Pensaba que era inevitable que se enteraran de las actividades de su ministerio a causa del material impreso que había estado distribuyendo. Cuando llegó la fecha de su juicio, el estado le asignó un abogado comunista. Con audacia, Jorge le dijo al juez:

Encomienda al SEÑOR tu camino; confía en él, y él actuará. Hará que tu justicia resplandezca como el alba; tu justa causa, como el sol de mediodía.
Salmo 37:5-6

—Yo no quiero un abogado. Siento que tengo razón y la justicia no necesita defensa.

—¿Se declara culpable? —le preguntó el juez.

—No —contestó él—, diseminar las buenas nuevas del amor de Dios es la obligación de todos los cristianos.

El juez entonces le pidió que se uniera a las «iglesias oficiales», que no eran más que iglesias títeres manejadas por el estado. Sin embargo, Jorge se negó. La iglesia manejada por el estado seguía los mandamientos de este, no los mandamientos de Dios.

El juez se estaba sintiendo frustrado.

—¿Dónde se reúne para adorar? —exigió él una respuesta.

—Los verdaderos creyentes adoran en todas partes —respondió Jorge.

A Jorge Jeltonoshko lo sentenciaron a tres años de prisión y allí continuó llevando a cabo su obra y su adoración. Tenía razón. La justicia no necesita defensa.

Es posible que hacer «el bien» sea una frase popular. Sin embargo, es más fácil decirlo que hacerlo, pues lo que es bueno a los ojos de Dios está a menudo en conflicto con la opinión popular. La disputa entre el bien y el mal se hace a menudo aparente en el aula de una escuela, en el trabajo y aun en un tribunal o una iglesia. No podemos confiar en nuestro medio para que nos diga lo que está bien. Las personas tal vez nos persuadan a confundir la transigencia con la justicia. La Palabra de Dios es la única defensa para determinar lo que es bueno en cada situación. Otros quizá no entiendan o no estén de acuerdo con las elecciones que hacemos. Sin embargo, Dios promete honrar nuestro compromiso de hacer lo que es bueno. Los que nos observan verán la luz y sentirán el calor de nuestras acciones justas.

Fuego extremo

SIBERIA: VÍCTOR BELIKH

«Con las llamas del fuego de amor que Jesús encendió en mi corazón, logré que se derritiera el hielo de Siberia. ¡Aleluya!»

El rostro del obispo Víctor Belikh resplandecía mientras decía estas palabras. Había aprendido el poderoso secreto de permitir que Dios tomara el control del corazón de una persona aun en las peores circunstancias. Durante veinte años había sufrido en la solitaria celda de la prisión en Rusia comunista sin una visita ni noticias de su familia ni de sus amigos.

Cada noche, ponían en su pequeña celda un sencillo colchón de paja. Le permitían dormir siete horas antes de quitarle la estera. Las siguientes diecisiete horas de cada día las pasaba caminando en círculos en su pequeño y lastimoso espacio, y si se detenía o se derrumbaba, los guardias

Porque nuestro Dios es fuego consumidor.
Hebreos 12:29

le pegaban o le echaban agua hasta que continuaba. Después de veinte años de tal increíble maltrato, lo enviaron a un campamento de trabajo forzado por otros cuatro años en el norte de Siberia, donde la nieve nunca se derrite. Sobrevivió solo porque permitió que el fuego de Dios derritiera toda la amargura y el enojo.

La situación de Belikh es rara, pero su resolución a través de Jesucristo está disponible para cualquiera que sufre. Jesús atizó al fuego de amor en el corazón de Belikh, un horno piadoso que fue capaz de mantenerlo cálido por veinte años.

Fuego. La simple palabra despierta poderosas imágenes. Implica peligro cuando alguien grita esa palabra en un edificio lleno de personas. Expresa comodidad cuando acampamos en una noche fría. Es conectada con fuertes emociones durante el «calor» del momento o un temperamento «encendido». El fuego también se utiliza para refinar y endurecer metales a través del proceso de fundición. El fuego ilumina y consume la oscuridad. En todas estas imágenes, una cosa permanece constante. El fuego se asocia con el cambio. Al igual que un encuentro con el fuego, un encuentro con Dios cambia la vida. ¿Lo ha encendido, sostenido, refinado, consolado y al final liberado el ardiente amor de Cristo como lo hizo con Belikh? La crueldad humana nunca logra extinguir la llama del amor de Dios. ¿Está viva la llama del amor de Dios en usted?

Reputación extrema

JERUSALÉN: JACOBO

Jacobo «el justo» sirvió fielmente como cabeza de la nueva iglesia nacida después de la resurrección de Jesús. Ningún incrédulo lograría resistirse a sus enseñanzas sin convertirse o huir de su presencia.

Es por eso que el sumo sacerdote y otros líderes judíos llevaron a Jacobo hasta lo más alto del templo y le dijeron que negara a Jesús y a su resurrección frente a todo el pueblo reunido o lo echarían al suelo. Esto solo le dio a Jacobo otra oportunidad de predicarle a un público cautivo.

Así pues, los que sufren según la voluntad de Dios, entréguense a su fiel Creador y sigan practicando el bien.
1 Pedro 4:19

«¡Escúchenme todos ustedes! ¡Jesús es el Mesías prometido, el Hijo de Dios y nuestro Salvador! ¡Está sentado a la diestra de Dios y vendrá de nuevo para juzgar a los vivos y a los muertos!»

Abajo, algunos comenzaron a alabar a Dios y a magnificar el nombre de Jesús; otros estaban asombrados por su audacia y convicción. ¡En verdad era un hombre justo! De inmediato, lo empujaron por el borde, cayendo a una muerte segura.

La multitud calló; luego alguien gritó: «¡Miren! ¡Está vivo!». Jacobo no estaba muerto, sino más bien arrodillado en oración. Muchos recogieron piedras para apedrearlo, cuando uno de los sacerdotes corrió hacia delante y rogó. «¿Qué están haciendo? "El justo" está orando por nosotros, ¿y ustedes le harán daño?» Al decir esto, otra persona vino detrás de él con un gran palo y le pegó a Jacobo en la cabeza, matándolo al instante. Lo sepultaron en el mismo lugar que cayó.

Detrás de cualquier acontecimiento que uno lee en la historia, hay una anécdota. El matiz y el sentido de la situación quizá se pierdan, pero es bastante fácil imaginárselos de los hechos documentados en la historia. Esta historia sobre Jacobo capta la esencia de su personalidad y su testimonio abierto de Jesús. Quienes lo conocían mejor sabían de su compromiso a Cristo. Y los que no lo conocían en lo absoluto habían escuchado de su reputación como un valiente predicador. Su muerte es un testimonio más de una fe inquebrantable en Cristo. La historia cristiana atestigua de la fidelidad de los seguidores de Cristo con una evidencia indiscutible. ¿Qué tendrá la historia que decir sobre usted? ¿Cuál es la historia que le gustaría que generaciones futuras digan acerca de su fe?

Bautismo extremo

ESLOVAQUIA: ANA MARÍA

Ana María, una joven cristiana eslovaca, permaneció por meses en la cárcel debido a que estaba involucrada con la iglesia clandestina. La llevaban con regularidad a una habitación donde un guardia la golpeaba para obtener información acerca de otros cristianos en su iglesia.

Por la gracia de Dios logró resistir. Incluso utilizó esos tiempos para hablarle al guardia del amor de Jesús. El guardia se burló:

—Si no me cuentas los secretos de la iglesia clandestina, te golpearé hasta acabar con todos tus amores.

—Yo tengo un novio, el más dulce de todos —respondió Ana María—. Él es amor. Su amor no busca placer, sino que procura llenar a otros de gozo. Desde que conozco a este novio yo, también, solo puedo amar. Usted ahora ama al odio. Yo le ruego que ame al Amor.

El guardia estaba tan enojado que la golpeó hasta que ella se desmayó. Cuando volvió en sí, lo vio sentado con mucha tranquilidad como si estuviera pensando profundamente. Al final, preguntó:

—¿Quién es ese novio suyo?

Ana María le dijo todo acerca de Jesús y por qué vino Él. Cuando le preguntó cómo hacer a Jesús su amigo también, ella le dijo que debía arrepentirse y bautizarse.

—Entonces bautíceme enseguida o la mataré —exigió él.

Ana María lo bautizó y más tarde se convirtió en un prisionero con los mismos que golpeaba antes.

[Esta agua] simboliza el bautismo que ahora los salva también a ustedes. El bautismo no consiste en la limpieza del cuerpo, sino en el compromiso de tener una buena conciencia delante de Dios.

1 Pedro 3:21

Cuando las personas están enamoradas, se lo dicen a todo el mundo. Se lo dicen a sus familiares, sus amigos, sus vecinos y a cualquier otro que escuche. El amor los consume tanto que no pueden evitar hablar acerca de su amado. De la misma manera, el bautismo de una persona es una declaración pública de estar identificado con Cristo y su comunidad, de estar enamorado de Jesús. El bautismo de un adulto es una señal para todos los que lo presencian, aun si solo es otro prisionero en una celda, que esa persona está dispuesta a seguir a Cristo sin importar el costo. Nuestro amor por Cristo nos motiva a proclamarle al mundo nuestro compromiso. Aun si no nos amenazan, ¿tenemos el valor de hablar de nuestro amor por Jesús?

La fe nunca es pasiva.
Exige una respuesta. Pide una misión.
Demuestra la presencia interior y
el poder del Espíritu Santo.

PASTOR RICHARD WURMBRAND

Valentía extrema

RUMANIA: UNA MADRE Y SU HIJA

Todas las prisioneras estaban molestas al ver a la pequeña niña en la cárcel con su madre. Aun el director de la prisión dijo: «¿Por qué no se compadece de su hija? Si renuncia a ser cristiana, las dos se pueden ir a casa».

La mujer estaba atormentada en su interior y era comprensible. La encarcelaron con su niña después de protestar por el arresto de su pastor, pero ella accedió a negar su fe para impedir que su hija sufriera. Dos semanas más tarde, los comunistas la obligaron a gritar desde un escenario frente a diez mil personas: «Ya no soy cristiana».

De regreso a casa, la niñita se volteó hacia su madre y dijo: «Mamá, hoy Jesús no está satisfecho contigo». La madre trató de explicarle que ella hizo eso por amor. La niñita miró a su madre con mayor convicción que sus años y dijo: «Yo prometo que si vamos a la cárcel de nuevo por Jesús, no lloraré».

Su madre lloró, conmovida de orgullo y amor por su hija y convicción por su propia debilidad. Mientras clamaba a Dios por fortaleza para tomar una decisión difícil, regresó al director de la cárcel y le dijo: «Usted me convenció a negar mi fe por el bienestar de mi hija, pero ella tiene más valor que yo». Ambas regresaron a la cárcel y la niñita cumplió su promesa.

«Ya te lo he ordenado: ¡Sé fuerte y valiente! ¡No tengas miedo ni te desanimes! Porque el SEÑOR tu Dios te acompañará dondequiera que vayas».

Josué 1:9

Josué de los israelitas se enfrentaba a un reto difícil: continuar donde terminó Moisés y guiar adelante al pueblo escogido de Dios. ¿Era peligroso? Desde luego que sí. ¿Estaba Josué inquieto? Es probable. Josué recibió la promesa de Dios de estar con él, dándole la misma confianza que a la niña en la historia. Desde el principio, tanto Josué como la niña se dieron cuenta que necesitarían la presencia de Dios para tener éxito. Dios nos ordena que nos fortalezcamos con valor y con el conocimiento de que Él nunca nos desamparará. Al enfrentarnos a pruebas, a menudo desaparece el valor. En tiempos de problemas, decida confiar en la promesa de Dios de que Él estará a su lado. Sea obediente y valiente hoy.

Consejo extremo

ALBANIA: VALERI NASARUK

En Albania, el primer país en el mundo que se declaró ateo, a un joven cristiano llamado Valeri Nasaruk lo arrestaron por tatuarse audazmente una cruz en su mano. Quería que todo el mundo supiera desde el primer apretón de manos que él se mantenía firme en su fe en Dios. Valeri estaba frustrado, sin embargo, porque no le permitían hablarles a otros acerca del amor de Dios.

En el juicio, el juez le dijo a la madre de Valeri: «Dígale a su hijo que cambie sus caminos para que pueda ser libre».

Jamás se me ocurra jactarme de otra cosa sino de la cruz de nuestro Señor Jesucristo, por quien el mundo ha sido crucificado para mí, y yo para el mundo.

Gálatas 6:14

Ella pensó por un momento antes de responder con lágrimas en sus ojos: «Valeri, mi consejo es que te mantengas firme y no niegues a Cristo, aun si eso significa tu muerte».

En una carta subsiguiente a la iglesia clandestina, ella escribió: «Yo asistí al juicio, lo cual fue muy difícil para mí. Deseaba ocupar su lugar. Lo más difícil fue cuando me pidieron en el tribunal que le aconsejara a Valeri que cambiara sus caminos, pero no pude hacerlo. El mundo nos acusa a nosotros, sus padres, por su sentencia, diciendo que es el resultado de nuestra influencia. Aun algunos cristianos no logran comprender por qué hice esto, pero entonces recuerdo que a Jesús no lo comprendieron. Cuando batallo con la depresión, recuerdo que Pedro le aconsejó a Jesús que salvara su propia vida. Dios me da el poder de soportarlo todo. Por favor, oren por mí».

Dios nos ama y tiene grandes planes para nuestras vidas. El problema es que todo el mundo también tiene planes para nosotros. Haga esto. Haga aquello. Trate esto. Pruebe aquello. Las palabras de consejos son baratas y abundantes. Llega el momento, sin embargo, cuando las palabras son costosas. En cualquier ocasión que otro creyente nos alienta a seguir adelante con el llamado de Dios para nuestras vidas a pesar de las consecuencias, sabemos que hemos escuchado de una persona piadosa. Cualquier cosa contraria, aun si es bien intencionada, es un mal consejo. ¿A quién escucha para la dirección espiritual? Recuerde y documente todos los detalles del consejo espiritual que ha recibido de un amigo confiable. ¿Qué tan bien lo ha seguido?

Enfoque extremo

CHINA: ME LING

«Yo purifiqué mi corazón del temor a los hombres y aprendí a ver a Dios».

Me Ling era joven cuando la arrestaron por sus actividades cristianas en China comunista. Durante sus interrogatorios, la policía la torturaba para tratar de forzarla a traicionar a sus amigos en la iglesia clandestina.

Al principio, Me Ling tenía muchísimo miedo y no veía el propósito que Dios tenía para ella en ese terrible lugar. Entonces ella recordó las enseñanzas de su pastor que había dicho: «El verdadero sufrimiento solo dura un minuto y después pasamos la eternidad con nuestro maravilloso Salvador».

Cuando le preguntaron cómo no se volvía loca durante esos tiempos terribles, ella respondió: «Cuando cerraba mis ojos, no veía los rostros enojados de los hombres ni los instrumentos de dolor que utilizaban. Continuaba repitiendo la promesa de Cristo para mí: "Dichosos los de corazón limpio, porque ellos verán a Dios" (Mateo 5:8). También descubrí que cuando purifiqué mi corazón del temor a los hombres, aprendí a ver de verdad a Dios. Tomé valor de todos los demás que pasaron antes que yo y me enfoqué en Él hasta que todo lo demás se apagó. Cuando los oficiales se dieron cuenta de mi defensa, mantuvieron mis ojos abiertos con cinta adhesiva. Aun así, era demasiado tarde porque mi visión estaba firme».

> *Concentren su atención en las cosas de arriba, no en las de la tierra.*
> *Colosenses 3:2*

Admiramos a las personas cuyas profesiones requieren gran concentración y enfoque. El neurocirujano experto, el atleta olímpico y el corporativo con visión tienen una característica en común: Están enfocados. La disciplina del enfoque transciende la inteligencia, la habilidad atlética o el carisma. Sin enfoque, esas personas solo serían inteligentes, atléticas o interesantes en el mejor de los casos. Su habilidad de mantenerse enfocados contribuye en gran medida a su éxito. Desarrollar un enfoque terrenal puede traer éxito terrenal, ¿pero qué de las cosas referentes a la eternidad? Si está más enfocado en las cosas temporales de este mundo, no alcanzará la meta. ¿Qué puede hacer hoy para asegurarse que está enfocado en Cristo y en diseminar sus buenas nuevas?

Cartas extremas

UCRANIA

El periódico soviético *Molodoij Gruzii*, reportó el encarcelamiento de tres cristianos. Su crimen fue comenzar una carta que circula en cadena para ayudar a las personas a través de toda la Unión Soviética a comprender las enseñanzas de Jesucristo.

Sin poder publicar Biblias ni libros cristianos, comenzaron a enviar copias múltiples de estas cartas pidiéndoles a los que las recibían que hicieran copias y se las enviaran a otros. A través de este método creativo de diseminar el evangelio, miles de cartas llegaron hasta muchas áreas de la Unión Soviética. Les gustaban sobre todo a los niños porque a ellos no se les permitía asistir a la iglesia, y las cartas se convirtieron en una parte integral de su enseñanza cristiana.

Tu palabra, SEÑOR, es eterna, y está firme en los cielos.
Salmo 119:89

Además, estas cartas ayudaban a fortalecer la fe de los cristianos a través del país durante esa época. Después de años de represión e interferencia gubernamental en sus iglesias, estaban listos a probar algo audaz y nuevo. Querían de todo corazón que todo el mundo conociera del amor de Dios, y a pesar de las restricciones que se les imponía, su brillante sencillez permitió que el mensaje se esparciera a través de la ciudad de Tbilisi, ¡y aun en algunas áreas de Ucrania!

Otro artículo de periódico declaraba: «Los cristianos han invadido nuestra ciudad con sus escrituras». Describía este esfuerzo coordinado como «una ofensiva de parte de los creyentes».

¡Quién pudiera predecir los efectos transcendentales de una simple carta que circula en cadena!

Después de cincuenta años de tiranía en contra del cristianismo, los agentes soviéticos se sentían amenazados por una carta que circula en cadena. Su respuesta cobarde demuestra el poder que contiene la Palabra de Dios. La opresión no cede ante los esfuerzos humanos. No se suaviza con sentimientos de compasión. Solo pone resistencia a la poderosa Palabra de Dios, viva y activa en las vidas de los creyentes. Satanás tiembla frente al poder que contiene la Palabra de Dios. ¿Somos tan conscientes de su poder como lo son sus adversarios? Si ha pasado un largo tiempo desde que experimentara un temor reverencial al leer las Escrituras, pídale a Dios una segunda oportunidad. Pídale que le muestre su poder y experimente hoy el efecto de la Palabra en su vida.

Voluntario extremo

CHINA: LA HERMANA KWANG

Después de exigir muchas horas de trabajo forzado y ofrecer una dieta casi de inanición, los guardias de la cárcel china exigieron que alguien se ofreciera a limpiar los baños todos los días. Ninguna de las prisioneras habló.

Al final, la hermana Kwang dio un paso adelante y se ofreció para hacer la odiosa tarea. Lo veía como la máxima oportunidad de declarar su fe a las mujeres en la cárcel a las cuales de otra manera jamás vería. Durante su tiempo en esa cárcel, guió a cientos de mujeres a Cristo.

La devoción de Kwang era evidente a todo el que la conocía, pero resultó a causa de mucho sufrimiento. Antes de su encarcelamiento, ella y su esposo se habían ofrecido para organizar grupos de evangelistas que viajaban alrededor de China estableciendo pequeñas casas-iglesias.

Y todo lo que hagan, de palabra o de obra, háganlo en el nombre del Señor Jesús, dando gracias a Dios el Padre por medio de él.

Colosenses 3:17

Cuando los oficiales comunistas descubrieron las actividades de Kwang, mataron a golpes a su hijo de doce años de edad. Así y todo, ella no quiso negar a Cristo y continuó desarrollando el movimiento de casas-iglesias después que la pusieron en libertad.

Por último, en 1974, los comunistas decidieron dar un escarmiento con la «Madre Kwang», como los miembros de su iglesia la conocían ahora. La sentenciaron a cadena perpetua, la pusieron en una celda subterránea con un cubo para sus necesidades sanitarias y solo le daban de comer arroz sucio.

De milagro, la pusieron en libertad después de diez años y siempre recordó su tiempo en la cárcel como un regalo; una oportunidad especial de expresar el amor de Cristo a personas que de otra manera quizá jamás hubieran escuchado.

Ofrecerse de forma voluntaria es casi una ocupación profesional para algunas personas. Se ofrecen en la escuela de sus hijos para ayudar con las reuniones nocturnas de padres y maestros, y para ayudar a entrenar a los equipos de fútbol de sus hijos. Ser voluntario para las actividades menos populares puede ser un reto mayor. El espíritu de voluntario a menudo no se encuentra por ninguna parte. Hogares de ancianos, orfanatos y albergues son los últimos lugares en los que muchas personas quieren pasar su tiempo. El mal olor, un ambiente deprimente u otras molestias las ahuyentan. ¿Pero dónde cree que Jesús pasaría la mayoría de su tiempo? Casi todos los puestos voluntarios involucran trabajo necesario y admirable, pero busque con cuidado las oportunidades menos frecuentadas y con los que son menos afortunados. Trate de ser el primer voluntario la siguiente oportunidad que se le presente.

Público extremo

Aun cuando al pastor rumano Richard Wurmbrand lo pusieron en una celda solitaria de la cárcel sin luz ni sonido, continuó predicando a un público desconocido.

Después de su libertad milagrosa de la cárcel y su final migración a Estados Unidos, el pastor Wurmbrand escribió varios libros describiendo su experiencia en la cárcel y los sermones que compuso y memorizó mientras estaba incomunicado. Después de unos años, recibió esta carta:

Estimado pastor Wurmbrand:

No tienen, porque no piden [a Dios].
Santiago 4:2

Crecí en un hogar piadoso, pero me aparté del camino y al final terminé en una cárcel aquí en Canadá. Yo quería regresar a Dios, pero no sabía cómo hacerlo, así que oré: «Dios, si en algún lugar del mundo hay otro prisionero solitario que te conoce, por favor tráeme sus pensamientos». Yo escuché una voz interior que me decía que me sentara tranquilamente y confiara en que Dios me alcanzaría.

De forma milagrosa, noche tras noche comencé a escuchar un tipo de sermón que parecía venir de muy lejos. Me arrepentí y después que me pusieron en libertad, encontré en una librería cristiana su libro *Sermones en confinamiento solitario*. De inmediato reconocí esos sermones como los mismos que escuché en la cárcel. ¡Gracias por declararlos!

El pastor Richard Wurmbrand recibió otras dos cartas de diferentes países que contenían historias casi idénticas. En verdad, los ángeles llevaron los sermones a otros clamando a Dios.

Se dice que los cristianos a menudo dejan a los ángeles desempleados por su falta de fe. Demasiado a menudo los creyentes están satisfechos viviendo buenas vidas con bendiciones ocasionales. No obstante, Dios anhela darnos más que lo que es bueno para nosotros. Anhela darnos cosas mejores y aun lo mejor de lo mejor; sin embargo, Él ha reservado sus mejores bendiciones para los que piden con fe. ¿Por qué debemos pedirle a Dios si ya conoce nuestras necesidades? Debemos pedir con fe para demostrar nuestra dependencia de Él. ¿Ha estado satisfecho con las cosas buenas que Dios le ha dado? Entonces pida con fe por mejores cosas. No esté satisfecho por nada menos que lo mejor que Él tiene para su vida.

*Si toda la humanidad hubiera sido
justa y solo un hombre pecador,
Cristo hubiera venido para sufrir la
misma cruz por este solo hombre. Él
ama así a cada individuo.*

San Agustín

«Cobarde» extremo

TARSO: JUAN MARCOS

—¡Él no puede venir con nosotros! —insistió Pablo—. Es un cobarde y no es útil al ministerio.

—Quizá te diste por vencido con él, pero Dios no lo ha hecho —respondió Bernabé.

Pablo todavía estaba resuelto.

—Tú no me puedes obligar, Bernabé. Yo solo llevaré a personas en las cuales pueda confiar. Él no es bienvenido en este viaje para proclamar la fe.

—Entonces tampoco yo lo soy. Es tu decisión, Pablo. Dios te ha dado la dirección del viaje. Partimos en paz. Cuando la iglesia temía de ti, por la gracia de Dios yo vine a ti y les mostré que tú harías una gran obra para el reino de Dios. Ese es el mismo llamado que Dios tiene para Juan Marcos.

Recoge a Marcos y tráelo contigo, porque me es de ayuda en mi ministerio.

2 Timoteo 4:11

—Que así sea entonces —dijo titubeando Pablo—. Espero que tengas razón mi viejo amigo, aunque yo mismo no lo creo.

Así que Pablo y Bernabé se separaron. Al final, Pablo y Juan Marcos terminaron juntos en la cárcel en Roma, y Pablo descubrió el verdadero valor en Cristo de su joven amigo como un fiel siervo. Juan Marcos había escrito el Evangelio de Marcos y probó que no era un cobarde en lo absoluto mientras él y Pablo se enfrentaban a los rigores diarios de la cárcel. A través de los momentos más difíciles, Marcos se mantuvo en el buen camino, lo cual Pablo reconoció en una carta a Timoteo poco antes de su muerte.

Hechos 15:35-41; 2 Timoteo 4:11

Dios a menudo trae situaciones difíciles a nuestro camino para demostrar dos verdades: Utilizará pruebas para mostrarnos qué tan lejos hemos progresado en nuestro desarrollo espiritual o permitirá problemas en nuestra vida a fin de mostrarnos con exactitud dónde pudiéramos usar más crecimiento. La transformación de Juan Marcos de un aparente cobarde a un seguidor comprometido nos recuerda que el crecimiento espiritual es un proceso. Podemos señalar fracasos anteriores en los que desearíamos haber podido ser más fuertes. Sin embargo, las acciones del pasado no tienen que afectar nuestro futuro. Como Marcos, ¿necesita una segunda oportunidad para mostrar su compromiso a Cristo? Ore por oportunidades que lo ayuden a crecer espiritualmente.

Sermón extremo

CHINA

«¡Mátalas y te permitiremos vivir!»

El pastor había hecho un trato con los comunistas en la cárcel china donde estaban detenidos. Aun así, las dos niñas cristianas de pie frente a él estaban resueltas a no renunciar a su fe. Un compañero prisionero que observó la terrible escena describió sus rostros como pálidos, pero más bellos de lo que pudiera imaginarse; infinitamente tristes, pero dulces. Estaban resueltas a enfrentarse a la muerte en lugar de dar sus espaldas a Cristo.

El pastor razonaba: «¿Por qué debemos morir todos? Si las mato y me permiten vivir, puedo continuar trabajando entre las iglesias».

Las niñas le hablaron con suavidad: «Antes que nos mate, queremos darle las gracias por todo lo que ha significado para nosotros. Nos guió a Cristo, nos bautizó y nos dio la Santa Cena. Dios lo recompense por todo lo bueno que ha hecho. También nos enseñó que los cristianos algunas veces son débiles y cometen terribles pecados, pero pueden ser perdonados de nuevo. Cuando sienta remordimiento por lo que nos va a hacer, no se desespere como Judas, sino arrepiéntase como Pedro. Y recuerde que nuestros últimos pensamientos hacia usted no son de odio y enojo, sino de amor y perdón. Todos pasamos a través de tiempos de oscuridad. Morimos con gusto».

Sin embargo, el corazón del pastor ya estaba endurecido y las mató. De inmediato, los comunistas lo mataron a él.

> *Sean bondadosos y compasivos unos con otros, y perdónense mutuamente, así como Dios los perdonó a ustedes en Cristo.*
>
> *Efesios 4:32*

Las personas que se enfrentan a la perspectiva de una muerte inesperada pueden encontrar sus pensamientos enfocados en amigos y familiares o en sueños no alcanzados. Algunos recuerdan ver sus vidas «pasando frente a sus ojos». Este recuerdo completo, sin embargo, es probable que se interrumpa para los que son víctimas de la traición máxima: asesinados por alguien al que consideraban un amigo. Enojo, amargura y odio hacia el supuesto amigo parecerían todos justificables. ¿Se consideraría en absoluto el perdón? Como cristianos, debemos elegir perdonar en toda circunstancia, aun en las que involucran la vida y la muerte. Como las niñas en esta historia, su reacción a la traición predica un sermón eficaz. ¿Cómo pudiera su elección de perdonar señalar el camino a Jesús para alguien que conoce?

Escudo extremo

«¡Yo besaré la soga pero nunca negaré mi fe!», exclamó Tahir Iqbal. Los soldados levantaron al pastor paralítico de su silla de ruedas y pusieron la soga alrededor de su cuello. Hoy él camina libre en el cielo con Cristo.

En Pakistán, otro pastor maduro escuchó un tiro de pistola justo afuera de su casa. La bala le pasó rozando y se incrustó en la pared detrás de su silla. Él le dio gracias a Dios por otro día en el cual podía proclamar a Cristo en ese país dominado por musulmanes.

Además de todo esto, tomen el escudo de la fe, con el cual pueden apagar todas las flechas encendidas del maligno.
Efesios 6:16

Raymond Lully dejó un buen puesto como profesor en Oxford y pasó la mayor parte de su vida sufriendo a causa del evangelio. Escribió: «En un tiempo era bastante rico y disfrutaba con libertad de los placeres de esta vida. Sin embargo, renuncié gustoso a todas esas cosas a fin de lograr diseminar el conocimiento de la verdad. He estado en la cárcel; me han azotado [...] ahora, aunque soy viejo y pobre, no me desespero; estoy listo, si es la voluntad de Dios, a perseverar hasta la muerte».

Creyentes como estos tienen un entendimiento singular de la frase «escudo de la fe». Se dieron cuenta que no evitarían necesariamente sus sufrimientos, pero les daría valor para enfrentarlos si era necesario. El escudo de la fe les daba la determinación de continuar en la batalla espiritual por la causa de Cristo sin importar lo que les costara aquí en la tierra.

El equipo de batalla del primer siglo incluía un escudo en una mano y una espada en la otra. Con uno, los soldados avanzaban contra sus enemigos. Con la otra, tomaban la ofensiva. Con respecto a nuestro propio equipo de batalla espiritual hoy en día, ¿encontraríamos un «escudo de la fe» lleno de polvo guardado en un rincón? Cuando nos apartamos de la protección que Dios nos ofrece a través del escudo de la fe, nos volvemos vulnerables a los ataques de nuestro enemigo. Sin fe es imposible evitar el temor y el desánimo. Dejamos de promover el evangelio a la primera señal de oposición. ¿Qué le ha impedido promover el evangelio en su círculo de influencia? ¿Dónde necesita blandir su escudo de la fe en medio de una oposición abrumadora?

Gracia extrema

RUMANIA: EL PASTOR RICHARD WURMBRAND

El pastor Wurmbrand avanzó a través de los otros prisioneros hasta donde otro pastor estaba sentado inmóvil en el suelo. Lo acababan de echar en la celda. Estaba severamente golpeado. Wurmbrand no sabía si sobreviviría la noche.

Con compasión amorosa el pastor Wurmbrand se arrodilló junto al pastor golpeado y le preguntó:

—Mi hermano... ¿puede orar "Padre perdónalos"?

El hombre hizo una mueca de dolor, tocando su rostro hinchado, amoratado. Era difícil hablar. Las palabras salieron poco a poco.

—No puedo.

En el momento en que el pastor Wurmbrand comenzaba a sentir compasión por el hombre, el pastor golpeado comenzó a hablar de nuevo. Con lágrimas en sus ojos dijo:

—Mi oración no es "perdónalos". Mi oración es... "Padre, perdónalos a ellos y a *mí*". Si yo hubiera sido un mejor pastor, quizá hubiera habido más torturadores convertidos.

Compórtense sabiamente con los que no creen en Cristo, aprovechando al máximo cada momento oportuno.

Colosenses 4:5

Este cansado pastor expresó su preocupación por las oportunidades perdidas para convertir a sus enemigos a Cristo. Ambos pastores se dieron cuenta que a un joven miembro de la organización de Jóvenes Comunistas de Rumania lo arrestó y golpeó sin misericordia un policía que se suponía era cristiano. Este incidente endureció el corazón del joven hacia Cristo por el resto de su vida. Esta oportunidad perdida para el evangelio al final se convirtió en el dictador del país ex comunista de Rumania. Nicolae Ceausescu fue el responsable de la tortura de innumerables cristianos, incluyendo el pastor Wurmbrand y su compañero pastor golpeado.

Ningún remordimiento es mayor que el de una oportunidad perdida. Es lamentable, pero la vida a menudo ofrece oportunidades perdidas como el nacimiento de un niño, una mañana de Navidad o aun ese último vuelo de regreso a casa. Sin embargo, nada se compara a la oportunidad perdida de cambiar el destino eterno de una persona. Nunca sabemos cómo esa persona solo de nombre sentada junto a nosotros en el tren pudiera algún día influir en el mundo para Cristo, si solo dijéramos algo. De la misma manera existe la posibilidad de que romper nuestro silencio pudiera cambiar el rumbo de un adversario resuelto de Cristo. Usted puede contar muchas oportunidades perdidas para el evangelio en su pasado. Sin embargo, puede cambiar su futuro aprovechando las oportunidades que le dan cada día para expresar su fe.

Dedicación extrema

CHINA: LIU XIAOBO

Liu Xiaobo estaba enfurecido en su celda en la cárcel, pensando solo en los pecados de sus opresores comunistas. Como líder de la protesta en la Plaza Tiananmen en China, su oración ferviente fue por la liberación pacífica de la iglesia china de las asfixiantes restricciones del gobierno. Tenía la visión de que los cristianos pacíficos vencieran a los comunistas al proclamar el amor de un Dios misericordioso. Sin embargo, todo terminó mal.

Uno por uno, vio a sus valientes amigos mantenerse firmes hasta el duro final. Y ahora a él lo habían localizado y arrestado. ¿Cómo permitía Dios que tal maldad los venciera? Sus esfuerzos no lograron lo que su mente humana pensó que deberían alcanzar.

Bendigan a quienes los maldicen, oren por quienes los maltratan.

Lucas 6:28

Entonces el aliento de Dios le llegó a través de la sabiduría de un compañero prisionero cristiano. Dándose cuenta de su propia naturaleza pecaminosa después de la conversación, escribió: «¿Cómo puede una persona que no tiene ningún sentido de pecado escuchar la voz de Dios? En lugar de pelear contra los comunistas porque hacen cosas pecaminosas, debo dedicarme a tratar de ganarlos para Cristo, aun si eso significa mi muerte. A Jesús lo clavaron en la cruz a causa de su amor por los pecadores. Yo me debo dedicar a amar a los comunistas. Si no, todos permanecemos en el fondo del barranco en lugar de subir a la cima».

Las personas a menudo piensan que una vez que se han comprometido a Cristo, la vida será fácil. Hasta dan por hecho que las cosas saldrán como quieren. Después de todo, están «haciendo la voluntad de Dios», ¿no es así? ¿Por qué no deberían triunfar sus esfuerzos? Sin embargo, pronto llegan los problemas. Es probable que hasta sufran daños físicos a causa de su fe. Cuando decidimos que nos consideren cristianos, descubrimos a menudo cuántos enemigos tiene Cristo. Jesús prometió que nos odiarían por causa de su nombre. La forma en que decidimos reaccionar ante nuestros enemigos es la prueba de hasta qué punto somos semejantes a Cristo. ¿Está dispuesto a amar a sus enemigos orando por su salvación? ¿Les proclamaría el mensaje de Jesús? Si nosotros no alcanzamos a los opresores para Cristo, ¿quién lo hará?

Contraste extremo

RUSIA: CLAUDIA VASILEVNA

Los documentos de la policía secreta soviética muestran que en Butovo, un suburbio de Moscú, se ejecutaron cuarenta y cuatro mil personas en grupos de doscientas y se enterraron en secreto. Una noche durante la matanza, Claudia Vasilevna abrió su puerta a una demacrada mujer que se suponía que la ejecutaran por su fe cristiana, pero que logró escapar. Ella le rogó a Claudia que la escondiera.

Temerosa, Claudia se negó. Cerró la puerta y dejó a la mujer afuera, sellando su sentencia de muerte. Por más de cincuenta años, Claudia ha batallado para olvidar la imagen de la mujer.

En contraste a la batalla de Claudia, miembros de la iglesia rumana disfrutaron de paz en sus corazones ayudando a dos soldados alemanes que huyeron cuando los llevaban a una cárcel soviética. Buscaron refugio en la iglesia del pastor Richard Wurmbrand. Al finalizar la Segunda Guerra Mundial, a Rumania la gobernaba la severa Alemania nazi. Cuando Alemania estaba perdiendo la guerra, el ejército ruso entró a Rumania y comenzó a tomar alemanes como prisioneros de guerra. Esconder o ayudar a un alemán se castigaba con la muerte.

Para que sean intachables y puros, hijos de Dios sin culpa en medio de una generación torcida y depravada. En ella ustedes brillan como estrellas en el firmamento.

Filipenses 2:15

Los soldados todavía tenían los uniformes alemanes y eran candidatos a muerte. Las familias de la iglesia estuvieron de acuerdo en ayudar a protegerlos porque su lugar no era de juzgar, sino de ayudar a toda persona en peligro de muerte. Durante ese tiempo, también trataban de alcanzar a los niños alemanes, pues sabían que solo ellos hacían lo que Cristo haría en su lugar.

Los cristianos a menudo tienen que elegir entre problemas para sus cuerpos y problemas para sus almas. Esa es la diferencia entre el problema terrenal y el remordimiento eterno. Los cristianos extremos viven en tal contraste con el resto del mundo que algunas veces es difícil relacionarse con otros. A menudo, sus circunstancias son muy extremas. Aun dentro de nuestras circunstancias en comparación ordinarias nos podemos enfrentar a decisiones que requieren un valor extraordinario. ¿Elegiremos la seguridad terrenal por encima del significado eterno? ¿Correremos un riesgo terrenal que pudiera resultar en un beneficio espiritual? Cuando lo enfrentan a situaciones que requieren más valor del que tiene, pídale a Dios que le ayude. Él proveerá la sabiduría que necesita en el momento apropiado para tomar la decisión adecuada.

Porque a ustedes se les ha concedido
no sólo creer en Cristo,
sino también sufrir por él.

FILIPENSES 1:29

Viajes extremos

CHINA: BOB FU

El profesor chino Bob Fu y su esposa celebraban estudios bíblicos secretos en aldeas remotas. El hambre de los habitantes por la Palabra de Dios nunca cesó de asombrarle.

Un viaje memorable comenzó con doce horas en un autobús en el cual un líder de la iglesia estuvo de pie por horas frente a una ventanilla rota bloqueando la lluvia a fin de que Fu lograra descansar. La noche siguiente condujeron un pequeño microbús por caminos fangosos, llenos de baches hasta que se atascó; entonces condujeron un tractor por horas bajo una intensa lluvia hasta que el tractor también se atascó. Después de eso, caminaron toda la noche a la luz de la luna, resbalando y cayéndose en los campos fangosos.

Tengo sed de Dios, del Dios de la vida. ¿Cuándo podré presentarme ante Dios?
Salmo 42:2

A la mañana siguiente, llegaron temprano y los recibieron con una cálida bienvenida. Los aldeanos comenzaron a llegar a la casa-iglesia para orar por dos horas antes del servicio. Algunos habían caminado ochenta kilómetros solo para escuchar la Palabra de Dios. La casa no tenía sillas, así que los miembros de la iglesia se sentaban sobre rocas o pedazos de madera. En esta área, tenían otra bendición: A la policía le resultaba demasiado difícil seguirlos. Durante varios días, ¡podían adorar con libertad!

Cada uno había sobrepasado condiciones de viaje extremas para adorar, y ninguno lo consideraba un sacrificio. Solo tenían un deseo como el de David, que los conducía a adorar con todo su ser.

Para los que viven en países restringidos, la iglesia no es opcional; es esencial. En contraste, en las naciones libres muchas personas deciden cada semana si van a asistir a la iglesia o no. ¿Tienen el tiempo? ¿Está lloviendo? ¿Preferirían dormir tarde? ¿Cuál es el tema del sermón? Con vergüenza, a menudo vamos a través de una serie de preguntas tratando de decidir si vale la pena dedicar el tiempo para ir a la iglesia. Para David y otros, ir a reunirse con Dios era una decisión fácil. Es más, no permitían que nada les impidiera hacerlo. ¿Cuándo fue la última vez que le pidió a Dios que le diera un deseo de adorar como ese? Pídale hoy, y planee asistir a la iglesia esta semana y reunirse con Dios.

Compositor extremo

RUSIA: NICOLÁS MOLDOVAE

Guardias rusos ebrios entraron en la celda fría una tarde de severo invierno. Un prisionero, Nicolás Moldovae era un poeta y compositor al igual que un creyente devoto y líder de un movimiento evangélico en la iglesia ortodoxa. Él recibió una sentencia de cinco años en la cruel cárcel rusa por su trabajo en el ministerio.

«¡Acuéstese boca abajo!», le gritó un guardia a Nicolás. Con su camisa ligera y pantalones cortos, se acostó en el frío piso. Los guardias entonces se pararon por una hora sobre su espalda, sus piernas y sus pies con sus pesadas botas.

¡Oigan reyes! ¡Escuchen gobernantes! Yo cantaré, cantaré al Señor; tocaré música al Señor, el Dios de Israel.

Jueces 5:3

Cuando se fueron los guardias, sus compañeros prisioneros se arrodillaron junto a Nicolás para ver qué tanto estaba lastimado. Para su asombro, Nicolás dijo: «He escrito un nuevo himno mientras caminaban sobre mí». Él comenzó a cantar «No solo hable yo del cielo futuro, sino tenga yo el cielo y una fiesta santa aquí».

Después que a Nicolás lo pusieron en libertad de la cárcel, la policía comunista examinó su casa y confiscó un singular libro de manuscritos en los que Nicolás había estado trabajando por varios años. Cientos de horas de valioso trabajo, escritura y devoción se confiscaron de inmediato. Después de esto, Nicolás compuso otro himno. «Yo te adoro con gratitud por todo lo que me has dado, pero también por todo lo amado que me has quitado. Tú todo lo haces bien y yo confiaré en ti».

Hoy en día los cantos de Nicolás Moldovae son alabados a través de su país.

Se ha dicho que la vida es diez por ciento lo que sucede y noventa por ciento cómo uno responde a lo que sucede. Desde ese punto de vista, las circunstancias de la vida en sí no importan tanto como la actitud de una persona hacia ellas. Las circunstancias están fuera del control de cualquier persona. Aun así, una actitud o respuesta es una elección. La vida quizá nos lleve a un revoltijo sin armonía de notas y melodías en tono menor. Sin embargo, con la ayuda de Dios podemos optar por organizar las notas a fin de que produzcan una canción de adoración y victoria. Decidimos escuchar la melodía en la locura de nuestras vidas. ¿Cómo describiría las circunstancias presentes en su vida? ¿Cuál es su actitud hacia su situación? ¿Qué necesita hacer para cambiar su melodía?

Violencia extrema

ALEJANDRÍA: JUAN MARCOS

Después de escribir el Evangelio de Marcos, Juan Marcos viajó sembrando las semillas de la fe a través del norte de África y Egipto y al final se radicó en Alejandría y estableció una iglesia allí.

El 21 de abril de 64 d.C., Marcos predicó un sermón recordando el sufrimiento y la muerte de Cristo como parte de la Pascua, o lo que consideraríamos como el Domingo de Resurrección. Había estado opuesto a los sacerdotes impíos locales, y ellos tomaron este día para incitar a la población en general a sublevarse en su contra.

Los rebeldes asaltaron la iglesia y agarraron a Juan Marcos. Utilizando garfios y sogas, lo arrastraron afuera a través de la congregación, por las calles y fuera de la ciudad. Marcos dejó un rastro de sangre y carne que manchó las piedras sobre las cuales lo arrastraron. La sangre brotaba de todo su cuerpo mientras la turba abucheaba y se burlaba de él. Con sus últimas palabras, entregó su espíritu en las manos de su Salvador y murió.

Aun con la muerte de Marcos, la sed de violencia de la multitud no estaba satisfecha y los sacerdotes exigieron que se quemara su cuerpo en lugar de sepultarlo. De repente, estalló una tormenta, dispersando la multitud en todas direcciones, y abandonaron el cuerpo de Marcos en el lugar que murió. Entonces vino un grupo de cristianos, tomó el cuerpo y le dio una sepultura apropiada.

Porque nuestra lucha no es contra seres humanos, sino contra poderes, contra autoridades, contra potestades que dominan este mundo de tinieblas, contra fuerzas espirituales malignas en las regiones celestiales.
Efesios 6:12

Jesús nunca estuvo al frente de una campaña militar, nunca incitó a una rebelión, ni habló palabras de guerra, pero a sus seguidores se les opusieron con violencia antes y aún ahora. El mensaje de Jesús habla de amor, paz y reconciliación, pero funcionarios públicos y del gobierno han prohibido el evangelio como si fuera una declaración de guerra. En realidad, participamos en una guerra: con nuestro Salvador y Satanás luchando en una batalla espiritual. El maligno hará todo esfuerzo para desbaratar el reino y llevar al cristianismo a un final violento. ¿Estará del lado del ganador cuando termine la batalla?

Favor extremo

RUMANIA: UNA JUDÍA PERDONADORA

Durante la ocupación nazi de su país, el pastor rumano y su esposa escondieron soldados soviéticos. Ahora eran los soldados nazis los que necesitaban refugio.

Tres oficiales alemanes se escondieron en el pequeño edificio detrás de su casa. La esposa del pastor les llevaba comida y vaciaba sus cubos de desperdicios en la noche. Como judía, sentía odio por sus acciones; asesinaron a toda su familia. Sin embargo, como cristiana, se sentía obligada a ayudar a los refugiados y a ofrecerles apoyo físico y espiritual.

Sirvan de buena gana, como quien sirve al Señor y no a los hombres.

Efesios 6:7

La demostración de favor intrigó al capitán:

—Yo me pregunto, ¿por qué una judía debiera arriesgar su vida por un soldado alemán? No me gustan los judíos y yo no temo a Dios. Debo decirle que cuando el ejército alemán capture de nuevo Bucarest, y sin duda lo hará, yo nunca le devolveré el favor.

La esposa del pastor se mantuvo sin inmutarse por su corazón frío. Continuó predicándole.

—Aun los peores crímenes se perdonan por la fe en Jesucristo. Yo no tengo autoridad para perdonar, pero Jesús sí la tiene, si usted se arrepiente.

—No diré que la entiendo —respondió el militar—, pero a lo mejor si más personas tuvieran este don de responder al mal con el bien, habría menos asesinatos.

Los oficiales pronto huyeron a Alemania, todavía sin arrepentirse. No obstante, el pastor y su esposa hicieron su parte al mostrarles el verdadero significado del cristianismo.

Jesús explicó una parábola acerca de un sembrador que sembró semillas en diferentes tipos de terrenos, produciendo resultados diferentes. En esta historia, la semilla es la Palabra de Dios. Como los pájaros que se comen las semillas que caen fuera de un jardín, el diablo quiere quitar la Palabra de Dios de quienes escuchan. En contraste, los que representan la tierra fértil reciben la Palabra de Dios y responden. En cualquier ocasión que declaramos el evangelio a otros, no sabemos qué clase de «terreno» hay en sus corazones. No tenemos la responsabilidad de sus respuestas, ya bien sean positivas o negativas. ¿Está desanimado porque alguien no respondió al evangelio? Ya ha hecho su parte. Ahora permita que Dios haga la suya.

Predicación extrema

RUMANIA: EL PASTOR RICHARD WURMBRAND

En 1991, el gobierno comunista de Rumania se puso un nuevo rostro. Temían que los invadieran sus ciudadanos que odiaban sus actividades. Les rogaban a los pastores rumanos que predicaran, aun en los lugares públicos. Sin embargo, ordenaron a los pastores que predicaran un mensaje específico: amor por sus enemigos, de modo que el pueblo los perdonara. El gobierno sentía que podían manipular el mensaje cristiano para su propio beneficio.

Los cristianos con gusto aceptaron el llamado y comenzaron a predicar de manera abierta, aunque sabían que el motivo del gobierno era por su propia supervivencia. Sin embargo, algunos pensaron: «¿Por qué debemos enseñar a los oprimidos a amar a sus opresores?». Creían que este mensaje de perdón fortalecería la posición del gobierno.

Es verdad que ustedes pensaron hacerme mal, pero Dios transformó ese mal en bien para lograr lo que hoy estamos viendo: salvar la vida de mucha gente.

Génesis 50:20

Fue en este ambiente que el pastor Richard Wurmbrand regresó a Rumania después de veinticinco años de exilio. Lo invitaron a predicar en la televisión rumana donde enfatizó el mensaje de «ama a tus enemigos».

La iglesia se sintió culpable por sus palabras: «El amor, sencillamente porque es el amor, se expone a todos los riesgos, aun al riesgo de que los malvados lo utilicen mal, a fin de ganarlo todo. No debemos dejar de predicar el amor por nuestros enemigos aunque, por un tiempo, los que odian a Dios se beneficien a causa de nosotros. Creemos que la Palabra es Dios y que al final esta Palabra cambiará los corazones aun de quienes lo odian».

La Biblia está llena de historias con finales sorprendentes... hasta el último capítulo. Exactamente cuando parece que el mal está tomando control y todas las circunstancias están en contra de los justos, Dios lleva a los justos a la victoria. Por fortuna, Dios es también el autor de nuestras vidas. No tenemos la potestad de cuestionar cómo se desarrolla el libreto. Quizá sintamos que no nos estén utilizando con eficacia para la obra de Dios. Hasta es probable que sintamos que otros frustran nuestros mejores esfuerzos por evangelizar. Sin embargo, nuestro papel es predicar con fidelidad su mensaje y permitir que Él se encargue de las circunstancias desafiantes. Dios aún está escribiendo la historia, ¡y aún no ha llegado lo mejor!

Recuerdos extremos

TÍBET: WILLIAM SIMPSON

«Asesinaron a su hijo».

El señor Simpson recibió el terrible mensaje ese día. Su hijo misionero, William, había construido una pequeña escuela en la frontera de Tíbet donde le había estado enseñando la Palabra de Dios a los niños. El padre de William vivía cerca y enseguida corrió a la escuela después de recibir la noticia. Mientras miraba a su alrededor, los recuerdos del ministerio de su hijo inundaron su mente.

Doy gracias a mi Dios cada vez que me acuerdo de ustedes.

Filipenses 1:3

William viajó más de seis mil cuatrocientos kilómetros al año a caballo para predicar el evangelio al pueblo de Tíbet. Los fanáticos musulmanes masacraron a cincuenta mil personas en una ciudad de Tíbet, pero aun esto no ahuyentó a su hijo.

William escribió: «Todas las pruebas, la soledad, la pena, el dolor, el frío y la fatiga del largo viaje, los desánimos y todas las aflicciones, tentaciones y pruebas no parecen dignas de ser comparadas con la gloria y el gozo de testificar estas "buenas nuevas de gran gozo"».

El padre de William caminó con lentitud a través de la escuela destruida y encontró el cuerpo mutilado de su hijo tirado en el suelo. Más tarde se enteró que una horda de desertores del ejército musulmán perpetró el ataque a la escuela cristiana, sin mostrar misericordia a su fundador.

Como misionero también, el señor Simpson estaba muy orgulloso del ejemplo de Cristo que William fue para otros. Bajo el cuerpo de su hijo había un pedazo de papel manchado de sangre. Lo recogió con cuidado y leyó las palabras muy apropiadas: «En memoria de mí».

Monumentos se encuentran esparcidos a través de todo país del mundo. Cada uno conmemora un acto de heroísmo, valentía y sacrificio personal en medio de pruebas. Personas de toda época en la historia han erigido monumentos y recordatorios. Es parte de la naturaleza humana. No deseamos olvidar los que pagaron el precio máximo mientras preservaban nuestros ideales de libertad, justicia, amor y honor. Nuestros corazones contienen los recuerdos de mártires cristianos que murieron por la causa de Cristo y su evangelio. En sus funerales no se rindieron honores militares. Ninguna estatua se erigió en su lugar. Aun así, leemos sus historias y prometemos que nunca vamos a olvidar. Dedique tiempo para recordarlos hoy y alabe al Dios que los inspiró.

*Si pudieran mostrarnos que son
la verdadera iglesia de Cristo,
pasaríamos de inmediato a su lado
porque deseamos estar con Cristo.
Sin embargo, no presentaron razones
a favor de la verdad. Nos pusieron en
la cárcel. Es posible que nos quiten
la vida, pero no nuestra fe.*

Obispo John Balan, en respuesta a líderes ortodoxos
comunistas que trataron de convencerlo de jurar lealtad
a la Iglesia Ortodoxa de Rumania

«Símbolo» extremo

CUBA: TOM WHITE

Para los que han sufrido en la cárcel por su fe en Cristo, la Santa Cena es una ceremonia valiosa; sin embargo, pocas veces se comparte bajo los ojos vigilantes de los guardias de la cárcel.

Tom White y un piloto llamado Mel volaban sobre Cuba comunista en una pequeña avioneta, arrojando miles de volantes que comunicaban el evangelio de Cristo al pueblo oprimido bajo la dictadura de Fidel Castro. Una tormenta los atrapó y se vieron obligados a realizar un aterrizaje forzoso. Aunque Tom y Mel resultaron ilesos, aterrizaron en Cuba y los guardias comunistas los esperaban con rifles cargados. A Tom y Mel los sentenciaron a veinticuatro años de cárcel.

También tomó pan y, después de dar gracias, lo partió, se lo dio a ellos y dijo: «Este pan es mi cuerpo entregado por ustedes; hagan esto en memoria de mí».

Lucas 22:19

A Tom le permitieron dos visitas de su esposa, Ofelia, que tenía una misión propia. Ella pasó de contrabando un pequeño paquete de jugo de uva en polvo envuelto en plástico y una liga. Tom llevaría el jugo a su celda para que él y los otros prisioneros cristianos tomaran la comunión cuando los guardias no observaran.

Tom y Ofelia White comprendían una cosa. Celebrar a Jesucristo y su sangre derramada en la cruz era el símbolo más poderoso que mantenía intactos su matrimonio y su misión.

A Tom y Mel los pusieron en libertad después de dieciocho meses. Hoy en día Tom y Ofelia continúan celebrando el sacrificio de Cristo por ellos en Oklahoma, donde Tom dirige la obra de La Voz de los Mártires.

Cristo instruyó a sus discípulos a celebrar dos tradiciones: el bautismo y la Cena del Señor. Son símbolos de devoción a Él; una celebración de su muerte y su resurrección. Aunque son tradiciones cristianas, sin embargo, nunca deben convertirse en simples acontecimientos tradicionales. Quizá no comprendamos a cristianos que arriesgan sus vidas para conmemorar la Cena del Señor porque la tradición nunca ha estado en riesgo en nuestro propio escenario cultural. Aun así, los perseguidos por su fe encuentran que sus prioridades se ordenan de manera diferente. Los símbolos se vuelven valiosas expresiones de devoción. ¿Qué significan para usted los símbolos cristianos del bautismo y la comunión? ¿Cómo aumentará su celebración la próxima vez que observe un bautismo cristiano o participe en la comunión?

Sacrificio extremo

RUMANIA

En la cárcel de Gheria, Rumania, se anotaban los nombres de los prisioneros que pensaban que rompían las reglas, y a cada uno les daban veinticinco azotes. Había un día especial reservado cuando se infligía el doloroso castigo. En ese día, el oficial pasaba de celda en celda, reuniendo a los que iban a azotar.

Como los carceleros cambiaban de turno continuamente y los prisioneros eran muchos, era imposible conocer a todos los presos por nombre. Cada vez que un guardia llamaba en su celda a alguien para golpearlo, cierto preso cristiano se movía adelante y decía «Yo soy». Lo azotaban con brutalidad una y otra vez en lugar de otro.

> *Nadie tiene amor más grande que el dar la vida por sus amigos.*
>
> *Juan 15:13*

Al final, cuando este prisionero cristiano estaba cerca de la muerte después de uno de sus sacrificios de azotes, los otros prisioneros trataron de consolarlo. «Hermano, alégrese ahora», le dijeron. «Pronto habrá terminado todo. Usted estará en el cielo. ¡No habrá más dolor, solo gozo!»

Él volteó, los miró con amor y contestó: «Haga Dios conmigo de acuerdo con su voluntad... pero si me preguntara, yo le diría que no me llevara al paraíso. Preferiría permanecer en la cárcel. Sé que arriba hay deleites inexpresables, pero en el cielo falta una cosa: sacrificarse uno mismo por otro».

En un mundo que valora la acumulación en lugar de compartir, el principio bíblico del sacrificio parece una idea extraña. «Obtenga tanto como pueda tan rápidamente como pueda» parece ser la orden del día cuando nos referimos a los ideales mundanos. La Biblia enseña otra manera de tener éxito. Se llama sacrificio: entregar su vida por otra persona. No es natural. Ni siquiera parece atractivo a nuestra naturaleza humana. Sin embargo, una vez que hacemos la prueba se convierte en una forma de vida apasionante. El Espíritu Santo de Dios dentro de nosotros nos ayuda a ponernos en segundo lugar detrás de otros. Es más, su Espíritu incluso nos ayuda a querer hacerlo. ¿Está dispuesto a poner las necesidades de otros por encima de las suyas?

Leyenda extrema

ISRAEL: LA HISTORIA DE GORUN

En una antigua leyenda, Jesús le dijo a su seguidor llamado Gorum. «Ve y levanta tu tienda en el monte Carmelo y permanece allí por un tiempo de meditación y oración». Gorum hizo lo que le pidió Jesús.

Un día Gorum fue a la aldea más cercana y pidió: «Por favor, deme una frazada. Las ratas han roído la mía vieja y no puedo dormir». Los aldeanos con gusto le dieron una frazada, pero Gorum regresó una y otra vez porque le sucedía la misma cosa. Alguien al final sugirió: «Le daremos un gato para solucionar el problema de una vez por todas».

A los pocos días Gorum regresó. «¿Pudieran, por favor, darme un poco de leche para el gato?» Dándose cuenta que la necesidad sería continua, los aldeanos decidieron darle una vaca.

Gorum regresó de nuevo. «Necesito algo para darle de comer a la vaca». Ellos le dieron una parcela de terreno. Gorum entonces pidió obreros para la tierra, después por materiales para construir casas para los obreros y así sucesivamente.

Años más tarde, Jesús fue a ver a su amado discípulo. Un hombre obeso le dio la bienvenida y preguntó: «¿Qué negocio lo trae por aquí? ¿Qué quisiera comprar?». Gorum, ahora un comerciante rico, ni siquiera reconoció a su maestro.

Los cristianos cuentan historias como esta en países perseguidos donde los oficiales del gobierno a menudo tratan de tentar a los cristianos a renunciar a su fe y a sus actividades de ministerio a cambio de empleos importantes y más dinero.

Tengan cuidado, no sea que se les endurezca el corazón por... las preocupaciones de esta vida. De otra manera, aquel día caerá de improviso sobre ustedes, pues vendrá como una trampa.
Lucas 21:34-35

Algunas veces necesitamos una historia para ver algo desde otro punto de vista, a fin de que nos recuerde lo que es importante y mantenernos enfocados en la tarea por hacer. Quizá no nos ofrezcan un gato ni una vaca, pero nuestro adversario a menudo nos tienta de otras maneras para desviarnos del camino. Nos ofrece seguridad en nuestra patria para que resistamos ir a otros países con el evangelio. Utilizará las bendiciones de Dios como distracciones, un cónyuge, una familia o un empleo, para hacernos tan preocupados con la vida que abandonamos nuestra misión. ¿Qué revela esta historia en su vida que pudiera estar alejándolo del Maestro? ¿Ha estado tan ocupado con tareas terrenales que ha abandonado su misión espiritual?

Tiempo extremo

Un hombre caminaba tarde en la noche a una ciudad distante cuando tropezó con algo en el camino. Se inclinó y recogió una pequeña bolsa llena de piedras. Echó un vistazo a su alrededor y miró con fijeza en la oscuridad, tratando de ver si se le había caído a alguien. No viendo a nadie, decidió llevarse la bolsa en su largo viaje en una noche sin luna.

Para pasar el tiempo, comenzó a arrojar las pequeñas piedras en el río junto al camino. Tac... tac... el sonido era una distracción inofensiva para el viajero aburrido. Cuando llegó a su destino, solo le quedaban dos piedras en la bolsa. Entrando a la ciudad, se acercó a una lámpara en la calle cerca de la plaza. Tomando las dos piedras restantes en la palma de su mano, las vio bajo la luz amarilla y vio un extraño destello y brillo en las piedras. Las vio más de cerca. Para su asombro y consternación, ¡las pequeñas piedras en realidad eran diamantes!

Enséñanos a contar bien nuestros días, para que nuestro corazón adquiera sabiduría.

Salmo 90:12

Un sabio pastor en la cárcel que pudo guiar a muchos de sus compañeros prisioneros a Cristo contó esta pequeña historia en numerosas ocasiones. A través del sufrimiento aprendió que cada minuto pudiera ser utilizado para promover el reino de Dios, sin importar las circunstancias. A menudo amonestaba a otros: «Usted puede recobrar el dinero perdido, pero no el tiempo perdido. Utilice su tiempo con sabiduría en el servicio a Dios».

Hay treinta y dos millones de segundos en cada año y cada segundo que vivimos es un valioso regalo de Dios para utilizarlo en sus propósitos. Si los desperdiciamos, los segundos regresan a Dios, pero no regresarán a nosotros. Desaparecieron para siempre, como los diamantes en el sedimento en el fondo del río. Jesús, aun cuando lo crucificaban, pasó sus últimos suspiros ofreciéndole salvación al ladrón y hablándole palabras de consuelo a su madre. Incluso ministró a sus asesinos ofreciéndoles perdón. Imagínese que tan valioso fue ese tiempo para el ladrón que se unió a Jesús en el cielo ese día. ¿Está llenando sus valiosos momentos con un propósito? Pídale a Dios que le muestre cómo redimir su tiempo, no desperdiciarlo.

Riesgos extremos

CHINA: DOS CONSTRUCTORAS DE IGLESIAS

Las dos mujeres viajaban semana tras semana para asistir a reuniones secretas de casas-iglesias. Estaban cansadas y frustradas que ninguna iglesia existía en su propia aldea.

Después de orar por meses por una iglesia cercana, una de las mujeres dijo al final: «Quizá Dios está esperando que nosotras construyamos una iglesia. ¿Por qué debiera escuchar nuestras quejas constantes si no estamos dispuestas a hacer algo nosotras mismas?».

Así mismo serán perseguidos todos los que quieran llevar una vida piadosa en Cristo Jesús.

2 Timoteo 3:12

Así que decidieron correr el riesgo. Las dos mujeres y sus esposos construyeron una iglesia en su pequeña aldea en la provincia de Anhui en China. El gobierno de inmediato amenazó con destruir el edificio a no ser que se registraran con el buró de asuntos religiosos. Ellas accedieron, y por fortuna su área rural no se supervisaba con tanta atención como algunas de las iglesias más grandes en las ciudades. Incluso se atrevieron a invitar a otros pastores de casas-iglesias a predicar como invitados sin recibir con antelación un permiso por escrito.

Las mujeres evangelizaban visitando el hospital local y buscando a los pacientes que no tenían esperanza de recobrarse. Entonces oraban y le pedían a Dios que los sanara. En un año, la floreciente iglesia creció a más de doscientos miembros.

Una de las hermanas dijo: «Oramos veinte días seguidos por un hombre y no se sanó hasta el último momento. La familia comenzó a amenazarnos con violencia contra nosotras, diciendo que estábamos enojando a los dioses. Usted tiene que estar dispuesto a correr riesgos por Dios».

El evangelio de Jesucristo es controversial, ni más ni menos. ¿Por qué otra razón identificaría el diablo al cristianismo como la religión número uno en la lista negra de los países restringidos? Por ejemplo, los budistas no tienen el extenso sistema de iglesias cristianas clandestinas que están obligadas a existir en los países restringidos. Los expertos en meditación de la Nueva Era no temen por sus vidas en los países perseguidos. El cristianismo es controversial porque es poderoso contra el enemigo. Satanás no pierde su tiempo con las religiones falsas. ¿Es usted un riesgo espiritual de acuerdo a Satanás? ¿O es que obra con cautela? ¿Es una amenaza para sus planes a causa de su fe? Si es así, espere controversia. ¡Pero regocíjese de que es parte de la verdad!

Amor extremo

RUMANIA: CRISTIANOS JUDÍOS

Al final de la Segunda Guerra Mundial, los soldados alemanes sabían que los soviéticos los llevarían a un campamento de trabajo forzado en Siberia y que muchos morirían allí. El ejército soviético acababa de tomar la ciudad de los nazis, así que cuando los dos soldados encontraron una oportunidad, huyeron del grupo. Deambulaban temerosos a través de las calles oscuras de Bucarest, Rumania.

Cuando vieron la capilla luterana, estaban eufóricos porque los luteranos rumanos eran de descendencia alemana. Sin embargo, cuando descubrieron que las personas adentro eran judías, regresaron sus temores.

El pastor calmó de inmediato sus temores. «Nosotros somos judíos, pero también somos cristianos, y no entregamos a nadie que busca refugio a manos de sus enemigos».

En aquel tiempo, si atrapaban a algunos rumanos escondiendo alemanes, los mataban enseguida. No obstante, para el amable pastor, los alemanes, aún con sus uniformes nazis, eran almas perdidas que necesitaban un Salvador. Los ayudaría del mismo modo que lo hizo con los judíos perseguidos.

Ustedes, por el contrario, amen a sus enemigos, háganles bien y denles prestado sin esperar nada a cambio.

Lucas 6:35

Les dijo: «Hemos sufrido muchísimo bajo la ocupación alemana. Si son personalmente culpables o no, no somos sus jueces. Les ofrecemos nuestro hogar y ropas civiles a fin de que regresen a Alemania. Hacemos esto para probar el gran amor y la misericordia de Dios hacia ustedes. Solo Él puede ofrecerles la liberación de su culpa».

El amor hace que las personas hagan cosas extrañas. Una pareja enamorada hará grandes esfuerzos por demostrar su devoción exclusiva. De la misma manera, una madre ama a un hijo como ninguna otra persona en la tierra. Sin embargo, el amor entre Cristo y el creyente no solo es entre ellos dos. Es el amor más extraño de todos porque no prospera en ser exclusivo. A decir verdad, es la única relación de amor que crece al incluir a otros. Debemos amar a otros con amor cristiano con el propósito de mostrar nuestra devoción a Cristo. Mostramos el amor extremo de Cristo si estamos dispuestos a amar a los que no nos han amado a nosotros en respuesta. ¿A quién le está pidiendo Dios que ame hoy por su causa?

Dios no nos juzgará conforme a cuánto soportamos, sino por cuánto pudiéramos amar. Los cristianos que sufren a causa de su fe en las cárceles pueden amar. Yo soy un testigo de que son capaces de amar a Dios al igual que a los hombres.

ANTIGUO PASTOR DE LA IGLESIA CLANDESTINA
QUE SUFRIÓ PRISIÓN POR SU FE

Héroe extremo

RUSIA: VANYA MOISEYEV

Como soldado en el Ejército Rojo soviético, a Vanya Moiseyev lo reprendían sin cesar por manifestar su fe. Muchos hombres en su regimiento se entregaron a Cristo a través de su testimonio. Cuando su comandante le ordenó que no hablará más de su fe, él respondió: «¿Qué haría un ruiseñor si le ordenaran que dejara de cantar? No podría, ni tampoco yo».

Todos los que conocían a Vanya decían que su fe era contagiosa. Pronto lo arrestaron y sometieron a una rigurosa tortura. Él le escribió a su madre diciendo: «Sé que quizá no nos volvamos a ver, pero no llores por mí. Un ángel me mostró la Jerusalén celestial y es bella. Por favor, haz todo lo posible, madre amada, por encontrarnos allí».

Continuó asegurándole que Dios lo estaba alentando enviando ángeles a su lado. Describió los diferentes encuentros que tuvo con ángeles. «Los ángeles son transparentes. Cuando tienes uno frente a ti y un hombre está de pie detrás, la presencia del ángel no impide que uno vea al hombre. Al contrario, lo ves mejor. Cuando ves a través de un ángel, logras comprender y apreciar aun a un torturador».

Al final, a Vanya lo mataron por su fe a los veintiún años de edad. Fue un joven mártir cuya valiente vida le permitió convertirse en un héroe por toda Europa Oriental.

No se olviden de practicar la hospitalidad, pues gracias a ella algunos, sin saberlo, hospedaron ángeles.

Hebreos 13:2

Los ángeles están por todas partes. Sus figuras están en libros, moldeadas en candeleros, colgadas como adornos de Navidad y en los moldes de galletas dulces con forma de ángeles. Muchas personas sienten que nunca han visto ángeles reales: los mensajeros celestiales de Dios. Sin embargo, cada día se pasan a menudo por alto. Es posible que una persona sin atractivo y que necesita nuestra aceptación sea un ángel. Quizá el enemigo que nos daña sea el ser angelical que procuramos ver. Aun si una persona resulta ser después de todo un ser humano común, nuestro amor por esa persona nos llevará un paso más cerca al cielo. Como Vanya, ¿está viendo su vida a través de una perspectiva celestial? ¿Está buscando ángeles donde antes solo veía un enemigo? Busque ángeles potenciales para amar hoy.

Comidas extremas

El cristiano encarcelado estaba hambriento e irritado. Un teniente había venido a interrogarlo de nuevo, y no deseaba que lo interrogaran. Pensó: «¿Por qué debo ser yo el que interrogan siempre?».

Así que inundó al oficial con preguntas: «¿Cree en Dios? ¿Qué le sucederá cuando muera? ¿Cómo llegó a existir este mundo precioso?». Al final, pudo comunicar el mensaje completo de salvación al oficial interesado. Para sorpresa del prisionero, ¡el teniente entregó de inmediato su vida a Cristo!

Dichosos ustedes cuando los odien, cuando los discriminen, los insulten y los desprestigien por causa del Hijo del hombre.

Lucas 6:22

El oficial también le dio su almuerzo al prisionero hambriento. El cristiano estaba agradecido que Dios le diera de comer y lo utilizara, aun con su irritado humor.

En otra oportunidad, este mismo hombre estaba incomunicado y, de nuevo, especialmente hambriento. Entonces recordó las palabras de Jesús acerca de regocijarse bajo la persecución porque es una bendición. Enseguida, se levantó y comenzó a alabar a Dios y a danzar alrededor de su pequeña celda. Su regocijo pronto atrajo la atención del guardia.

Cuando el guardia lo revisó, estaba seguro que el cristiano se había vuelto loco. Los guardias tenían las instrucciones de tratar a los locos con amabilidad, así que le trajo al cristiano un poco de queso y un pan.

De nuevo, Dios proveyó. El pensamiento iluminó al prisionero cristiano: «Es mejor ser un tonto en Cristo que ser un "sabio" que está enojado de manera insensata por cosas que no puede cambiar».

Muchas personas están «locas por controlar», las que necesitan mantener a su mundo bajo un control constante. Es lamentable, pero hay algunas cosas que están fuera del control de cualquier persona. Reconocer cuáles son las cosas que están a nuestro alcance y las cosas que no podemos controlar es un secreto para el éxito. Por ejemplo, no tenemos la posibilidad de controlar lo que otros dicen, pero sí tenemos la opción de orar por los que nos insultan. Preocuparse por lo que está fuera de nuestro control es la simple naturaleza humana. Lo que no podemos controlar, tratamos de manipularlo. Sin embargo, Dios dice que dejemos de manipular las circunstancias y confiemos en Él. Como el prisionero en esta historia, Dios nos recuerda que solo pongamos su Palabra en acción obedeciéndola a plenitud. Él se encargará del resto.

Más cartas extremas: Primera parte

ROMA: PLINIO

La siguiente es una carta de un gobernador llamado Plinio al emperador romano acerca del crecimiento del cristianismo menos de cien años después de la crucifixión de Cristo:

Nunca he estado presente en ninguno de los juicios de cristianos, y no soy consciente de los métodos ni de los límites utilizados en nuestra investigación y tortura. ¿Mostramos alguna consideración en cuanto a edad o sexo? Si un cristiano se arrepiente de su religión, ¿lo seguimos castigando o lo perdonamos?

En la actualidad, estoy procediendo de esta manera: los interrogo sobre su religión; si admiten ser cristianos, repito la pregunta añadiendo la amenaza de pena de muerte. Si todavía persisten, ordeno su ejecución. No creo que deba permitirse su terquedad sin castigo.

Hace poco interrogué a un grupo de cristianos que, después de la interrogación, negaron su fe. De este acontecimiento, podía ver más que nunca la importancia de extraer la verdad, con la ayuda de la tortura, de dos prisioneras. Sin embargo, no logré descubrir nada excepto superstición depravada y excesiva.

Si hubiéramos olvidado el nombre de nuestro Dios [...] ¿acaso Dios no lo habría descubierto, ya que él conoce los más íntimos secretos?

Salmo 44:20-21

Por lo tanto, pensé que sería sabio consultarlo a usted antes de continuar con este asunto. Bien vale la pena referirlo a usted, sobre todo considerando los números en peligro. Esta superstición contagiosa no se limita solo a las ciudades, sino también se ha esparcido a través de las aldeas.

Sin embargo, todavía parece posible curarla.

¿Se «curan» con facilidad a los cristianos de su cristianismo? Cuando están entre la espada y la pared, ¿son la mayoría de los cristianos incurablemente fieles a Cristo o solo tienen una leve fiebre? La persecución es una manera segura de descubrir la verdad. Dios es el único que conoce el corazón de una persona. Sin embargo, la persecución nos presenta a nuestro ser verdadero y ayuda a determinar si abandonaremos a Cristo o nos mantendremos fieles. Si en verdad estamos comprometidos a Cristo, Él nos dará la resistencia que necesitamos para soportarlo por su causa. Si estamos más comprometidos a una ideología que a la persona de Jesús, vamos a titubear bajo la presión. ¿Es un caso incurable por Cristo o en lugar de eso resultarán sus creencias ser «superstición excesiva»?

Más cartas extremas:
Segunda parte

ROMA:
LOS PRIMEROS CRISTIANOS

«La sangre cristiana que derraman es la semilla que siembran; nace de la tierra y se incrementa mucho más».

Los cristianos en la iglesia primitiva florecían frente a una persecución intensa por las crueles autoridades gubernamentales. A sus hermanos y hermanas los estaban torturando, mutilando, quemando y asesinando por la causa de Cristo. Cada creyente martirizado les daba a los otros creyentes restantes aun más resolución. Veían más allá de sus propios temores por sus vidas y solo distinguían los campos blancos para la cosecha como Jesús describió a los que estaban dispuestos a aceptar a Cristo. Así que daban la siguiente respuesta audaz a los jueces y a las autoridades a cargo de la persecución:

Yo les digo: ¡Abran los ojos y miren los campos sembrados! Ya la cosecha está madura.

Juan 4:35

Y ahora, oh jueces, continúen con su teatro de justicia, y serán justos en la opinión del pueblo con tanta frecuencia como hacen un sacrificio de los cristianos.

Crucifíquennos, tortúrennos, condénennos y tritúrennos hasta hacernos polvo. Su injusticia es una ilustre prueba de nuestra inocencia porque la prueba de esto es que Dios nos permite sufrir.

Aun así, hacen lo peor y crean sus inventos para torturar a los cristianos; no cumple un objetivo. Ustedes, sin embargo, atraen al mundo y lo hacen que se enamore más de nuestra fe. Mientras más sieguen nuestras vidas, creceremos con más rapidez.

La sangre cristiana que derraman es la semilla que siembran; nace de la tierra y se incrementa mucho más.

Aunque estas palabras se escribieron hace siglos, el mensaje aún se cumple hoy en día. Más de cuarenta países del mundo experimentan persecución religiosa en la actualidad. En muchos de esos países, sin embargo, la iglesia florece con nuevos creyentes en cada temporada y un mayor denuedo entre sus miembros. La persecución no ha alcanzado su meta de reducir el número de creyentes. Es más, a menudo sirve para aumentar el número de los dispuestos al sacrificio. Como seguidores de Cristo, podemos ver la oposición que patrulla los campos de almas a la espera por aceptar a Cristo como gigantes dispuestos a devorarnos. O podemos ver la oposición como simples espantapájaros: falsas imágenes del temor. ¿Entrará a los campos de cosecha a trabajar por Cristo?

Crecimiento extremo

CHINA: CASAS-IGLESIAS

Los cantos de alabanza llenaban el aire frío. «Son las cuatro de la mañana. ¿De dónde vienen?», un hombre casi suelta la carcajada de asombro.

«La cosecha es abundante, mi amigo. Va a ser un día largo pero bueno para el reino», dijo el pastor mientras sonreía. «Vamos a trabajar».

El mar de creyentes junto al río no parecía tener fin. El pastor hablaba con compasión mientras los bautizaba, cada uno con las manos levantadas a una nueva vida en Cristo. Él y sus pastores asociados bautizaron ese día a mil cien nuevos creyentes. Dios se mueve de una manera poderosa en China. Los creyentes se añaden cada día al reino. Hace seis años, en una ciudad al norte de Shanxi, varios centenares de cristianos asistían a casas-iglesias. Ahora el número ha crecido a setenta mil. En otra ciudad de cincuenta mil habitantes, hay fuerte persecución, pero tres mil creyentes devotos se reúnen cada semana en iglesias clandestinas.

Este evangelio está dando fruto y creciendo en todo el mundo.

Colosenses 1:6

Un pastor comentó de manera perspicaz: «Nosotros los creyentes somos más fuertes que antes. Mientras más quieren derribar el estandarte de Cristo, más alto vuela».

Por décadas, la iglesia en China ha sufrido persecución constante. El gobierno instituyó una política de «pegar duro» en un vano esfuerzo por aminorar el crecimiento. ¡Hoy en día la membresía de la iglesia clandestina es considerablemente mayor que la membresía del Partido Comunista Chino!

El crecimiento es una señal de salud. Las iglesias saludables crecen del mismo modo que las plantas saludables. Los nutrientes, la luz, el agua y la buena tierra son requisitos para una planta saludable. De la misma manera, las iglesias necesitan ingredientes específicos para crecer. Uno de los ingredientes más inesperados para el crecimiento saludable de una iglesia puede ser una buena cantidad de persecución. La persecución purifica a los creyentes y los hace apreciar el valor de su fe. Como ilustra el pastor de esta historia, mientras más se persigue a una iglesia, más se levantan sus miembros como un testimonio de la constancia de Cristo. ¿Está amargado a causa de la persecución o se siente mejor por ella? ¿La utiliza para su beneficio a fin de extender el reino?

«Ángel» extremo

RUMANIA: ÁNGELA CAZACU

Ángela Cazacu era solo una mujer común y corriente que vivía en Rumania durante la invasión nazi en la Segunda Guerra Mundial. Con mucha rapidez, la vida para los judíos y los cristianos se convirtió en un terror viviente. Ángela se mantenía ocupada robando niños judíos de los guetos y pasando comida y ropa de contrabando a las prisioneras cristianas en las cárceles alrededor de la ciudad.

Más tarde, cuando expulsaron a los nazis de su país y lo invadió el ejército soviético, Ángela seguía ocupada diseminando el mensaje del amor de Dios distribuyendo Biblias rusas y Nuevos Testamentos en las estaciones de trenes llenas de soldados soviéticos.

Por lo tanto, como escogidos de Dios, santos y amados, revístanse de afecto entrañable y de bondad, humildad, amabilidad y paciencia.

Colosenses 3:12

Cuando el pastor Richard Wurmbrand era un prisionero en la cárcel de Tirgul-Ocna en el invierno de 1951, se encontraba muy enfermo. Su cuerpo enflaquecido temblaba del frío constante del peor invierno que se había registrado. A cada prisionero solo se le permitía una frazada, y la comida era escasa porque nadie podía llegar a la cárcel a través de toda la nieve.

Fue durante este momento sombrío cuando el pastor Wurmbrand recibió un paquete con comida y ropa cálida que se necesitaban con urgencia y que el pastor con gusto compartió con otros. Es probable que salvara su vida el paquete que pensaba que lo entregó un ángel.

Una vez más, la hermana Ángela (que significa «ángel» en rumano) estaba ocupada haciendo la obra de su Padre. ¿Común y corriente? Quizá. Sin embargo, Dios se deleita en utilizar a personas así como sus ángeles de misericordia.

Hace años, en respuesta al aumento de cobertura informativa de actos al azar de violencia, empezó a aparecer una pegatina que sugería practicar «actos de bondad al azar». Un acto de bondad o de misericordia a una persona desconocida podía ser algo al parecer tan insignificante como ceder un buen lugar en el estacionamiento de un centro comercial o tomar el tiempo de establecer contacto visual con el dependiente en la tienda. Sin embargo, Dios puede utilizarlo a usted para transformar aun el acto de bondad más común en un poderoso regalo de gracia en la vida de otra persona. Pídale a Dios que lo ayude a hacer hoy un acto de bondad al azar en su nombre. Es probable que nunca lo sepa, pero pudiera ser el «ángel» de alguien.

*Del mismo modo que afeitarle el pelo
a un tigre no le quita las rayas,
yo sigo siendo cristiana. Aún tengo
reuniones. Al principio solo había
cinco reuniones en mi casa;
ahora hay más de una docena.*

SEÑORA VO THI MANH, UNA ABUELA VIETNAMITA
ENCARCELADA POR SU FE

Suficiencia extrema

NIGERIA: ROSA

«Apresúrense, entren en el armario. No hagan ningún ruido a no ser que escuchen mi voz. ¿Me comprenden?» Rosa escuchó las dos pequeñas voces de sus hijos preescolares decir: «Sí, mamá», entonces salió enseguida de la casa y fue hacia la escuela de su hija, orando que no fuera demasiado tarde.

En la proclamación de la sharia, o ley islámica, por el gobierno de Nigeria, estallaron focos de violencia contra grupos cristianos porque se oponían a las leyes. La hija mayor de Rosa aún estaba en la escuela durante los disturbios, y Rosa tenía la certeza de que no estaría segura allí. Cuando llegó a la escuela, a su hija la habían llevado a una base militar para su seguridad. Al final, Rosa la encontró y regresaron a casa donde los dos hijos más pequeños esperaban a salvo.

Pero él me dijo: «Te basta con mi gracia».
2 Corintios 12:9

Al día siguiente, cuando su esposo salió para una reunión cristiana, fue la última vez que lo vio con vida. Durante esos disturbios destruyeron unas doscientas sesenta iglesias y murieron más de cuatrocientos sesenta cristianos.

En los meses después del asesinato de su esposo, Rosa ha recibido consuelo del libro de los Hechos. Dijo: «El mismo Dios que permitió que apedrearan a Esteban, también permitió que Pedro escapara de la cárcel. Dios ha sido fiel y su gracia ha sido suficiente». Hoy en día Rosa continúa trabajando en la iglesia donde su esposo martirizado era pastor, y está ocupada criando a sus tres hijos.

Se ha dicho que Dios nunca nos llevará a donde su gracia no sea capaz de mantenernos. Debemos darnos cuenta que algunas veces su plan no incluye una liberación milagrosa de la enfermedad, la muerte, ni la opresión. No obstante, su gracia es suficiente y Él no nos ha abandonado. Debemos confiar que Dios no nos guiará a un lugar de ministerio o trabajo sin una medida adecuada de su gracia a fin de llevarlo a cabo. Algunas veces su plan solo involucra la ayuda a través de una terrible experiencia en lugar de librarnos de ella. ¿Ha llegado al momento en el que está dispuesto a confiar por completo en Él? Es probable que nunca diga que la gracia de Dios es todo lo que necesita hasta que su gracia sea todo lo que tenga.

Visión extrema

INDONESIA: DOMINGGUS

El estudiante de la Biblia de veinte años de edad dormía cuando se despertó con los gritos de «¡Alá u Ahkar!» (¡Alá es omnipotente!). Los musulmanes radicales entraron a su habitación y lo golpearon hasta dejarlo casi inconsciente. Mientras Dominggus luchaba por huir, una hoz le pegó detrás de su cuello, que por poco le corta la cabeza. Los atacantes lo dejaron en un charco cada vez mayor de su propia sangre, suponiendo que pronto moriría.

Dominggus dijo que su espíritu dejó su cuerpo y los ángeles lo llevaron al cielo, y vio su propio cuerpo yaciendo inerte en el piso. Ya no sentía temor ni dolor, sino más bien paz mientras esperaba su nueva vida con Cristo. Entonces escuchó: «No es tiempo de que me sirvas aquí».

El Señor es mi luz y mi salvación; ¿a quién temeré?
Salmo 27:1

Las siguientes voces que Dominggus escuchó fueron las de los trabajadores de emergencia médica de Indonesia. Como no sabían si era cristiano o musulmán, discutían a dónde llevar el cuerpo.

Dominggus oró a Dios por fortaleza para hablar. Al final, pronunció las palabras: «Yo soy cristiano». Uno solo se puede imaginar la mirada en los rostros de los trabajadores mientras el estudiante «muerto» contestaba su pregunta.

Hoy en día, Dominggus se ha recobrado del todo. Sus cicatrices físicas permanecen, pero su espíritu tiene una fe renovada y un mensaje de perdón. Dominggus declaró que está más cerca de Dios, y ahora, está orando mucho por sus vecinos musulmanes, aun por quienes lo atacaron.

En un nuevo mundo incierto de violencia y amenazas, a los cristianos se les ordena que se enfrenten al futuro sin temor. El temor solo agrava una mala situación sin aliviar ninguna presión. Nos enfrentamos con confianza a las incertidumbres del futuro en la tierra porque sabemos que nuestro destino eterno está seguro. Sabemos que nuestro futuro celestial es una eternidad con Cristo, como Dominggus vio con tanta claridad. Después de todo, somos mucho más que simples cuerpos terrenales que nuestros enemigos pudieran mutilar y aun matar. Su vida continuará mucho después que se destruye su cuerpo. Su verdadero futuro es lo que ocurre en la eternidad, no lo que sucede aquí en la tierra. ¿Qué temores tiene en cuanto al futuro? ¿Puede confiarlos a Dios y enfrentar el futuro sin temor?

Canto extremo

COREA DEL NORTE: SOON OK LEE

«Nunca supe lo que estos prisioneros estaban cantando hasta que me convertí en cristiano».

Soon Ok Lee fue una prisionera en Corea del Norte desde 1987 hasta 1992. Sin embargo, no se convirtió en cristiana hasta que escapó a Corea del Sur. Al principio, cuando recibió a Cristo, estaba abrumada por sus recuerdos de lo que vio y escuchó en la cárcel.

Eran cosas sencillas, como los cristianos que cantaban mientras los ejecutaban. En ese tiempo, no lo comprendía y pensaba que estaban locos. Como no se le permitía hablar, nunca tuvo la oportunidad de conversar con un cristiano. Recuerda que escuchaba la palabra «Amén».

Estoy muy animado; en medio de todas nuestras aflicciones se desborda mi alegría.

2 Corintios 7:4

«Mientras estuve allí, nunca vi a un cristiano negar su fe. Ni uno. Cuando esos cristianos guardaban silencio, los guardias se enfurecían y los pateaban. En aquel momento, no comprendía por qué arriesgaban sus vidas cuando pudieran haber dicho: "Yo no creo", y hacer lo que pedían los agentes. Incluso vi a muchos que cantaban himnos mientras se intensificaban las patadas y los golpes. Los agentes los llamaban locos y los llevaban al cuarto de tratamiento eléctrico. No vi ni a uno salir con vida».

Ese canto fue lo que permaneció en ella. Quizá fue el canto de esos valiosos santos lo que sembró una semilla en su espíritu y al final la llevó a Cristo.

Al igual que espías, los que sienten curiosidad por el cristianismo se enfocan en creyentes a fin de evaluar la verdad por sí mismos. Observan. Miran. Toman notas mentales. Cuando los cristianos pasan a través de pruebas, estos observadores silenciosos a menudo esperan ver al creyente caer, a fin de tener la seguridad de que, después de todo, los cristianos son iguales a todo el mundo. Sin embargo, cuando los cristianos sonríen a través de las dificultades, se confunden. Cuando los creyentes aplauden en lugar de llorar, se asombran. Cuando los seguidores de Cristo cantan en medio de la angustia, se sienten atraídos por lo inexplicable. Si está pasando a través de una prueba ahora mismo, tiene una oportunidad sin precedentes de testificar por Cristo. Ore que su ejemplo gozoso inspire a otros.

Resistencia extrema

TURKMENISTÁN: SHAGELDY ATAKOV

«¡Quebrántenle la moral o destrúyanlo en lo físico!» Los burócratas de Turkmenistán habían perdido la paciencia con el predicador callejero.

A Shageldy Atakov le ofrecieron su libertad bajo la amnistía del presidente Saparmurad Niyazov el 23 de diciembre de 2000, a condición de que hiciera el juramento de lealtad al presidente y recitara el credo musulmán. Shageldy rehusó de nuevo la amnistía.

Antes, los oficiales del estado habían amenazado a Shageldy a fin de que dejara de predicar. Lo arrestaron en diciembre de 1998 y lo sentenciaron a dos años de prisión, pero el fiscal apeló el veredicto como «no lo bastante severo». Entonces lo sentenciaron a dos años más en la cárcel. Shageldy tenía tanto dolor por las fuertes palizas que les pidió a sus hijos que no lo tocaran.

En febrero de 2000, a su esposa y sus cinco hijos los sacaron a la fuerza de su hogar y los exiliaron en la remota Kaakhka donde permanecieron bajo «arresto en la aldea».

Cuando su familia lo visitó a principios de febrero de 2001, Shageldy se despidió. Su esposa notó que «durante la visita estaba amoratado y magullado, le dolían los riñones y el hígado, y sufría de ictericia. Casi no podía caminar y perdía el conocimiento con frecuencia». No esperaba sobrevivir mucho más tiempo.

Los recordamos constantemente delante de nuestro Dios y Padre a causa de la obra realizada por su fe, el trabajo motivado por su amor, y la constancia sostenida por su esperanza en nuestro Señor Jesucristo.

1 Tesalonicenses 1:3

A pesar de esto, Shageldy todavía no estaba quebrantado. No se daba por vencido, y aunque la libertad estaba a su alcance, no la aceptaría si significaba abandonar su lealtad a Cristo.

Los humanos podemos vivir por muchas semanas sin comida, pero no sobrevivimos muchos días sin agua. De la misma manera, nuestros espíritus también necesitan el alimento espiritual. Podemos pasarnos varios días, meses y aun años sin compañía; nuestros espíritus incluso sobreviven a pesar de la soledad. Somos capaces de vivir sin paz, soportando enfermedad tras larga enfermedad; nuestros espíritus, aunque desalentados, sobrevivirán. No obstante, si tratamos de resistir por largo tiempo sin la esperanza de Jesucristo, nuestras almas disminuyen. No podemos vivir sin esperanza, el valioso regalo de Dios a sus hijos. Si se está sintiendo como que no puede seguir adelante, pídale a Dios que lo aliente y lo motive. Resistirá todas las cosas con una fuerte esperanza en Jesucristo.

Lealtad extrema

LAOS: EZEQUÍAS

Poco después de convertirse en cristiano en 1997, Ezequías fue a lo que se conocía en la localidad como el «santuario» a recibir preparación en discipulado y evangelización. Después regresó a la casa de su padre y lo abordaron de inmediato treinta y cinco familiares y aldeanos exigiendo saber por qué se había convertido al cristianismo. Les dijo: «Jesús es el único camino por el cual puedo ser salvo de mis pecados y tener vida eterna».

La multitud se enojó y Ezequías trató de razonar con ellos. Al final, lo agarraron por el cabello y comenzaron a pegarle en el rostro hasta que quedó inconsciente.

Si somos infieles, él sigue siendo fiel, ya que no puede negarse a sí mismo.

2 Timoteo 2:13

Un amigo de Ezequías lo llevó a su casa donde permaneció en cama por cuatro días recuperándose de los golpes. Ezequías nunca pudo regresar a la casa de su padre, pero continúa viajando de aldea en aldea en Laos llevando las buenas nuevas de salvación.

Desde este primer incidente, a Ezequías lo han golpeado en diez ocasiones diferentes, algunas veces prefiriendo la muerte al sufrimiento continuo. Testifica: «A medida que he madurado en mi andar con Cristo, tengo más fe para resistir estas dificultades. Las pruebas por las que he pasado han servido para fortalecer mi fe y veo la fidelidad de Dios en liberarme. Le doy gracias a Dios que he podido llevar a treinta personas al conocimiento de Jesús como su Salvador».

La lealtad de Dios por sus hijos no se basa en la reciprocidad. Si así fuera, a todos nos habrían abandonado desde hace largo tiempo. En lugar de eso, Dios es muy consciente de nuestras debilidades y elige amarnos de todos modos. Debemos ser cuidadosos en leer las historias de los mártires cristianos a la luz de la lealtad de Dios por sus hijos. Los mártires serían los primeros en recordarnos que su historia no es de ellos. ¡Es sobre Dios! Aunque leemos acerca de muchos creyentes que soportaron voluntariamente azotes en lugar de rechazar a Cristo, la asombrosa conclusión no es la lealtad extrema de una persona, sino la fidelidad extrema del Dios de gloria. Su fidelidad puede flaquear, pero la lealtad constante de Él con usted nunca termina. Tome el tiempo hoy de darle gracias a Dios por su lealtad.

Entorno extremo

RUMANIA: SABINA WURMBRAND

La joven doctora judía estaba muy triste. Una noche, Sabina Wurmbrand trató de ofrecerle un poco de consuelo: «Dios le prometió a Abraham que el pueblo judío tendría un futuro brillante. Serán como la arena a la orilla del mar y las estrellas del cielo».

La doctora la miró con lágrimas en sus ojos y dijo: «Como la arena a la orilla del mar nos pisotean esos guardias comunistas. No me hable más acerca de su Dios».

Pocos días más tarde Sabina estaba muy enferma. Mientras yacía cerca de la muerte en el hospital de la prisión, llegó el director de la cárcel. «Nosotros los comunistas tenemos medicina y hospitales, y somos más fuertes que su Dios», dijo. «En este hospital usted no puede mencionar el nombre de Dios». Solo Sabina se atrevía a hablar de la existencia de Dios. Las otras mujeres estaban eufóricas de que alguien hubiera desafiado en verdad al director.

Sin embargo, en todo esto somos más que vencedores por medio de aquel que nos amó.
Romanos 8:37

Al siguiente día, forzaron a Sabina a regresar al trabajo. De manera milagrosa, Dios tocó su cuerpo y ella se sanó por completo. La noticia se diseminó a través de la cárcel y no escapó a los oídos de la joven doctora.

Tarde en la noche, se acercó a Sabina y le dijo: «Si su Dios es capaz de restaurar su cuerpo y darle tanta paz en este abismo del infierno, yo tengo que creer que Él es real. Ningún otro lograría esto. ¿Cómo puedo ser salva?».

Cuando sentimos que nuestras vidas están en un abismo, podemos estar seguros de que la gente nos está observando para ver cómo saldremos de él. El cristianismo parece atraer a espectadores interesados, en especial cuando luchamos. Las personas observan nuestra fe a distancia para determinar cómo es Dios. Observan con gran interés cuando experimentamos una crisis. No obstante, si vivimos por fe durante tiempos de pruebas, las personas son incapaces de refutar la evidencia que ven en nuestras vidas. ¿Qué ven las personas en la manera que usted vive? ¿Qué les dice a otros acerca de Dios su reacción a las circunstancias de la vida? Si siente que su vida está en un abismo, recuerde que las personas lo observan para ver cómo la manejará.

A pesar de las reflexiones y los recuerdos dolorosos, no tengo tiempo para amargura. Mi vida está llena de muchísima felicidad, muchísimas personas amorosas y bondadosas para permitirme que me devore el cáncer del odio. Me regocijo. Canto. Río. Celebro, pues sé que mi Dios reina supremo sobre todas las fuerzas de maldad y destrucción que Satanás jamás ha concebido. Y lo mejor de todo, ¡mi Dios reina supremo en mí!

EL PASTOR NOBLE ALEXANDER, ENCARCELADO EN CUBA
POR VEINTIDÓS AÑOS: YO MORIRÉ LIBRE

Petición extrema

CHINA: ZHANG RONGLIANG

Zhang Rongliang es el líder de uno de los grupos más grandes de casas-iglesias que tiene unos diez millones de creyentes chinos asistiendo a servicios cada semana. En 1998, Zhang y otros líderes de casas-iglesias, representando a quince millones de creyentes clandestinos, firmaron un documento titulado la «Confesión de Fe de la Casa Iglesia» que apelaba públicamente al gobierno comunista a que cesara sus hostigamientos con las casas iglesias sin registrar.

Unos pocos meses después de hacer público el documento, a Zhang y los otros firmantes los arrestaron y encarcelaron. Más tarde, pusieron en libertad a Zhang a condición de que se «comportara» por los siguientes siete años. Zhang ahora viaja para ministrar a sus varias congregaciones. Como no se está «comportando» como quisiera el gobierno, Zhang nunca duerme en la misma cama más de unas pocas noches seguidas.

El SEÑOR ama la justicia y el derecho; llena está la tierra de su amor.
Salmo 33:5

Cuando Pablo escribió en Romanos 13 que nos debemos someter a nuestros gobiernos, más que nadie debe haber sabido los riesgos. Sin embargo, aunque los romanos lo persiguieron, fue a través de una apelación a sus leyes que llevó el evangelio a la misma Roma. Su petición de que lo juzgaran como ciudadano romano le permitió promover el evangelio en Roma, aunque sería su último viaje.

Como Pablo, Zhang corrió un riesgo extremo cuando hizo su petición formal. Las consecuencias de su riesgo personal, sin embargo, les han permitido a muchos conocer a Cristo.

Como Pablo, los líderes de iglesias en China saben que Dios establece gobiernos. Aun así también saben que Dios no pasará por alto las injusticias de una autoridad maligna. La tradición nos dice que los romanos decapitaron a Pablo. De manera similar, los creyentes en China, bajo su régimen de gobierno actual, sufren grandes injusticias a causa de Cristo. Si es necesario arriesgar la vida para llevar justicia a China, pastores como este están dispuestos a morir. ¿Qué tan fuerte es nuestro deseo de ver que se haga justicia? ¿Cuánto valoramos el derecho a predicar con libertad la Palabra de Dios? Ore hoy por los creyentes en China que nos inspiran a buscar la justicia de Dios para sus opresores. Pídale a Dios que le muestre maneras en que pueda apoyar su obra a fin de promover el reino de Dios.

Profecía extrema

ROMA: PEDRO

Por tercera vez, Jesús le preguntó a Pedro: «Simón, hijo de Juan, ¿me quieres?».

A Pedro le dolió. Tres veces negó a Cristo; ahora tres veces Jesús cuestionaba su amor. Esta vez respondió con lentitud, como si en su corazón evaluara el significado de cada palabra: «Señor, tú lo sabes todo; tú sabes que te quiero».

«Apacienta mis ovejas», repitió Jesús por tercera vez. Solo que esta vez añadió: «Cuando eras joven, te vestías tú mismo e ibas adonde querías; pero cuando seas viejo, otro te vestirá, y te llevará adonde no quieras ir». Entonces Jesús dijo: «¡Sígueme!» (Juan 21:15-19, parafraseado).

Esto dijo Jesús para dar a entender la clase de muerte con que Pedro glorificaría a Dios. Después de eso añadió: «¡Sígueme!» Juan 21:19

Nerón persiguió a Pedro cuando este tenía setenta años de edad. De acuerdo con la leyenda, los amigos de Pedro y sus compañeros creyentes le alentaron a huir de Roma. Al principio se negó, pero al final lo persuadieron a escapar. Cuando se acercaba a la puerta de la ciudad para irse, vio una visión de Jesús entrando a la ciudad. Cayó de rodillas, adorándole. «Señor, ¿adónde vas?»

«Yo he venido a ser crucificado de nuevo. Sígueme».

Pedro se volteó y lo siguió a donde «él no quería ir». Regresó a enfrentarse con Nerón. Cuando las autoridades lo arrestaron, pidió que lo crucificaran con la cabeza hacia abajo ya que no se consideraba digno de que lo crucificaran de la misma manera que su Señor.

El motivo de esta leyenda no es decir que Jesús en verdad lo crucificaron por segunda vez. Jesús murió y resucitó de una vez por todas. Más bien la leyenda nos recuerda que Jesús se identifica tanto con nuestro dolor y nuestros sufrimientos como si él mismo pasara por ellos. En el caso de Pedro, la Biblia dice que la profecía anterior de Jesús se refería a la crucifixión de Pedro. ¿Quién más sino Jesús se identificaría con la experiencia tortuosa de Pedro? Jesús es el experto en el sufrimiento. Lo conoce bien y desea ir a nuestro lado. Si hay dolor en su vida, Jesús comprende. Si se siente herido, Jesús también ha estado en esa situación. Permita que Él tome sus cargas y sus penas hoy en oración.

Esposa extrema de un pastor

RUMANIA: SABINA WURMBRAND

Existía un contraste claro entre el bello campo rumano y los sufrimientos que los cristianos y los judíos experimentaban a manos de los invasores nazis y los comunistas. Para Sabina Wurmbrand, los problemas eran tres: Ella era cristiana al igual que judía y también era la esposa de un renombrado pastor.

Un día se enteró que su madre, su padre, tres hermanas menores y su hermano de nueve años de edad los habían asesinado brutalmente en un campo de concentración. Ese día su fe se hizo viva y real.

Llena de la gracia de Dios, Sabina dijo: «No mostraré un rostro triste. Le debo a Dios ser una creyente gozosa; a la iglesia, un ejemplo de valentía; y a mi esposo, una esposa serena».

Sabina nunca permitió que su dolor y su agonía personal le impidieran ser una alentadora pública para los que la rodeaban. En su mente, no tenía opción. La muerte y el sufrimiento, en especial entre los miembros de la iglesia clandestina, eran predominantes. Muchos ojos estaban fijos en ella como la esposa del pastor. Si perdía la esperanza, ¿qué esperanza tendrían ellos?

Así que les enviamos a Timoteo, hermano nuestro y colaborador de Dios en el evangelio de Cristo, con el fin de afianzarlos y animarlos en la fe.

1 Tesalonicenses 3:2

Más tarde Sabina pasó tres años en la cárcel y en campamentos de trabajo forzado, donde las mujeres se enfrentaban a los actos más humillantes y crueles de todos los prisioneros. Sin embargo, aun en la cárcel, era conocida como una amiga de todas y siempre tenía una palabra amable.

Antes de salir de Rumania, Dios le dio a Sabina su recompensa. ¡Ella y su esposo, Richard, guiaron más tarde al asesino de su familia a Cristo!

El pastorado es una alianza entre pastores y sus cónyuges. Uno no está completo sin el ministerio y el aliento del otro. Dios no llama a ningún cristiano a trabajar y vivir en aislamiento, nos llama a una comunidad. Necesitamos que otros cristianos vengan junto con nosotros en nuestros ministerios y nos den sabiduría y aliento de vez en cuando. No se espera que lo hagamos solos, ni lo debemos intentar. Piense en su propio círculo de influencia. ¿Quién es su socio en el ministerio? ¿Quién ora por usted de modo que sea un testigo eficiente en su trabajo, en su hogar o en la escuela? Pídale a Dios que lo guíe a un compañero cristiano que lo alentará y lo fortalecerá cuando lo necesita.

Fortaleza extrema

INDONESIA: FRITZ

Fritz sentía cada golpe demoledor a su cabeza y oraba por fortaleza. Los atacantes musulmanes lo rodearon y se turnaban para pegarle en el rostro. Uno de los atacantes musulmanes blandió un gran cuchillo pensando que esto los libraría del pastor cristiano. La primera vez que el cuchillo penetró en Fritz, todo lo que logró hacer fue gritar: «¡Jesús!». Lo apuñalaban una y otra vez. Y cada vez gritaba: «¡Jesús!». ¡Los atacantes estaban frustrados pues el pastor no se acababa de morir!

Estén siempre preparados para responder a todo el que les pida razón de la esperanza que hay en ustedes.

1 Pedro 3:15

Los musulmanes radicales procedieron a sacar los bancos y el púlpito de la iglesia y les prendieron fuego. Dos de los musulmanes agarraron a Fritz y lo arrojaron sobre la madera ardiendo. Satisfechos con su ataque, huyeron. Fritz no recuerda mucho después de eso, pero sabe una cosa: No se quemó ni un solo cabello de su cabeza.

Poco después del ataque, a Fritz lo llevaron al hospital más grande en esa área de Indonesia, pero se negaron a tratarlo cuando se enteraron que era cristiano. Lo llevaron a otro hospital, pero el médico que lo atendió dijo que si lograba sobrepasar la noche, tendría daño cerebral permanente.

Después de una larga recuperación, Fritz está ahora predicando otra vez en una nueva iglesia. Para su asombro, uno de los musulmanes que atacó a Fritz comenzó a buscarlo, solo para hacerle una pregunta: «¿Quién es este Jesús?».

¿Quién no disfruta de que lo consideren como el «experto» permanente? Es posible que sea en mecánica, matemática, herramientas, carpintería, arte, filatelia o deportes; cada persona se puede considerar como una experta en al menos un aspecto. Nos encanta hacer preguntas de un asunto que conocemos muy bien. No obstante, si alguien nos preguntara: «¿Quién es este Jesús?», ¿estaríamos tan preparados como un «experto»? Todos los cristianos no son en sí evangelistas. Aun así, todo cristiano puede evangelizar declarando el plan de salvación cuando se presenta la oportunidad. Si un amigo no creyente le hiciera esa pregunta, ¿cómo la contestaría? Si no está seguro, hable con alguien que sabe.

Grupo de jóvenes extremo

RUSIA: EL PASTOR SEREBRENNIKOV

Los periódicos locales describieron la escena como «salvaje». No era la escena de un asesinato ni un accidente automovilístico; era un estudio bíblico.

La historia apareció en un periódico ruso comunista alrededor de 1960. En parte, decía: «Muchachos y muchachas jóvenes cantan himnos espirituales. Reciben el bautismo ritual y mantienen la enseñanza malvada y traicionera de amor hacia los enemigos». La historia continuó dando a conocer la espantosa realidad de que muchos jóvenes en la Organización de Jóvenes Comunistas eran cristianos secretos.

«Debemos creer a nuestro Salvador como lo hicieron los primeros cristianos», le dijo el pastor Serebrennikov a su grupo de jóvenes. «Para nosotros la ley principal es la Biblia. No reconocemos nada más. Debemos apresurarnos a salvar a los hombres del pecado, en especial a los jóvenes».

Al pastor lo echaron en la cárcel cuando los comunistas descubrieron una carta escrita por una de sus conversas. La chica adolescente había escrito: «Yo le envío bendiciones de nuestro amado Señor. ¡Cuánto me ama!».

Los editoriales de periódicos se preguntaban cómo los estudiantes comunistas optaban por seguir a Cristo y acusaban a la escuela comunista de ser «impotente» y «privada de luz». Decían que el cristianismo pudiera «arrebatar a sus discípulos frente a las narices de sus maestros indiferentes».

No fue la indiferencia de los maestros. Fue el llamado del amor de Cristo como lo presentó el pastor Serebrennikov y los miembros de su grupo de jóvenes: cristianos que permitían que su luz brillara en una tierra en tinieblas.

Ustedes son la luz del mundo. Una ciudad en lo alto de una colina no puede esconderse. Ni se enciende una lámpara para cubrirla con un cajón. Por el contrario, se pone en la repisa para que alumbre a todos los que están en la casa.

Mateo 5:14-15

«Esta pequeña luz, la dejaré brillar». Esta conocida canción infantil tiene una melodía sencilla sin muchas palabras que recordar; se le puede quedar en la mente por días después que se cante. Los niños pequeños encuentran la canción fácil de aprender, pero es mucho más difícil vivirla, sobre todo a medida que envejecemos. ¿Cuántas oportunidades tenemos en un día de permitir que nuestras luces brillen y honrar a Dios? ¿Una o dos? ¿Diez? ¿Veinte? El número exacto no importa. Lo que importa es nuestra respuesta a los hechos que encontramos cada día. ¿Quién sabe? Es posible que su luz sea exactamente lo que otros necesitan para encontrar su camino a casa.

«Venta» extrema

RUMANIA: SABINA WURMBRAND

La repetición era enloquecedora y los nervios de Sabina estaban a punto de estallar. Sin embargo, el agente era implacable. «Tenemos métodos de hacerla hablar que no le gustarán. No trate de pasarse de lista con nosotros. Nos hace perder el tiempo».

Las preguntas estaban dirigidas a hacer que revelara los nombres de otros cristianos; aquellos para los que fue una madre en la fe y a quienes alentó a ser fuertes frente a la persecución. Ahora le tocaba a ella ser fuerte, pero no pensaba que lograría soportar otra de esas sesiones de interrogatorio.

Ustedes fueron comprados por un precio; no se vuelvan esclavos de nadie.

1 Corintios 7:23

La siguiente sesión se orquestó con un enfoque más sutil, más astuto. El interrogador estaba solo y sonriendo.

—Estimada mujer, apenas tiene treinta y seis años de edad y una vida entera delante de usted. Solo dígame los nombres de los traidores.

Sabina guardó silencio.

—Vamos a ser prácticos —continuó—. Todo el mundo tiene su precio, ¿por qué no pide el suyo? Solo dígame lo que desea. ¿Libertad para usted y su esposo? ¿Un buen hogar y una iglesia? Cuidaremos bien de su familia.

—Gracias, pero ya estoy vendida —respondió Sabina con una ardiente convicción.

—¿Es así? —interrumpió el interrogador—. ¿Por cuánto y a quién?

—Al Hijo de Dios lo torturaron y dio su vida por mí. A través de Él puedo alcanzar el cielo. ¿Pagaría usted un precio más alto que ese?

Esperamos que los adolescentes pasen a través de ello. Decimos que es un rito de paso. Sin embargo, nunca pensamos que nos continuará atormentando como adultos. La presión de los pares. Es ese sentido muy conocido de «ser comprado» por alguien o algo cuando nos tientan a transigir en nuestros valores. Después que se ha hecho el asunto, nos sentimos engañados. Tontos. Nos sentimos indignos, una vez que traicionamos nuestra autoestima. Sin embargo, Cristo pagó el precio máximo para ganar nuestro afecto. Si todo el mundo tiene un precio, Él nombró el nuestro por nosotros, de una vez por todas. Su compra de sangre nos hace inapreciable para Él. A usted ya lo compraron y pagaron, así que no se venda por menos. Recuerde eso hoy.

*Una iglesia que no recuerda a sus
hermanos perseguidos no es una
iglesia en lo absoluto.*

PASTOR LUTERANO QUE SOPORTÓ UNA HORRIBLE TORTURA
A FIN DE PROTEGER A MIEMBROS DE LA IGLESIA CLANDESTINA

Junio 11 · Instrumentos extremos

ESTADOS UNIDOS

El humo del accidente del tren era denso mientras los gritos de agonía venían del mar de cuerpos heridos y sangrantes de los pasajeros entre los carros destrozados. Un cirujano que resultó ileso en la colisión caminaba entre los heridos y los moribundos. Sin embargo, su equipaje se había perdido en la confusión y él clamaba: «¡Mis instrumentos! ¡Mis instrumentos! ¡Si solo tuviera mis instrumentos!».

Con instrumentos médicos, es posible que el hombre lograra salvar muchas vidas. Con solo sus propias manos, estaba casi impotente, observando cómo muchos morían.

Ahora bien, ¿cómo invocarán a aquel en quien no han creído? ¿Y cómo creerán en aquel de quien no han oído? ¿Y cómo oirán si no hay quien les prediquе?

Romanos 10:14

La iglesia perseguida de hoy en día es como ese cirujano. Tienen el conocimiento y la disponibilidad para salvar muchas vidas atrapadas en los escombros del comunismo o el islam sin Cristo. Lo que necesitan son los instrumentos.

«¡Escuchen los lamentos de sus hermanos y hermanas en los países cautivos!», escribió el pastor Richard Wurmbrand la primera vez que llegó a los Estados Unidos. «No piden huir; no piden seguridad ni una vida fácil. Solo piden los instrumentos para contrarrestar el envenenamiento de sus jóvenes, la siguiente generación, con el ateísmo. Piden Biblias. ¿Cómo diseminarían la Palabra de Dios si no la tienen?

Los mismos cristianos en los países restringidos no pueden suministrarse esos instrumentos. Cuentan con los cristianos en los países libres para que los ayuden. «Entréguennos los instrumentos que necesitamos», nos dijo un cristiano, «¡y nosotros pagaremos el precio por utilizarlos!»

Tiza para un maestro, jeringuillas para una enfermera, paciencia para un padre y un tractor para un campesino. Cada persona, sin importar su llamado, utiliza instrumentos. Pueden ser tan complicados como una computadora o tan primitivos como nuestras manos, pero nuestras vidas cambian de manera drástica con esos instrumentos. Como cristianos, conocemos nuestros instrumentos espirituales porque leemos acerca de ellos en la Palabra de Dios, la Biblia. Sin embargo, ¿qué me dice de los que nunca han leído sobre los instrumentos de compasión, perdón, amor, compartir y todos los dones y talentos que ofrece Dios? Usted no puede guardar esas verdades espirituales para sí mismo, escondiéndolas como un avaro acumula oro. Comparta con libertad y de buena gana sus instrumentos con otros en necesidad.

Viajes extremos

VIETNAM

Cada movimiento de las ruedas del tren hacía rebotar con dolor el frágil cuerpo de la cristiana vietnamita sobre el duro asiento de madera. Aun así, tenía una misión.

Necesitaba alimento espiritual para los cristianos que guiaba en Vietnam del Norte. Tres congregaciones de personas oraban a fin de que su líder tuviera éxito en llevarles valiosos ejemplares de la Biblia.

Su obra de regreso en casa era agotadora. Era la única cristiana madura en la región, y había establecido las tres iglesias de la nada, ganando un alma tras otra a través de su testimonio personal. No tenía auto y ni siquiera una bicicleta. Caminaba o remaba en una pequeña barca de madera para las reuniones de sus iglesias.

Sé diligente en estos asuntos; entrégate de lleno a ellos, de modo que todos puedan ver que estás progresando.
1 Timoteo 4:15

Había enfrentado amenazas, acoso policial y la consternación de sus padres budistas a causa de su fe. Ahora viajaba en el tren a través de mil trescientos kilómetros por tres días consecutivos, esperando encontrar un creyente que ayudara. Al final, llegó a Ciudad Ho Chi Minh.

Allí se reunió con cristianos occidentales visitantes que le dieron Biblias para los cristianos en el norte. También le dieron una bicicleta para ayudarla a ministrar las tres congregaciones. Antes de retirarse, oraron juntos, pidiendo las bendiciones de Dios sobre su viaje y su ministerio.

«¿Qué edad tiene usted?», preguntó uno de ellos cuando estaban listos para retirarse.

La mujer separó su cabello negro de su rostro y susurró: «Tengo veintidós años de edad».

Los niños prodigios tienen habilidades especiales más allá de sus años. Pudiéramos conocer a alguien que terminó la universidad a los quince años de edad o escribió una sinfonía antes de los doce años o que sobresalió en los deportes a los dieciséis años de edad. Nuestra respuesta a menudo es de envidia; deseamos poder hacer algo grande en nuestra juventud y también recibir reconocimiento por ello. La cristiana vietnamita hizo exactamente eso, pero es probable que no tuviera ningunas habilidades especiales por encima de sus pares. Sin embargo, tenía el deseo de seguir a Jesús y llevarlo a las personas de su país. Cristo lo llama también a que sea diligente para Él. Expresar el amor de Dios es bastante sencillo que no requiere habilidades especiales, solo su disponibilidad.

Instrucción extrema

FRANCIA: FRANZ RAVENNAS Y MARTÍN GUILLABERT

«Al escuchar la sentencia de muerte, usted la recibirá como la invitación del Rey de gloria, que lo invitó a su fiesta de boda».

Las instrucciones eran difíciles, pero claras. Los autores franceses Franz Ravennas y Martín Guillabert escribieron un manual de instrucciones para cristianos que se enfrentaban a la amenaza de muerte. Su «oficina de publicación» era su celda en la cárcel durante la Revolución Francesa. Veían su celda como la «antecámara al paraíso».

Pues estoy convencido de que ni la muerte ni la vida, ni los ángeles ni los demonios, ni lo presente ni lo por venir, ni los poderes, ni lo alto ni lo profundo, ni cosa alguna en toda la creación, podrá apartarnos del amor que Dios nos ha manifestado en Cristo Jesús nuestro Señor.

Romanos 8:38-39

«Cuando terminen de leer su sentencia», continuaba el manual, «dirá lo mismo que muchos mártires que partieron antes que usted: "Gracias, Dios". Cante cantos de gozo. Cuando aten sus manos, diga las palabras de San Pablo: "Por el nombre del Señor Jesús estoy dispuesto no solo a ser atado sino también a morir".

»En camino a la ejecución, hábleles a los guardias de las Escrituras acerca del deleite de sufrir y morir por Cristo. "¿Quién nos apartará del amor de Cristo?" (Romanos 8:35).

»Cuando encuentre al verdugo, recuerde las palabras del gran mártir Ignacio: "¿Cuándo vendrá el feliz momento en el que seré masacrado por mi Salvador? ¿Cuánto debo esperar?". Recuerde también decir una oración por sus perseguidores».

A Ravennas y Guillabert los decapitaron. Sus palabras son demasiado para que se las imaginen la mayoría de los cristianos en los países libres, pero se siguen, aun hoy en día, en los países restringidos.

Cada día que vivimos debería venir con una advertencia: ¡Cuídese! En cualquier momento, la tragedia es una clara posibilidad. Ya bien si vamos en un vehículo, cruzando una calle o solo haciendo nuestro trabajo cotidiano, no estamos seguros contra un accidente, una enfermedad, ni un acto de violencia a propósito. Aunque no podemos vivir protegidos de la maldad de este mundo, podemos vivir con la promesa que Dios nos da: Nada, absolutamente nada, puede separarnos del amor que tenemos en Jesús. Aunque quizá nunca muera por su fe, se puede enfrentar al rechazo y otras persecuciones dolorosas. El amor de Dios lo instruirá y lo ayudará a enfrentarse a todo lo que venga en su contra hoy.

Más instrumentos extremos

IRÁN

«Nosotros somos el barro, Él es el alfarero».

Un creyente estaba de pie junto a la ventana, observando las calles a medianoche por algún movimiento que indicara que la policía se acercaba a los adoradores. Los cristianos se reunían en secreto en la parte sur de Irán. El visitante extranjero añadía al peligro porque la policía iraní estaría furiosa si sabían que los cristianos estaban en compañerismo con un extranjero.

Hacía poco que habían puesto en libertad de custodia policíaca a un creyente y los moretones en su cuerpo mostraban el tratamiento recibido. Aunque la policía lo vigilaba de cerca y sabía de su obra cristiana, él continuaba, ministrando tanto como podía cuando no estaba bajo arresto.

Hablaba con pasión y alentaba a todos los creyentes reunidos a crecer y ser más como Cristo, sin importar el costo. Sabían que el precio podía ser alto, ya que todos conocían a cristianos que habían arrestado, golpeado o asesinado. Otros solo habían desaparecido.

A pesar de todo, SEÑOR, tú eres nuestro Padre; nosotros somos el barro, y tú el alfarero. Todos somos obra de tu mano.

Isaías 64:8

El maravilloso servicio fue largo y lleno de adoración. Después, el asombrado visitante extranjero le preguntó al expositor acerca de sus experiencias en la cárcel y el sufrimiento que soportó. «¿Cómo mantiene usted», preguntó, «tal espíritu de esperanza y alegría en medio de estas dificultades?»

«Estas pruebas son solo "instrumentos" en las manos de Dios», dijo el creyente iraní. «¿Quién soy yo para criticar los instrumentos que Dios utiliza para hacerme más santo?»

Los humanos tenemos una fascinación con el futuro. Por siglos hemos consultado a astrólogos y a otros afirmando que conocen nuestros futuros. Hemos escrito libros y hecho películas basadas en el concepto de viajar por el tiempo. Queremos saber lo que hay más adelante para nosotros en nuestro peregrinaje a través de la vida. Sin embargo, al igual que el barro no puede preguntarle al alfarero lo que va a ser, tampoco podemos preguntarle a nuestro Hacedor lo que vamos a ser. Aun así, podemos confiar en que Dios creará algo bello y santo con nuestras vidas. Sabemos por fe que somos producto de las manos de Dios. ¿De qué maneras necesita confiar que Dios, el Alfarero Maestro, lo está convirtiendo en una obra de arte?

Amor extremo por la cruz

ROMA: ANDRÉS

«Si no renuncia a este Jesús, morirá en la cruz», dijo enfurecido el gobernador Aegeas. Este cristiano le había causado vergüenza personal a los ojos de Roma diseminando el cristianismo a través de la provincia griega del gobernador y aun a su propia esposa.

«Si le hubiera temido a la muerte de la cruz, no hubiera predicado la majestad y la gloria de la cruz de Cristo», contestó Andrés.

«Entonces la tendrá. ¡Crucifíquenlo!»

Fijemos la mirada en Jesús, el iniciador y perfeccionador de nuestra fe, quien por el gozo que le esperaba, soportó la cruz, menospreciando la vergüenza que ella significaba, y ahora está sentado a la derecha del trono de Dios. Hebreos 12:2

Mientras Andrés se acercaba a la cruz en forma de X, proclamó con gozo: «¡Ah, amada cruz! Me regocijo de verte erigida aquí. Vengo a ti con una conciencia en paz y con alegría, deseando que yo, que soy un discípulo de aquel que colgó en la cruz, sea crucificado. Mientras más me acerco a la cruz, más me acerco a Dios».

Andrés permaneció colgado, atado a la cruz, durante tres días, predicando y exhortando a las personas ante él: «Manténganse firmes en la Palabra y en la doctrina que han recibido, instruyéndose unos a otros, a fin de que vivan con Dios en la eternidad y reciban el fruto de sus promesas».

Andrés declaró: «¡Ah Señor Jesucristo! No permitas que tu siervo que cuelga aquí en un madero a causa de tu nombre sea puesto en libertad para vivir entre los hombres de nuevo; recíbeme en tu reino». Entonces, una vez terminada su súplica, entregó su espíritu a Dios.

Porcelana. Plata de ley. Oro de veinticuatro quilates. Aun platino. La cruz viene en una variedad de diseños hoy en día. Joyería. Adornos de pared. Hasta decoraciones para el retrovisor. La cruz omnipresente. Por toda su popularidad, sin embargo, ¿cuántos cristianos se han detenido a pensar en lo que significa exhibir la cruz? Para unos, la cruz representa un instrumento de tortura (¡imagínese tener una horca o una silla eléctrica en exhibición en su casa!). La cruz nos recuerda que Cristo murió una muerte dolorosa. Más allá de eso, representa un puente que se extiende por encima del pecado que en un tiempo separaba a Dios de su pueblo. Jesús nos llevó de regreso a Dios a través de la cruz. En este momento, considere qué significado tiene la cruz para usted.

Rescate extremo

HOLANDA: DIRK WILLEMS

En la Holanda del siglo dieciséis, a Dirk Willems lo llamaron «anabaptista» durante el gobierno de los católicos españoles y lo encarcelaron. Ahora estaba corriendo por su vida.

Había escapado por una pequeña ventana y había descendido por una soga hecha de trapos viejos. Cayendo en la laguna congelada junto a la pared de la cárcel, caminó con cautela sobre el hielo, preguntándose si caería a través de él. Sin embargo, los meses de hambre soportados en la prisión ahora le servían bien. No pesaba más de cuarenta y seis kilos.

Antes de llegar a la otra orilla de la laguna, un grito rompió el silencio de la noche. «¡Deténgase de inmediato!», gritó el guardia saliendo por la ventana por la cual Dirk había escapado momentos antes. Dirk estaba demasiado cerca de la libertad. Siguió adelante.

Confía en el SEÑOR de todo corazón, y no en tu propia inteligencia.
Proverbios 3:5

El guardia gritó de nuevo al poner los pies sobre el hielo. Enseguida, comenzó a perseguir a Dirk, pero en su tercer paso hubo una rajadura. Siguió una salpicadura cuando el guardia cayó a través del hielo. Sus gritos cambiaron a chillidos de frío y terror. «¡Ayúdeme, por favor! ¡Ayúdeme!»

Dirk se detuvo, mirando hacia la libertad. Después se volteó y regresó con rapidez a la laguna de la prisión. Se acostó boca abajo y extendió su brazo para rescatar al guardia medio congelado. En gratitud sarcástica, el guardia agarró a Dirk y le ordenó que regresara a su celda.

A pesar de su heroísmo, a Dirk lo quemaron en la hoguera por su fe.

Los cristianos comprometidos no viven de acuerdo con el sentido común. Hacen lo inconcebible conociendo bien las consecuencias. Hacen lo imposible como si fuera algo común y corriente. Los creyentes viven de acuerdo con un llamado más alto. Sus acciones y sus reacciones son tan poco comunes que a menudo se malentienden. Para algunos, el rescate extremo de Dirk parece una opción poco natural. Hasta quizá un poco tonta. Dirk, sin embargo, creía que solo seguía las reglas básicas de la Biblia. Puso las necesidades de otro antes que las suyas. Cuando nos sacrificamos, no siempre eso tendrá sentido para el mundo, pero sabemos que nos movemos hacia delante desde una perspectiva celestial. ¿Vive más a menudo según el sentido común? ¿O está comprometido a seguir los mandamientos de Dios a cualquier costo?

Odio el sistema comunista, pero amo a los hombres. Odio el pecado, pero amo al pecador. Amo a los comunistas con todo mi corazón. Los comunistas pueden matar a los cristianos, pero no pueden matar su amor incluso hacia quienes los matan. No tengo la menor amargura ni resentimiento contra los comunistas ni contra mis torturadores.

EX PRISIONERO DE LA FE BAJO EL COMUNISMO

Seguridad extrema

EGIPTO: AHMED

—¿Por qué pones en riesgo a tus hijos? —preguntó uno de los tres agentes egipcios.

«Ahmed» fue arrestado muchas veces por hablar de su fe y por distribuir material impreso cristiano. Sin embargo, veía cada interrogatorio como una oportunidad de testificar por Cristo.

—La seguridad de mis hijos no viene de mí —le dijo con calma a los agentes—. Viene de Dios.

—¿Por qué no estás dispuesto a obedecer al gobierno? —preguntó el agente principal.

—Yo no dejaré de hablar acerca de Jesús porque es el Camino de la Verdad —dijo Ahmed—. Jesús cambió mi corazón.

Pónganse toda la armadura de Dios para que puedan hacer frente a las artimañas del diablo.

Efesios 6:11

Los agentes lo cuestionaron acerca del material cristiano que se imprimió en secreto. También le preguntaron sobre cristianos específicos y sus actividades. En ambos casos, Ahmed guardó silencio.

«No les dije nada», dijo más tarde. «No sería un traidor al Cuerpo de Cristo». Cuando le pidieron que espiara a otros cristianos y le reportara a la policía, les respondió:

—Ese no es mi trabajo.

En otra ocasión, la policía turca atrapó a Ahmed y lo interrogó por llevar bolsas llenas de material cristiano.

—Si no respondes a nuestras preguntas y nos ayudas, te encerraremos por causar problemas para el gobierno turco —le aseguró la policía.

—Jesús no nos dice que causemos problemas para los gobiernos —respondió Ahmed—. Él quiere que testifiquemos acerca de su amor y perdón.

Agitadores. Son los niños que no se quedan callados en clase. Son los bravucones en el comedor de la escuela que les roban a otros el dinero de su almuerzo. Son los chismosos en la oficina calumniando a otros y diseminando rumores como si fuera una enfermedad. Los cristianos no tienen el llamado a ser agitadores. Es más, Jesús nos llama a ser pacificadores. Sin embargo, esta regla tiene una excepción: Debemos ser agitadores contra Satanás y sus intrigas. No podemos permitir que el diablo nos pase por alto como simples inofensivos para el reino. La oración es nuestra arma más eficaz. ¿Qué tan a menudo sus oraciones interrumpen la obra de Satanás? Ocúpese hoy de orar en el nombre de Jesús en contra de los planes de su adversario.

Obediencia extrema

Al pastor lo interrogaron y golpearon muchas veces, pero hoy el guardia lo llevó a una habitación para hablar. Le dijo:
—Tengo curiosidad por sus creencias y le pido que me diga los Diez Mandamientos.

Asombrado, el pastor comenzó a nombrarle los mandamientos. Cuando llegó a «Honra a tu padre y a tu madre», el guardia lo interrumpió:

—Deténgase aquí: Ustedes los cristianos creen que Dios escogió "Honra a tu padre y a tu madre" como un mandamiento muy importante. Por favor, mire en la esquina.

Al contrario, alégrense de tener parte en los sufrimientos de Cristo, para que también sea inmensa su alegría cuando se revele la gloria de Cristo.

1 Pedro 4:13

El pastor volteó para ver a una anciana encadenada y amoratada bajo un montón de trapos. Era la madre del pastor.

—Mire cuánto ha sufrido su madre —le dijo el guardia—. Si me dice los secretos de la iglesia clandestina, usted y su madre se pueden ir libres. Si ella muere por nuestra tortura, usted habrá fallado en obedecer el mandamiento de honrarla y su sangre caerá sobre su cabeza.

El pastor volteó hacia su madre que comenzaba a recobrar el conocimiento.

—Querida madre, ¿qué debo hacer?

—Desde que eras un niño pequeño —contestó ella con amor—, te he enseñado a amar a Cristo y a su iglesia. No traiciones a Dios. Estoy preparada para morir por el santo nombre.

El pastor miró de nuevo al guardia y dijo con valor renovado:

—Usted tenía mucha razón, capitán. Antes que todo, un hombre debe obedecer a su madre.

«¿Por qué hay tanto sufrimiento en el mundo?», preguntan a menudo los escépticos cuando quieren rechazar al cristianismo. No logran conciliar un Dios amoroso que permite el sufrimiento de inocentes. Es más, pueden tratar de persuadir a los cristianos que experimentan sufrimiento de que sus pruebas de alguna manera dan a conocer que los planes de Dios salieron mal. ¿Es en verdad el sufrimiento parte del plan de Dios? En respuesta a esa pregunta, vea la vida de Jesús en la tierra. Su sufrimiento en la cruz fue el latido del corazón del plan de Dios, resultando en nuestra salvación y su gloria. Cuando sufre conforme al plan de Dios, camina hacia donde lo hizo Jesús: a la cruz, a la tumba y, por último, a los cielos. ¿Confiará en que Dios sabe lo que hace aun en su dolor?

Ejemplos extremos

ESTADOS UNIDOS: LA MADRE DE SOFÍA

«En 1996, nuestra hija Sofía tuvo una larga convulsión que le causó daño cerebral permanente. Sufrió mucho por meses, llorando sin cesar por dos o tres días seguidos y retorciéndose de dolor. No nos conocía ni respondía a nosotros.

«Una enfermera no comprendía por qué nosotros no estábamos enojados con Dios por permitir que ocurriera esto. Traté de ayudarla a ver que somos sus siervos y no podemos negar el tremendo regalo que Dios nos ha dado en su Hijo. Cuatro meses después de su ataque, Sofía murió.

»El día que murió, yo vi una foto de un artículo de La Voz de los Mártires acerca de una hermana sudanesa a la que le cortaron sus pechos mientras estaba sentada junto a su bebé. Sus perseguidores la torturaron al hacer esta cosa horrible, forzándola a ver su niño morir de hambre. Miles de kilómetros de donde estaba, yo conocía su dolor y lloré, pensando, que no me permitiría disfrutar de la autocompasión.

»Esa mujer y otras como ella no tenían el beneficio del cuidado médico, el compañerismo, ni el amor de los hermanos que teníamos nosotros. Pero han soportado mucho y yo, por la gracia de Dios, también puedo soportarlo.

»Necesito esas epístolas vivas del Señor Jesucristo para expresar la realidad que Jesús vive y que este mundo no es mi hogar».

Es evidente que ustedes son una carta de Cristo, expedida por nosotros, escrita no con tinta sino con el Espíritu del Dios viviente; no en tablas de piedra sino en tablas de carne, en los corazones.
2 Corintios 3:3

Aunque la presencia de Dios siempre está cerca a través de la persona del Espíritu Santo, a menudo necesitamos esos alentadores espirituales de carne y hueso que nos ayuden en nuestra fe. Los mártires y otros creyentes a través de los siglos son personas reales cuyos verdaderos ejemplos de valentía nos inspiran a creer que quizá, solo quizá, pudiéramos responder de la misma manera. Aunque no pasemos por sus mismas adversidades, podemos adoptar el espíritu de su tenacidad y su valentía para nuestras vidas cotidianas. Si se ha sentido inspirado por una historia de fe extrema, comuníquesela a otros. Transmita el ejemplo. Enseñe a otros a extraer fortaleza de quienes han pasado antes por ello, viviendo su fe como ejemplos para todos nosotros.

Rechazo extremo

RUSIA: SERGUÉI MECHEN

«El cristianismo no es una enseñanza que uno puede obtener de libros y sermones», predicaba Serguéi Mechen, líder de la Iglesia Maroseyka en Moscú. «Jesús dijo: "Yo soy la verdad". La verdad es un tipo de vida específico que uno alcanza siguiendo el ejemplo de Cristo».

Era el año de 1923, y el nuevo gobierno comunista en Rusia había lanzado la llamada «Iglesia Viva», que no era nada más que el socialismo disfrazado como cristianismo. El pastor Serguéi se negó de manera terminante a leer las oraciones prescritas o predicar la idea diluida de Dios que aprobaban los comunistas. Siguió predicando la verdad a su congregación, sabiendo que era posible que sufriera por ello.

Y después de que ustedes hayan sufrido un poco de tiempo, Dios mismo, el Dios de toda gracia que los llamó a su gloria eterna en Cristo, los restaurará y los hará fuertes, firmes y estables.

1 Pedro 5:10

Serguéi pasó cinco años en la prisión y los comunistas cerraron su iglesia. Sin embargo, su tiempo en la cárcel solo preparó más completamente a Serguéi para el ministerio. En cuanto lo pusieron en libertad, reanudó su obra con la iglesia clandestina. Ministró con fidelidad por largas horas cada día hasta que su antiguo pastor, un hombre que le dio la espalda a Dios, lo traicionó. El gobierno recompensó a ese pastor con un empleo como profesor.

Serguéi había leído a menudo las palabras de Jesús que «el buen pastor da su vida por las ovejas». Así que se comprometió a nunca traicionar a sus hermanos. Por sus firmes actividades cristianas, a Serguéi Mechen lo ejecutó un pelotón de fusilamiento en 1941. Su vida ha pasado, pero su mensaje permanece: «La verdad no cambia en beneficio de las necesidades de una persona».

Dios no viene en una caja. Viene en toda su gloria y plenitud o no es Dios en lo absoluto. Algunos quizá digan con facilidad que no se oponen a Dios, siempre y cuando sea el dios apropiado que quieren que se predique. Como si estuvieran en una cafetería espiritual, escogen lo que quieren, disfrutan la idea de Dios y descartan el resto como sobrantes. Sin embargo, el carácter y la naturaleza de Dios no cambian con los caprichos de la humanidad. Podemos tratar de moldear a Dios en otra forma, pero al final fracasaremos. Rechace a cualquiera que descarta el carácter y la naturaleza total de Dios en cualquier momento. ¿Reconocería la herejía cuando la ve?

Serenidad extrema

RUMANIA

El pastor, su esposa y sus seis hijos pequeños acababan de leer el Salmo 23 mientras desayunaban. De repente, la policía irrumpió en su hogar para registrar la casa y arrestarlo a él.

—¿No tienes nada que decir? ¿No tienes ninguna pena ni remordimiento? —le preguntó la policía.

—Usted es la respuesta a lo que oramos hoy —respondió con sumo cuidado el pastor—. Acabamos de leer en el Salmo 23 que Dios prepara ante nosotros un banquete en presencia de nuestros enemigos. Teníamos el banquete, pero no los enemigos. Ahora llegaron ustedes. Si desean cualquier cosa que está en la mesa, me gustaría compartirla. Dios los envió.

Al de carácter firme lo guardarás es perfecta paz, porque en ti confía.

Isaías 26:3

—¿Cómo es posible que digas algo tan estúpido? Te llevaremos a la cárcel y morirás allí. Nunca verás a tus hijos de nuevo.

—También leímos acerca de eso hoy —continuó con tranquilidad el pastor—. "Aun si voy por valles tenebrosos, no temo peligro alguno".

—Todo el mundo le teme a la muerte —gritó el agente—. Lo sé porque lo he visto en sus rostros.

—La sombra de un perro no muerde, y la sombra de la muerte no lo mata. Es posible que nos mate o nos eche en la cárcel, pero nada malo nos sucederá. Estamos en Cristo y, si morimos, Él nos llevará a su mundo.

Paz. Se está volviendo tan valiosa como acciones de la bolsa en la economía de inquietud y violencia de hoy en día. Por fortuna, todos los creyentes son accionistas en el regalo de Dios a través de Jesucristo. Aun así, muchas personas no tienen esta paz. Algunos toman medicamentos y se preocupan todo el tiempo, tratando de obtener la paz estando separados de Dios. Cualquier buen sentir que lograran encontrar es solo temporal en el mejor de los casos. Luego regresan a la preocupación y a la inquietud. En contraste, la paz de Dios nos permite triunfar con serenidad en nuestros sufrimientos. Ninguna prueba es capaz de intimidar su confianza en Él. Como el amable pastor en esta historia, aunque la calamidad nos atacare sin previo aviso, usted estará preparado con la perfecta paz de Dios.

Pensamientos extremos

RUSIA: EL PRÍNCIPE VLADIMIRO

«¡Muévase, príncipe!», se rió el guardia, agarrando el brazo del joven. «Veamos cómo le gusta su nuevo alojamiento». Los guardias empujaron al príncipe Vladimiro de la casa real de Ghica a la dura celda de la prisión. En una esquina, vio a los prisioneros que tomaban ropa y frazadas de un prisionero delgado muerto. Desde el fondo se escuchaban los gritos de un prisionero que torturaban.

El lugar era muy diferente de la vida de lujo que había conocido en su casa. Aun así, el príncipe Vladimiro sobrevivió las condiciones inhumanas en la cárcel manteniendo su fe en Cristo que lo consolaba y lo guiaba. Un compañero de celda de él dijo una vez: «En ningún lugar he escuchado oraciones más puras y más pensamientos de valor eterno que en las cárceles comunistas».

Y la paz de Dios, que sobrepasa todo entendimiento, cuidará sus corazones y sus pensamientos en Cristo Jesús.
Filipenses 4:7

Los pensamientos eternos de Vladimiro de este tiempo se publicaron en un poderoso libro. Escribió: «Benditos son los que diseminan el gozo que surge de su propio sufrimiento. Aquel que se niega a sí mismo por otros se viste de Cristo. Busque a quien no se atreve a acercarse a usted. Dele a quien no pide. Ame a quien lo aparta de él. Que nunca mis gozos vengan a través del sufrimiento de otros. Que mi sufrimiento traiga algún gozo a otros».

¿Quién soñaría que tales «oraciones puras y pensamientos de valor eterno» vendrían de un príncipe destronado que sobrevivió las mazmorras de la crueldad comunista?

Los pensamientos negativos logran afectarnos en lo más hondo. Si enfocamos nuestras mentes en los sufrimientos, nos volvemos amargados y resentidos como resultado. No obstante, si elegimos pensar de forma positiva en medio de una crisis, nos elevamos por encima de nuestras circunstancias. No solo logramos evitar el desánimo y la desesperación, sino que también ayudamos a otros. Vladimiro experimentó gozo en sus sufrimientos. ¿Es propenso a la negatividad cuando pasa a través de pruebas? Recuerde, usted no puede controlar lo que sucede en la vida, pero puede controlar su actitud. Niéguese a ser negativo. Pídale a Dios que le dé una perspectiva positiva sobre sus pruebas y abra sus ojos para ayudar a otros.

Inquieto está el corazón hasta que descansa en ti.

San Agustín

Santo extremo

ROMA: SAN NICOLÁS

«No lo haga», gritó Nicolás mientras veía al verdugo levantar su espada para matar a otro prisionero. «No ha hecho nada para merecer esto». Al hombre lo iban a ejecutar por su fe en Jesucristo. Con valentía, Nicolás agarró la espada del verdugo antes que penetrara la carne del prisionero.

«Lo que desee Nicolás... Tengo muchos otros que matar hoy». El verdugo escupió mientras se retiraba y continuaba sus deberes en otra parte.

Nicolás hablaba con denuedo a favor de Cristo en un tiempo difícil en la historia. En el año 303, el emperador Diocleciano comenzó una de las persecuciones más brutales de cristianos. Ejecutaban a tantos cristianos que los verdugos se encontraban exhaustos y se turnaban para hacer su trabajo.

Amen al SEÑOR, todos sus fieles; él protege a los dignos de confianza.
Salmo 31:23

A Nicolás lo marcaron con un hierro candente. Sobrevivió terribles golpizas de los guardias. Y soportó otras torturas también, solo por no negar que Jesús era el Hijo de Dios. ¿Cómo iba a negar a quien era tan real para él? Nicolás permaneció resuelto en medio de una gran injusticia.

Después que lo liberaron de la cárcel, pasó el resto de su vida estableciendo orfanatos y protegiendo a los niños pobres. Estaba comprometido a promover el evangelio de Cristo de maneras creativas. Incluso, en una ocasión arrojó dinero envuelto en un calcetín a través de la ventana de una casa de dos niñas muy pobres para que no las vendieran a una casa de prostitución.

Muchos años después de su muerte, a Nicolás se le llamó con afecto San Nicolás. Para muchos niños, la noche antes de Navidad es la más mágica del año mientras esperan la visita de Santa Claus, una caricatura de San Nicolás. La verdadera historia de la vida de San Nicolás es mucho más heroica y amorosa que lo que los niños pudieran jamás soñar. Piense en la historia de su propia vida. ¿Conoce la gente la verdad acerca de su fe en Jesucristo? ¿O solo lo conocen a usted como una persona afectuosa y excepcionalmente moral? Aunque Santa Claus no es real, San Nicolás sí lo fue y usted también debe serlo. Es probable que no se sienta como un santo, pero el mundo necesita ejemplos reales de cristianos resueltos. ¿Qué hará hoy para vivir su fe de una manera real?

Disponibilidad extrema

BELÉN: MARÍA LA MADRE DE JESÚS

—Así no es como imaginaba tener a nuestro primer hijo —dijo la joven mujer entre contracciones—. ¿Estás seguro de que esto se encuentra lo bastante limpio? —le preguntó a su esposo, José.

—No sé, amor —dijo él preocupado—. Pero es lo que hay disponible. Sabemos que Dios va a proteger a este bebé. Él debe tener algún plan en que nazca aquí.

Cuando vino otra contracción José le aconsejó:

—Trata de respirar a través de ella —y le limpió el rostro con un paño húmedo—. Aguanta... solo debe ser unos minutos más.

—Yo quería tener este bebé en mi propia casa. Quería que mi madre estuviera ahí para ayudarme —dijo ella entre dientes.

—Yo estoy aquí para ayudarte —dijo José—, así que tenemos que hacerlo nosotros mismos. Y ambos sabemos que Dios también está aquí.

«Aquí tienes a la sierva del Señor», contestó María. «Que él haga conmigo como me has dicho».

Lucas 1:38

Entonces él bromeó ligeramente:

—Si necesitamos más ayuda, aquí al lado tenemos las vacas y las ovejas.

La contracción pasó y María sonrió a José. En la siguiente contracción, María comenzó a pujar. Pronto, su hijo llegó al mundo. Le llamaron Jesús, así como les instruyó el ángel.

Algunas veces nos olvidamos de las dificultades que José y María soportaron para traer al mundo al Rey de reyes: un establo por un cuarto de maternidad, exiliados en Egipto, la pobreza y el escándalo. Sin embargo, lo soportaron todo con gusto por su amor a Dios.

A medida que leemos la Biblia, podemos pensar que creer en las promesas de Dios sería más fácil si Él las empaquetara con alguna señal definitiva, como un mensajero angelical. Sin embargo, aun María, que recibió tal señal, tenía sus dudas. Es probable que cuando el ángel Gabriel le anunciara a María que daría a luz al Hijo de Dios, le pareciera como algo imposible. Le preguntó a Gabriel: «¿Cómo podrá suceder esto... puesto que soy virgen?». A pesar de sus inquietudes, María eligió creer la promesa de Dios con gusto y obedecerlo. Su sencilla disponibilidad trajo el plan de salvación de Dios para el mundo. ¿Está Dios llamándolo a estar disponible a pesar de sus dudas? Como María, es posible que su disposición a obedecer tenga un impacto eterno en el reino de Dios.

Poesía extrema

RUMANIA: DUMITRU BACU

Dumitru Bacu fue un prisionero cristiano durante las décadas de 1950 y 1960. Como muchos otros, su crimen solo era ser cristiano. Dumitru utilizó sus veinte años en la cárcel para componer poesías de amor a Dios. Los poemas se escribieron con sumo cuidado en pequeñas barras de jabón o tocados en las paredes con el alfabeto Morse a fin de que otros los aprendieran y los pasaran de celda en celda.

«Los dolores que debilitaban nuestros cuerpos no lograron controlar nuestros corazones», dijo Bacu después que lo liberaron. «En lugar de odio, cultivamos amor, entendimiento y sabiduría».

He aprendido a estar satisfecho en cualquier situación en que me encuentre.

Filipenses 4:11

He aquí uno de sus poemas compuesto mientras estaba incomunicado en una celda infestada de ratas, chinches y piojos:

Anoche, se apareció en mi celda Jesús;
Era alto; estaba triste, pero, ah, era la luz.
El atesorado rayo de luna de repente se fue,
Mientras que, asombrado y feliz, a Él lo miré.
Vino y se paró junto a la estera en que me agitaba,
Y en silencio me mostró lo que su sufrimiento costaba.
Todas las cicatrices ahí estaban: en sus pies y en sus manos,
Y una herida donde su corazón latía, en un costado.
Él sonrió y desapareció. Y yo sobre la roca caí
Y clamé: «Amado Jesús, no me dejes solo aquí».
Apretando los barrotes perforé mis palmas:
Bendito es el regalo, benditas son las marcas.

Por lo general, una sombría celda de la cárcel y la pérdida de libertades básicas no son la cuna de inspiración poética. Dumitru convirtió sus sufrimientos en oportunidades para alabar a Dios e impactar las vidas de otras personas para Cristo. Sus sufrimientos le resultaban insignificantes cuando consideraba lo que Cristo sufrió por él. Al experimentar lo que Dumitru enfrentó, muchos creyentes se sentirían frustrados o insultados, no inspirados. Algunos dudarían que Dios se interesara en ellos en lo absoluto. Componer líneas de alabanza poética a Dios sería lo más distante de sus mentes. Sin embargo, Dumitru se enfocó en Cristo en lugar de su celda y estaba lleno de alabanza. ¿Cómo reacciona en tiempos de sufrimiento? Cuando le llamen a sufrir, ¿verá obstáculos a su felicidad u oportunidades para alabar y servir a Dios?

Apoyo extremo

RUMANIA: ANUTZA MOISE

Después que los comunistas soviéticos tomaron Rumania, cazaron a los alemanes como simpatizantes del nazismo. Anutza Moise decidió proporcionar un escondite para los mismos hombres que la odiaron por ser judía y cristiana. Cuando ofreció su ayuda para esconder a esos hombres de los comunistas, no creían que su oferta fuera genuina.

«¿No recuerdas que nosotros fuimos los mismos que te enviaron a la cárcel?», preguntó uno de ellos.

«Desde luego que lo recuerdo», dijo Anutza. «Pero yo soy cristiana y Dios no me permite guardar rencor. Ya los perdoné, y ahora tengo la oportunidad de ayudarlos. Jesús los ama y también yo los amaré».

Amen a sus enemigos, hagan bien a quienes los odian.

Lucas 6:27

Su amor los asombraba y muchos se ganaron para Cristo por su ejemplo. Ella, junto con Richard y Sabina Wurmbrand y otros, criaron niños a cuyos padres judíos los exterminaron en los campamentos de muerte nazis.

Más tarde, Anutza emigró a Noruega, donde estaba activa en un ministerio para creyentes judíos. En este ministerio, recaudó diez mil dólares a fin de pagar por el rescate de su antiguo pastor, Richard Wurmbrand, obteniendo su liberación de Rumania. Anutza también realizó los trámites de viaje para lograr que los Wurmbrand y su hijo, Mihai, fueran a Occidente. Sin el amor y el apoyo de Anutza a su favor, un pastor de influencia y el fundador de La Voz de los Mártires pudieran haber muerto en una cárcel comunista.

Cuando Dios nos llama a seguirlo y respondemos, eso significa seguirlo a dondequiera y hacer cualquier cosa que pida. Debido a que Anutza se tomó en serio este llamado, actuó con amor y perdón hacia sus enemigos. La labor de albergar a sus anteriores opresores debió haber parecido monumental, pero Anutza fue capaz de hacerlo. Con obediencia, escogió el perdón por encima de la amargura y la venganza, y siguió el ejemplo de amor de Cristo. ¿Qué le ha dicho Dios que haga? No pierda la oportunidad de hacer una obra con significado eterno.

Anhelo extremo

«¡Algunas veces añoro esos días de persecución!»

Las palabras vinieron de un pastor iraní que escapó a Occidente. En Irán, el arresto y el acoso policíaco eran experiencias comunes. Incluso, perdió su casa y su trabajo a causa de su fe. Ahora era libre para vivir y adorar dondequiera que deseara. ¿Cómo iba a añorar los días de persecución?

«Algunas veces añoro esos días», dijo, «porque yo estaba muy vivo. Sentía cada día que Jesús estaba conmigo».

Pues los sufrimientos ligeros y efímeros que ahora padecemos producen una gloria eterna que vale muchísimo más que todo sufrimiento.

2 Corintios 4:17

El pastor había establecido una iglesia cerca del frente de la guerra entre Irán e Irak. Ganaba dinero conduciendo un taxi e hizo crecer su iglesia hablándoles de Cristo a sus pasajeros. En dos años, había ganado almas de grupos de nueve idiomas diferentes. Muchos soldados adoraban con ellos cada semana, y había bautizado a quince musulmanes conversos.

El pastor y su esposa dependían de Dios para todo. Cuando las bombas de la guerra caían a su alrededor, oraban por su protección. Cuando no había suficiente dinero, oraban por su provisión. Y cada día Dios les respondía.

Su ministerio fue recompensado. Diez miembros de su iglesia se han convertido en pastores. Aun ahora, el pastor ve el fruto del tiempo de ministerio en el frente de guerra.

Si nunca ha estado enamorado, no comprende lo que es estar acongojado. Si nunca ha perdido a un ser querido, no se relaciona de verdad con los que están de luto. No comprende un anhelo por algo que nunca ha experimentado. Los que han sufrido persecución por su fe describen un anhelo peculiar. No anhelan tanto la persecución como el sentido de compañerismo que les trajo la persecución. No añoran tanto la tortura como lo que les enseñó esta. El resultado final sobrepasa con mucho el sufrimiento. Si quiere experimentar un andar más profundo con Jesús, tiene que estar dispuesto a sacrificarse de forma obediente por Él. Eso también es un tipo de sufrimiento.

Declaración extrema

RUSIA: PEDRO SIEMENS

Pedro Siemens yacía en el mugriento piso de una cárcel rusa después de haber estado inconsciente por tres días. Lo habían arrestado por predicarles el evangelio a los niños. Sus compañeros de prisión lo golpearon de manera horrible a cambio de la libertad condicional que les prometieron los guardias. Mientras lo atacaban, Pedro permaneció en silencio.

Al ver que estaba consciente, uno de los prisioneros preguntó: «¿Por qué no gritabas cuando te pegábamos?».

«Yo me preguntaba si solo me pegaban por su propio gusto, sin consentimiento de los guardias», respondió Pedro a través de labios ensangrentados. «Si era así y yo hubiera gritado, los habrían castigados por mala conducta en la prisión. No quería que ustedes sufrieran porque Jesús los ama y yo también los amo».

Como naranjas de oro con incrustaciones de plata son las palabras dichas a tiempo.
Proverbios 25:11

La elocuente declaración de Pedro ganó los corazones de los empedernidos criminales de su celda. Pasaron la voz a través de la vía de rumores de la cárcel que nadie debía tocarlo, sin tomar en cuenta a dónde lo transfirieran ni qué incentivos ofrecieran los guardias.

Los prisioneros que esperaban su ejecución en la cárcel escucharon la historia de Pedro y pidieron su ayuda. Pedro respondió y a través de guardias comprensivos les predicó de la historia del amor de Jesús. Es posible que algunos de ellos aceptaran a Cristo antes de su ejecución a causa del ministerio de Pedro. Su ejemplo vivo del amor de Cristo les llevó una oportunidad significativa a otros. Los que de otra manera nunca hubieran escuchado recibieron el mensaje del evangelio.

La palabra hablada puede ser poderosa. Una palabra de consejo, de amor o de aliento en el momento apropiado puede hacer mucho cuando alguien tiene necesidad. ¿Pero qué de quienes tienen una necesidad espiritual? Las palabras de Pedro Siemens eran motivadas por su amor a Cristo. Ese amor le permitía hablar con valor del amor de Cristo a sus enemigos en un tiempo cuando más necesitaban escucharlo. Pedro fue obediente a la dirección de Dios, y el Señor utilizó las palabras de Pedro para cambiar el destino eterno de muchos de sus compañeros de prisión. ¿Utilizó Dios las palabras de alguien para llevarlo a Jesús? Cuando Dios lo llame para hablarle a otra persona de Jesús, ¿lo obedecerá en ese momento? Considere la diferencia eterna que su ejemplo y sus palabras son capaces de hacer.

La persecución no nos aparta de nuestro hogar. La persecución ayuda a enviarnos en camino a nuestro verdadero «hogar».

PASTOR J. COLAW

Desilusión extrema

EUROPA ORIENTAL: UN FAMOSO EVANGELISTA

«El adolescente nunca regresó».

El famoso evangelista habló tras los barrotes de la prisión. Un poderoso predicador, conocido a través de Europa Oriental, decía que no lograba encontrar paz. Este hombre guió a miles a Cristo, así que los demás prisioneros cristianos no comprendían su sentimiento de fracaso.

«Acababa de predicar en una reunión evangelística», explicó él. «Vertí mi corazón y, al final, doscientas personas vinieron al frente para recibir a Cristo. Estaba eufórico, pero también exhausto. Cuando me retiraba, un joven llegó a mí. "Pastor, necesito hablar con usted", dijo. Le expliqué que estaba demasiado cansado y que podría regresar quizá en la mañana. Nunca volvió. Los comunistas me arrestaron más tarde esa misma noche. Me interrogaron sin cesar, día y noche durante cinco días. Les contesté todas sus preguntas. Contesté porque le temía a las torturas, a las golpizas que recibiría si no lo hacía. Por temor a los comunistas, hablé cinco días y cinco noches sin parar.

Mientras sea de día, tenemos que llevar a cabo la obra del que me envió. Viene la noche cuando nadie puede trabajar.

Juan 9:4

»Por el amor a Dios, sin embargo, no podía hablar cinco minutos más a ese adolescente que buscaba el camino a la vida. ¿Cómo me voy a presentar ante Dios y rendir cuentas por llevar solo a doscientos a Cristo ese día cuando era posible que llevara doscientos uno?»

Tenemos la opción de pasar por alto las oportunidades que Dios nos pone delante para testificarles de Cristo a otros, pensando que lo haremos más tarde o que tendremos un mejor momento. Sin embargo, quizá nunca tengamos otra oportunidad. Cuando decidimos obviar una oportunidad divinamente establecida, nosotros, como el evangelista, tal vez encontremos que el momento era fugaz: un regalo de una vez en la vida. Es trágico, pero tal vez ese sea el único momento que una persona pida escuchar sobre el regalo de Dios de la vida eterna a través de su Hijo, Jesús. En el cielo, Dios pudiera preguntarle por qué no le habló del evangelio a alguien cuando tuvo la oportunidad de hacerlo. ¿Cómo respondería?

Regalo extremo

—Quiero hablarte acerca de un regalo extraño —dijo el padre chino a su bella hija de cabello negro. Ella sonrió por el presentimiento. Le encantaba cuando su sabio padre le impartía lecciones especiales acerca de Dios. Él amaba a Cristo y todos los que lo conocían se conmovían por su amabilidad y compasión.

Abrió una Biblia muy usada y comenzó.

—Este regalo se encuentra en Filipenses 1:29. Dice: "Porque a ustedes se les ha concedido no solo creer en Cristo, sino también sufrir por él". Algo que se nos da es un "regalo". Los dos regalos en el versículo son creer y sufrir. El sufrimiento que resulta de nuestra creencia en Dios es un valioso regalo, cuyo valor solo comprenderemos por completo en el cielo.

Hermanos míos, considérense muy dichosos cuando tengan que enfrentarse con diversas pruebas.
Santiago 1:2

—Gracias, papá —dijo sonriendo la hija mientras extendía sus brazos para abrazarlo—. Yo comprendo.

La joven creció para convertirse en la esposa del pastor Li Dexian, a quien han arrestado más de diez veces y al que casi matan a golpes por su fe. Ella continúa la obra a su lado, perseverando, porque aprendió a una temprana edad que el sufrimiento piadoso es un regalo. El pastor Li y su esposa han ganado innumerables almas para Cristo en China comunista, y continúan trabajando bajo una amenaza de arresto constante.

Los regalos de creer y sufrir vienen juntos. No solo son imposibles de separar, sino que cada regalo fortalece al otro. Si se nos dio el regalo de creer en Cristo, seguiremos a Cristo. Seguir a Cristo significa correr riesgos, ir en contra de las tendencias populares, ser malentendido y aun soportar dolor físico y emocional. Creer a menudo nos lleva al sufrimiento. A medida que experimentamos los mismos tipos de sufrimiento que Jesús vivió, llegamos a conocerlo de una manera más grande y profunda. El ciclo comienza de nuevo porque sufrir fortalece nuestra creencia. No espere poder filtrar el sufrimiento fuera de su vida sin reducir su creencia en Cristo.

Autor extremo

INDIA: GUILLERMO CAREY

—Ellos sencillamente no pueden hacer esto —exclamó Guillermo—. ¿No se da cuenta de lo mal que está?

—Mire, la mayoría de la gente en esta ciudad piensa que esto es lo que se debe hacer —respondió exasperado el funcionario del gobierno—. Es parte de su religión.

—¿Cómo es que atar a una mujer viva a su esposo muerto y quemarlos juntos sea bueno? —preguntó Guillermo.

Con esto, el funcionario se dio por vencido:

—Guillermo —contestó—, un hombre solo no puede cambiar esto. Olvídelo y regrese a cuidar su rebaño.

Jesús se acercó entonces a ellos y les dijo: «Se me ha dado toda autoridad en el cielo y en la tierra. Por tanto, vayan y hagan discípulos de todas las naciones».

Mateo 28:18-19

Cuando su denominación dijo que «solo Dios» pudiera convertir a los impíos en los países paganos, Guillermo los pasó por alto y emprendió uno de los viajes misioneros de mayor éxito en la historia de la iglesia. Además, aprendió solo varios idiomas y publicó un libro que se convirtió en la fuente del movimiento misionero moderno. Tradujo, también, el Nuevo Testamento a treinta y cuatro idiomas y el Antiguo Testamento a ocho.

Guillermo Carey luchó por años contra la práctica en la India de quemar a las esposas vivas con sus esposos muertos. Al final, a pesar de la oposición gubernamental, tuvo éxito en lograr que se prohibiera esa práctica.

Carey pasó su vida como un innovador para Cristo, enfrentándose a dificultades para efectuar un cambio. Lo reconocieron por alentar a otros a: «Esperar grandes cosas de Dios; emprender grandes cosas para Dios» (basado en Isaías 54:2-3). Guillermo Carey hizo exactamente eso.

La mayoría de las personas se clasifican en una de las siguientes categorías con respecto a declarar su fe: vamos rápido, vamos con lentitud y no vamos. Cuando Jesús llama a los cristianos a ir al mundo y hacer discípulos, algunos responden con gran fervor. Como Guillermo Carey, van y continúan yendo a causa del evangelio. Incluso otros responden, pero con poco entusiasmo, reduciendo la velocidad con su edad o por lo ocupado de su agenda. Es triste, pero muchos creyentes son cristianos que no van. Escuchan el llamado, pero piensan que otros lo harán. ¿Cuál categoría describe mejor su respuesta al llamado de Dios a la evangelización? Pídale a Dios que renueve un deseo de expresar su fe a otros. Si está esperando grandes cosas de su respuesta, esté preparado para tratar de hacer grandes cosas en su nombre.

Mártires antiguos extremos

ROMA: CHYRSANTHES

«Hijo, tú no puedes creer que este Jesús es real», dijo el padre de Chyrsanthes.

«Sé que es cierto, padre», respondió Chyrsanthes. «Creo que Jesús vino al mundo para salvar a pecadores como tú y como yo. Es la luz del mundo. No hay esperanza en los ídolos que tú adoras».

Como castigo, su padre encerró a Chyrsanthes en un sótano oscuro por varios días, pero aun así escuchaba a su hijo que cantaba alabanzas a Dios.

Pero tú, SEÑOR, reinas eternamente; tu nombre perdura por todas las generaciones.
Salmo 102:12

Para apartar a Chyrsanthes de la fe, su padre también trató de rodearlo de delicias mundanas y de chicas, pero Chyrsanthes se mantuvo firme. Entonces su padre trajo a su casa a Daria, una mujer idólatra de gran belleza, a fin de hacerle olvidar a Cristo. En lugar de eso, Chyrsanthes la llevó a la salvación y ella se bautizó.

Más tarde, Chyrsanthes y Daria se casaron y disfrutaron un ministerio maravilloso y milagroso llevando a otros a Cristo. Cuando los guardias romanos trataron de atarlos por testificar, las cuerdas cayeron de sus manos. El gobernador les ordenó a los soldados que ataran a Chyrsanthes a una columna y le pegaran con palos, pero los golpes no dejaron marca alguna en su cuerpo. Como resultado, los soldados y el gobernador cayeron a sus pies confesando el poder de Dios.

En una tierra que adoraba ídolos, Chyrsanthes se destacaba porque confiaba en el Dios viviente, no en piedras ni imágenes talladas. A causa de su resistencia, muchos paganos vinieron a la fe.

El evangelio de Cristo no es nada nuevo. Ha estado cambiando vidas por siglos y seguirá haciéndolo hasta que Cristo vuelva. Las historias antiguas son las de hoy en día. El mártir cristiano en mantos cosidos a mano y sandalias tiene el mismo corazón que el creyente moderno en pantalones de mezclilla que envía su testimonio por correo electrónico. No hay brecha entre las generaciones que separe a quienes dejaron un legado de fe de los que llevan a cabo su legado hoy en día. ¿Dónde encaja usted en el argumento? ¿Está dispuesto a alinear su testimonio con los santos antiguos? Viva totalmente para Cristo hoy y deje un legado para el mañana. Tiene la posibilidad de transformar un hogar, un lugar de trabajo, una comunidad o aun un país entero para Cristo.

Discipulado extremo

JERUSALÉN: JACOBO, EL HIJO DE ZEBEDEO

La historia nos enseña que el hombre que iba a matar a Jacobo se negó a hacerlo. El rey Herodes los decapitó a los dos. Quizá ocurrió de esta manera:

La ejecución se iba a llevar a cabo de manera simbólica en el mismo viernes de la Pascua, unos catorce años después de la crucifixión de Jesús. A Jacobo, el hijo de Zebedeo, lo escoltaron hasta el salón de la ejecución. Ya había un número de soldados en el salón. La luz de las lámparas de aceite reflejaba las manchas de sangre en el piso. ¿Cuántos seguidores de Jesús fueron antes que él a este mismo salón?

Yo te mostraré la fe por mis obras.
Santiago 2:18

Jacobo miró al guardia a los ojos, pero este volteó la vista, con el corazón perturbado hasta lo más profundo. En numerosas ocasiones, Jacobo le había hablado de Jesús a través de la ranura en la pesada puerta de la cárcel, y al parecer el corazón del guardia se suavizaba. Ahora su «amigo» se había convertido en su verdugo.

Jacobo se arrodilló por su propia voluntad. Cuando la espada alcanzó su altura, tembló perceptiblemente con inseguridad, y luego la lanzaron al suelo junto a Jacobo, sin hacerle daño. «¡No puedo!» Gritó el verdugo. «¡No lo mataré! Lo que dice acerca de Jesús es cierto y yo no puedo matar a su siervo Jacobo».

Al gesto de Herodes, los soldados avanzaron y tomaron al verdugo, les ataron las manos a sus espaldas y lo tiraron al suelo junto a Jacobo.

De rodillas, a los dos los decapitaron.

Ser mentor de alguien tiene mucha popularidad tanto en ámbitos seculares como espirituales. Parece que cada vez más personas se dan cuenta del poder singular de una relación personal entre dos personas. Una tiene algo que aprender: La otra tiene algo que enseñar. Una tiene algo que ganar: La otra tiene algo que dar. Seguir el ejemplo de otra persona que sigue a Cristo es la definición espiritual de tener un mentor. Un cristiano le muestra a la otra persona cómo continuar viviendo su fe de una manera práctica. ¿Quién diría usted que es un mentor en su vida? ¿Qué cualidades similares a Cristo ha visto en la vida de esa persona que tratará de alcanzar?

Definición extrema de la oración

CHINA: UN SOLDADO DE LA GUARDIA ROJA

Esta interesante carta se sacó de contrabando de China comunista:

«Yo soy un adolescente y un soldado de la Guardia Roja. No creía en ningún Dios, en ningún cielo, en ningún infierno, en ningún Salvador, en nada en lo absoluto. Un día sintonicé por accidente su programa radial. Al principio estuve tentado de apagarla. Los buenos comunistas no creen en Dios. Sin embargo, encontré el programa interesante, así que lo sintonicé una y otra vez. Ahora creo en Cristo; pero tengo dos preguntas.

Por eso los fieles te invocan.
Salmo 32:6

»La primera: ¿Acepta Dios a cualquier persona de China comunista? En su transmisión habla de la iglesia, pero yo estoy en China donde casi no tenemos iglesias. ¿Puede Dios aceptar a alguien sin una iglesia?».

Este joven soldado no sabía cuántas iglesias clandestinas existían en China ni que todos los que aman a Cristo son la iglesia. Entonces hizo su segunda pregunta: «Por favor, ¿me enseñaría a orar? Usted comienza cada programa de radio con una oración y termina con una oración. Yo quisiera orar, pero no sé cómo».

El soldado nunca había estado en una iglesia, pero dijo que se imaginaba que la oración significaba: «Hablar el día entero de tal manera que después de todo lo que diga, uno pudiera añadir "Amén"».

Qué definición más bella de la oración.

Orar no es natural. A decir verdad, no le viene a ninguna persona de manera natural porque es una experiencia sobrenatural. Dios nos da un deseo espiritual de comunicarnos con Él. Como las matemáticas o el idioma, la oración es una habilidad que se aprende. Mientras más practicamos la oración, más natural se vuelve. El joven creyente en esta historia definió la oración como algo que afectaba cada aspecto de la vida, por lo tanto, haciendo toda la vida de una persona una oración a Dios. ¿Cómo crece usted en su propia experiencia con la oración? ¿Está fuera de práctica? Comenzando hoy, pídale a Dios que le dé un deseo sobrenatural de hablar con Él y haga la oración una parte natural de cada día. Entonces comience a practicar. Haga que su vida sea una oración.

Antes de la prisión oíamos hablar acerca de Dios, pero en la prisión experimentamos a Dios.

EL PASTOR SZE, UN LÍDER DE UNA CASA-IGLESIA EN CHINA QUE SUFRIÓ PRISIÓN POR SU FE. SOBREVIVIÓ AL HAMBRE, LA ENFERMEDAD Y UNA EXPLOSIÓN EN LA MINA DE CARBÓN DONDE LO OBLIGARON A TRABAJAR.

Locura extrema

RUSIA: ANA CHERTOKOVA

La camisa de fuerza era una tortura para Ana Chertokova. Odiaba tener sus manos cubiertas y atadas alrededor de su cuerpo. Para los asistentes, no era nada más que un animal que no merecía consideración.

Ana pasó diez años en un manicomio en Rusia. No estaba loca. Un juez la envió allí porque era cristiana. Su rechazo a negar a Cristo era, para el juez, locura.

Rodeada de enfermos mentales, algunas veces Ana cuestionaba su propia cordura. En las largas noches clamaba a Dios en su mente, aun mientras los que estaban a su alrededor gritaban con enojo o terror. Sin embargo, ella nunca se enojó. La fe que no quiso negar en el tribunal, tampoco la quiso negar en el manicomio. Para los que podían comprender, Ana incluso trató de ser un testimonio y un ejemplo del amor de Cristo.

He aprendido a estar satisfecho en cualquier situación en que me encuentre.

Filipenses 4:11

«Los saludo a todos con amor en nuestro Señor Jesucristo», escribió Ana desde el manicomio. «Oro a Dios que nos hará bellas y perfectas en Cristo y que tomará el control de todos nuestros asuntos. Creo firmemente que el Dios que creó el corazón de todo el mundo y que examina cada asunto de los hombres mortales juzgará mi disputa con la idolatría del ateísmo y llevará a cabo su juicio y su justicia».

Es posible que los cristianos se encuentren algunas veces en situaciones locas que ponen a prueba su paciencia y su carácter. Un acuerdo de alojamiento difícil. Métodos desconcertantes en la oficina. Un hijo rebelde. ¿Seguimos confiando en Dios sin importar nuestras circunstancias? Lo logramos si conocemos el secreto del contentamiento. La Biblia nos enseña que nuestro sentido interno de contentamiento debe tomar control cuando nos enfrentamos a circunstancias externas. Nuestra actitud toma sus indicaciones de Dios, no de nuestra situación. De otra manera, nos arriesgamos a volvernos tan confusos como nuestras circunstancias. Tome una lección de Ana. Más bien pídale a Dios que le enseñe el secreto de estar contento a pesar de sus circunstancias.

Empleo extremo

RUMANIA: EL DOCTOR KARLO

El proceso de solicitud era largo y pesado. La verificación de antecedentes era extensa y la solicitud del doctor Karlo casi fracasa por los rumores de sus vínculos «cristianos». Aun así, el doctor Karlo logró pasar a través del arduo proceso y se convirtió en médico de la Policía Secreta. Evitó decirles que era cristiano.

La propia familia del doctor Karlo se puso en su contra porque pensaban que se había convertido en comunista. Uno por uno, la familia de su iglesia y todos sus allegados le dieron las espaldas. Ninguno conocía su misión: encontrar al pastor.

En su papel como médico de la Policía Secreta, podía ir y venir a la cárcel sin que le hicieran preguntas. Tenía acceso a todas las celdas, así que, por fin, encontró al pastor encerrado.

Me hice todo para todos, a fin de salvar a algunos por todos los medios posibles.

1 Corintios 9:22

Karlo pasó la información a otros cristianos, que a su vez pasaron la información al mundo exterior. Les habían dicho que estaba muerto, pero ahora tenían pruebas de que el pastor Richard Wurmbrand estaba vivo. Durante conversaciones entre Kruschev y Eisenhower en 1956, los cristianos alrededor del mundo clamaron por la libertad de Wurmbrand. Al final, lo pusieron en libertad por un rescate de diez mil dólares.

«Si no hubiera sido por este médico», escribió Wurmbrand más tarde, «que se unió a la Policía Secreta solo para encontrarme, nunca me hubieran puesto en libertad. Seguiría en la cárcel o estuviera en una tumba de la cárcel».

Los agentes secretos son las estrellas de las películas. Sus misiones involucran una aventura tras otra en servicio a las órdenes de la jefatura. De la misma manera, creyentes extremos en países restringidos viven vidas de aventuras. Sus historias causan un efecto eterno para muchos. No se atreven a publicar su misión, pero siempre están preparados para tomar la mayor ventaja de cada oportunidad a fin de declarar las buenas nuevas de Cristo. Sin importar la geografía ni la situación, Dios nos llama a cada uno de nosotros a ser sus agentes espirituales, reportando a la jefatura celestial. Estamos en una misión de expresar el amor de Dios todos los días. Dios no nos garantiza nuestra seguridad con esta labor asignada, pero promete recompensas eternas.

Martirio extremo

ROMA: POLICARPO

Policarpo fue un discípulo del apóstol Juan, pero fue un fugitivo en los últimos años de su vida. Mientras viajaba, un niño lo reconoció y enseguida se lo informó a los soldados. Cuando encontraron a Policarpo comiendo, les brindó de su comida a los soldados del arresto.

Después de comer juntos, Policarpo preguntó si era posible que le concedieran una hora para orar. Los soldados estuvieron de acuerdo, pero más tarde se arrepintieron de su decisión. Policarpo oró con tanto fervor que los mismos soldados se declararon pecadores.

Hermanos, siempre debemos dar gracias a Dios por ustedes, como es justo, porque su fe se acrecienta cada vez más.

2 Tesalonicenses 1:3

Al final, llevaron a Policarpo ante el gobernador que lo sentenció a ser quemado en el mercado. El gobernador le dio la oportunidad de salvar su vida si negaba a Jesús. Policarpo lo rechazó, diciendo: «Durante ochenta y seis años le he servido, ¿cómo entonces voy a blasfemar de mi Rey que me ha salvado?».

Entonces ataron a Policarpo a un poste y prendieron fuego a la leña que lo rodeaba. Las llamas se elevaron alrededor del valiente creyente pero, de manera milagrosa, no quemaron ni un cabello de su cuerpo. El gobernador estaba furioso. Le ordenó a un soldado que atravesara el costado del cristiano. De ese modo lograron matar a Policarpo, pero no así su fe y su espíritu triunfante.

La última oración registrada de Policarpo fue esta: *Te alabo por hacerme digno de ser recibido entre el número de mártires en este día y en esta hora, a fin de que comparta en la copa de Cristo para la resurrección de mi alma.*

Policarpo le da un nuevo significado a la frase «retiro activo». Un santo maduro de casi noventa años de edad, vivió suficiente tiempo para no importarle lo que sentía su oposición en cuanto a su fe en Cristo. Al otro extremo del espectro, fanáticos jóvenes se enfrentan al enemigo sin saber qué otra cosa mejor hacer. La mayoría de los creyentes están en algún punto intermedio entre los dos. Añoramos el fanatismo de nuestro compromiso juvenil, pero no hemos vivido lo suficiente para descartar las opiniones que otros tienen de nuestra fe. Gracias a Dios, Jesús nos acepta tal como somos y no de la manera que deberíamos ser. Tome la determinación de darle a Dios todo el compromiso que sea capaz de darle hoy y permita que Él lo haga crecer hacia una mayor fe mañana.

Siervo extremo

PAKISTÁN: ZEBA

«¡Repita estos versículos!», le ordenaron a Zeba.

«Yo no repetiré los versículos. Soy cristiana. Siempre seré cristiana».

Con su familia en la pobreza, a Zeba la obligaron a trabajar como sirvienta para una familia musulmana rica. Mientras trabajaba, el jefe de familia trató de enseñarle acerca del islam y obligarla a memorizar versículos del Corán. En tres ocasiones diferentes, Zeba se negó, diciendo: «Yo soy cristiana». Cada vez que se negaba la golpeaban.

Entonces los patrones de Zeba hicieron que la arrestaran, acusándola falsamente de robarle a la familia. Después de lograr que pusieran a su hija en libertad, la madre de Zeba visitó a la familia musulmana para defender a su hija. No la recibieron bien.

> *Al contrario, el que quiera hacerse grande entre ustedes deberá ser su servidor.*
>
> *Mateo 20:26*

Uno de los miembros de la familia gritó: «¡Usted es una infiel! Tanto usted como su hija son infieles y no merecen vivir». Así que arrojaron gasolina sobre la madre de Zeba y encendieron un fósforo. Zeba nunca más volvió a ver a su madre. A pesar de la tragedia, Zeba continuó su andar con Cristo y hace poco la bautizaron.

Hoy en día en Pakistán se ha establecido una escuela de costura a fin de que las jóvenes cristianas como Zeba no tengan que buscar empleo como sirvientas para ayudar a mantener a sus familias. A pesar de su dolor, Zeba no guarda rencor, y sueña con hablar de su fe a otros en su país. Quiere convertirse en una maestra de Biblia.

El reino de Dios está al derecho solo cuando está al revés. Su jerarquía de importancia es al revés comparada con la forma en que el mundo estructura a las personas en la sociedad. En lugar de tener a los talentosos, a los bellos y a los ricos en lo más alto de la lista, los siervos humildes son los que alcanzan los titulares del cielo. Zeba no es nada a los ojos del mundo, pero ella está haciendo una gran obra para el reino. Un siervo quizá no tenga un talento especial, pero un siervo está disponible para trabajar. Un siervo tal vez no valga mucho para otros, pero un siervo es inapreciable en el servicio de Dios. ¿Qué significa vivir contrario al resto del mundo? Si se entrega a Dios como un siervo, sabrá por sí mismo qué se siente. ¿Está dispuesto a humillarse al papel de un siervo y hacer lo que sea necesario para diseminar las Buenas Nuevas de Dios?

Cambio extremo

CHINA: CHANG SHEN

Antes de su conversión, Chang Shen era conocido como un jugador, un mujeriego y un ladrón. Cuando se quedó ciego a mitad de su vida, los vecinos dijeron que era el juicio de los dioses por sus maldades.

En 1886, Chang viajó cientos de kilómetros a un hospital misionero donde las personas estaban recibiendo la vista. Recobró en parte la vista y también escuchó acerca de Cristo por primera vez. «Nunca habíamos tenido un paciente que recibiera el evangelio con tanto gozo», dijo el médico.

Con respecto a la vida que antes llevaban, se les enseñó que debían quitarse el ropaje de la vieja naturaleza, la cual está corrompida por los deseos engañosos; ser renovados en la actitud de su mente; y ponerse el ropaje de la nueva naturaleza, creada a imagen de Dios, en verdadera justicia y santidad.

Efesios 4:22-24

Cuando Chang pidió que lo bautizaran, el misionero James Webster contestó: «Regrese a casa y dígales a sus vecinos que ha cambiado. Si todavía sigue a Jesús, lo bautizaré cuando lo visite más adelante». Cinco meses más tarde, Webster llegó y encontró a cientos de creyentes. Bautizó al nuevo evangelista con gran gozo.

Más tarde, un torpe médico local le robó a Chang la vista parcial que tenía, pero Chang continuó sus viajes a diferentes aldeas. Aunque algunos lo escupían y lo rechazaban, siguió ganando a cientos de cristianos más para Cristo.

Cuando se levantó la Rebelión Bóxer, los cristianos llevaron a Chang a una cueva en las montañas para ponerlo a salvo. Los bóxers acorralaron a cincuenta cristianos para ejecutarlos en una ciudad cercana, pero prometieron perdonarlos a todos si Chang se entregaba. Cuando Chang se enteró de las noticias, dijo: «Yo con gusto moriré por ellos». Tres días más tarde decapitaron a Chang y perdonaron a los cristianos locales restantes.

El gran intercambio es el mensaje del gran evangelio. Jesús ofrece la oportunidad de intercambiar nuestra vieja vida por un comienzo nuevo. Mire cómo cambió a Chang, de una persona que vivía para sí misma, a una entregada por completo a Cristo. Sin importar cuánto daño hemos causado en nuestra vida anterior, podemos ser restaurados a una buena relación con Dios. Es por eso que nuestro testimonio personal es tan poderoso. Una vida cambiada presenta una poderosa evidencia de la realidad de la salvación. Dejamos de hablar como acostumbrábamos. Dejamos de caminar como lo hacíamos antes. ¿Quién necesita escuchar acerca de la diferencia que Cristo ha hecho en su vida?

Carga extrema

COLOMBIA: JUAN

Ni las drogas ni la guerra civil logran detener la propagación del evangelio en Colombia.

Juan y su esposa, María, son misioneros entre los indígenas al norte de Cali, Colombia. Las Fuerzas Armadas Revolucionarias de Colombia (FARC), un grupo de guerrilleros izquierdistas, controlan a Cali. Muchos pastores y misioneros colombianos han encontrado oposición de las FARC y han huido del área. Sin embargo, cuando hace tres años Juan se encontró con un grupo de cincuenta guerrilleros de las FARC, veinte de ellos recibieron a Cristo. Como dice él: «Nosotros cambiamos pistolas por epístolas».

Porque mi yugo es suave y mi carga es liviana.

Mateo 11:30

Ahora, el Ejército de Liberación Nacional ha estado atacando las iglesias cristianas en la región. Hace poco se cerraron más de veinte iglesias y muchos pastores huyeron para salvar sus vidas. Los guerrilleros vienen a menudo y exigen todos los diezmos y ofrendas a cambio de la vida del pastor. Ahora Juan es el único pastor que queda en la zona y no recibe ningún apoyo externo.

Aun así, Juan y su esposa tomaron la decisión de permanecer y continuar ministrando a las personas. «Si vamos a morir por predicar la Palabra de Dios», dicen, «preferimos morir que abandonar la iglesia».

Juan no censura a los que se retiraron, ni habla acerca de las dificultades que ellos han enfrentado. Prefiere declarar lo que Dios hace y su carga por el ministerio. Su preocupación no está en el peligro, sino en alcanzar al pueblo de Colombia para Cristo.

Jesús describe una imagen de una bestia con una carga. Sin embargo, el animal no batalla en contra del peso de la carga, pues no es muy pesada. Tener la carga del evangelio no es lo mismo que estar agobiado por preocupaciones terrenales. La carga del evangelio sencillamente significa ser conscientes de las necesidades espirituales de otros. Juan tiene una «carga», pero es ligera. Siguiendo el ejemplo de Cristo, debemos tener una carga por las personas perdidas. Esta carga es ligera porque siempre la estamos regalando. No es aceptable que no le digamos a nadie las buenas nuevas. ¿Lo han rechazado cuando habla de Cristo? Quizá ha considerado darse por vencido a la oposición. Permita que la carga de Jesús por los perdidos lo motive a seguir adelante un día más.

*Si nosotros los cristianos no
continuamos predicando el evangelio y
lo extendemos más allá de lo
normalmente aceptado, se encerrará en
nosotros. Si mantenemos un «testimonio
silencioso», no habrá testigos y el
cristianismo morirá en Estados Unidos.*

RAY THORNE, MISIONERO A LA IGLESIA PERSEGUIDA

Evangelista extremo

CHINA: EL PASTOR LI DEXIAN

«Predicaré hasta que muera».

Hacía solo unos minutos que el pastor Li Dexian predicaba cuando oficiales del Buró de Seguridad Pública (BSP) irrumpieron en la casa. Arrastraron al pastor Li afuera y lo golpearon, al igual que a otros en la congregación china.

En la estación de policía, al evangelista lo golpearon de nuevo hasta que vomitó sangre. Los oficiales le pegaron en el rostro con su propia Biblia, dejándolo sangrando y casi inconsciente en el piso de concreto de la celda.

Con tal de que se mantengan firmes en la fe, bien cimentados y estables, sin abandonar la esperanza que ofrece el evangelio.
Colosenses 1:23

Cuando siete horas más tarde lo pusieron en libertad, él continuó su ministerio. La siguiente vez que predicó un mensaje en esa iglesia, siete oficiales del BSP entraron, vociferando acusaciones contra el evangelista. Cuando vieron visitantes occidentales con él, se retiraron pero regresaron quince minutos más tarde con refuerzos. Los oficiales arrastraron a Li afuera y comenzaron a golpear su cabeza contra una pared de piedra.

«¿Por qué deben pegarle?», gritó uno de los extranjeros. «¿Y qué de la "libertad de religión" que ustedes afirman que hay en China?»

El BSP llevó a los extranjeros a la estación de policía local, al igual que a la mujer que era dueña de la casa donde se llevó a cabo la reunión. Fue su hijo el que le dijo al BSP acerca de la reunión.

Desde el ataque, las reuniones grandes en la aldea cesaron, pero la iglesia no se ha detenido. Ahora se reúnen en más de cuarenta reuniones más pequeñas y nuevas personas encuentran a Cristo cada semana.

Como gotas de mercurio, cuando la oposición trata de mantener a la iglesia a su alcance, sencillamente se divide en unidades cada vez más pequeñas. Las iglesias en los países restringidos quizá nunca experimenten el concepto occidental de la mega-iglesia con instalaciones de veinte hectáreas; sin embargo, su asistencia continúa creciendo. Es más, una iglesia cristiana en Corea tiene una asistencia mucho mayor que la de varias mega-iglesias occidentales juntas. Aun así, como la estrategia en China, la congregación coreana está compuesta de miles de reuniones más pequeñas en las casas o «células». Lo que pudiéramos percibir como obstáculos para evangelizar son solo oportunidades disfrazadas. Cuando se enfrenta a la oposición, ¿se da por vencido con mucha facilidad? ¿O persevera y encuentra otra manera para que el mensaje del evangelio se propague?

Fuerza extrema

BANGLADESH: IDRIS MIAH

«Si Abu quería ser cristiano, tendría que hacerlo en otro lugar. Rodeamos su casa, listos para obligarlo a salir y quemarla.

»A medida que nos acercábamos, lo escuchábamos hablar. *¿Había reunido a otros para que le ayudaran?*, nos preguntamos. Entonces lográbamos escuchar que estaba orando por toda la aldea, ¡y le pedía a Jesús que nos perdonara por lo que nos disponíamos a hacer! Eso nos enojó aun más, así que veinticinco de nosotros corrimos hacia la casa para arrestarlo.

Responde a mi clamor, Dios mío y defensor mío. Dame alivio cuando esté angustiado.

Salmo 4:1

Sin embargo, había una fuerza invisible que no nos permitía a ninguno de nosotros entrar a su casa, y eso nos asustó y huimos.

»Cuando llegué a mi casa, no podía dormir. Seguía pensando en la oración de Abu. Al final, a las tres de la mañana, regresé a la casa de Abu. Le pedí que me hablara de Jesús. Después de conversar con Abu durante tres horas, le pedí a Jesús que me perdonara y le entregué mi vida. Corrí a mi casa y le dije a mi esposa lo ocurrido, y ella también se convirtió en cristiana, al igual que mis hijos».

Días más tarde, Idris Miah, el creyente de Bangladesh que contó esta historia, se enfrentó a una prueba. Lo despidieron de su empleo y a sus hijos los expulsaron de la escuela. A pesar de todo, él dice que todavía tiene gozo porque tiene a Jesús en su corazón.

A menudo no podemos elegir el contexto de nuestra vida, pero tenemos la posibilidad de decidir nuestra actitud y nuestra respuesta. Siempre podemos hacer esas elecciones, a pesar de las circunstancias. Así que cuando estamos al borde del desastre, como en el caso de Abu, ¿elegiremos una respuesta como Cristo lo haría, en oración, o sucumbiremos al pánico y a la desesperación? Es imposible para otros, a pesar de sus mejores esfuerzos, hacer que nos enojemos o agobiemos. Nosotros hacemos esas elecciones. Asimismo, podemos optar por imitar a Cristo en nuestra respuesta a la oposición. ¿Quién sabe cuál será el resultado? Pídale a Dios que le ayude hoy a elegir la respuesta apropiada a cualquier situación de prueba.

«Esclavo» extremo

ISLAS VÍRGENES: LEONARD DOBER

Leonard Dober se preguntaba si Jesús pensaba que la cruz era demasiado; luego recordó que la oración de Jesús en el huerto terminó: «Pero no sea lo que yo quiero, sino lo que quieres tú [Padre]». La tarea de Leonard parecía imposible, pero buscaba la voluntad de Dios y no la suya.

Leonard Dober determinó que el llamado de Dios para él era alcanzar a los esclavos en las Islas Vírgenes. Planeaba alcanzar a esos hombres y mujeres vendiéndose a sí mismo como esclavo y trabajando al lado de otros cada día mientras les hablaba del amor de Cristo. Pensar en ser esclavo lo atemorizaba y lo hacía sentirse enfermo. El tratamiento que recibiría le daba pavor. «Pero Cristo estuvo dispuesto a morir en la cruz por mí», pensó. «Ningún precio es demasiado alto para servirle».

Si estamos locos, es por Dios; y si estamos cuerdos, es por ustedes.
2 Corintios 5:13

No fueron los dueños de esclavos los que persiguieron a Dober con más severidad, sino más bien compañeros cristianos. Cuestionaron su llamado a ministrar a los esclavos y lo ridiculizaron como un tonto por su plan. Sin embargo, a Dober no lo disuadirían. Llegó a las Islas Vírgenes a finales de los años de 1730.

Cuando se convirtió en un sirviente en la casa del gobernador, temía que su posición estuviera muy distante de los esclavos a los cuales fue a ministrar. Así que dejó esa posición y se cambió de la casa del gobernador a una choza de fango donde pudiera trabajar con los esclavos uno a uno.

En solo tres años, el ministerio de Dober incluía más de trece mil nuevos creyentes.

Locos por Jesús. Así es como el mundo llama a quienes, al parecer, tienen una fe un poco radical. Raros. Extremistas. Dober era un «loco por Jesús» del siglo dieciocho; un hombre libre que eligió vivir como esclavo para ganarlos para Jesús. Estuvo dispuesto a hacer cualquier cosa que fuera necesaria para extraer la última gota de devoción de su corazón en servicio a Cristo. Para Dober, eso significaba un plan específico que no era razonable para nadie más que él. ¿Lo han desechado por su locura al negarse a estar de acuerdo con la mayoría? Si Dios lo llamó a hacer algo radical por Él en su familia, en su iglesia o en su comunidad, debe obedecer. Deje que otros lo llamen loco, pero permita que Jesús lo encuentre comprometido.

Adoración extrema

Desde su ventana escuchó el decreto: «Por los próximos treinta días, cualquiera que ore a alguien que no sea el rey será arrojado a los leones».

Daniel abrió las ventanas. En la azotea frente a él, dos de los consejeros del rey que lo odiaban se detuvieron mirando con intensidad. Hizo un gesto cordial con la cabeza cuando se encontraron sus ojos, y ellos también saludaron con la cabeza, mientras sonrisas engañosas aparecían en sus rostros.

Allí el rey animaba a Daniel: «¡Que tu Dios, a quien siempre sirves, se digne salvarte!»

Daniel 6:16

Daniel fue a cada ventana en su aposento y las abrió por completo. Parecía que en cada ventana había observadores. Entonces se fue al centro de la habitación, donde todos lo podían ver, se arrodilló y comenzó a adorar a Dios.

El rey se abatió cuando los guardias llevaron a Daniel ante él. Timaron al rey. Su decreto no podía revocarse, aunque se pasó todo el día tratando de encontrar una manera de liberar a Daniel, al cual consideraba que era un buen hombre.

«Llévenselo», dijo el rey Darío a los guardias. Entonces miró a Daniel a los ojos y dijo: «¡Que tu Dios, a quien siempre sirves, se digne salvarte!» (Daniel 6:16). Los soldados llevaron a Daniel al foso, con el rey siguiéndolos de cerca. Daniel no dijo una sola palabra, pero se inclinó ante el rey y entró con los leones. La boca del foso se selló con una piedra grande.

Daniel fue al centro del foso, se arrodilló y comenzó a adorar a Dios.

La adoración extrema no es un asunto de alabanza. No es un método específico ni una tradición en particular. No se determina debatiendo si se utiliza música de órgano o alabanza contemporánea. Es más, tiene muy poco que ver con la manera en que alabamos a Dios. La adoración extrema se define por cuándo y dónde adoramos. Cuando nos sentimos atraídos a la adoración durante nuestros momentos más estresantes, practicamos adoración extrema. Como Daniel, no debemos permitir que nuestras circunstancias dicten cuándo y dónde adoramos a Dios. Debemos estar preparados a fin de poner nuestra fe en acción en cualquier momento, en cualquier lugar. ¿Está dispuesto a servir a Dios hoy en adoración extrema?

Rechazo extremo

COREA DEL NORTE

«Me suplicaban una y otra vez, pero no podía sucumbir ante ellos», dijo el hombre. «Sé que se supone que los cristianos deben compartir, pero no podía deshacerme de ella». Extendió su mano con tristeza de manera que su oyente viera su valiosa posesión.

«Es verdad que quería, pero no podía. Vea usted, las personas en Corea del Norte me dijeron que habían estado orando durante cincuenta años para tener una Biblia. Aun así, no les di la mía porque yo había estado orando por veinte años y acababa de obtenerla de un pastor de Corea del Sur».

Suspiró profundo y su mente se enfocó en los creyentes necesitados en Corea del Norte que oraban con desesperación por un ejemplar de la Biblia. Sostenía su Biblia contra su pecho. Había escapado del país comunista como una prisión y ahora vivía en libertad en Corea del Sur.

Pues amo tus mandamientos, y en ellos me regocijo.
Salmo 119:47

Las Biblias en Corea del Norte son poco comunes. A causa de la oposición de los comunistas, los creyentes las consideran más valiosas que el oro. A un hombre lo mataron a golpes con una barra de hierro en la frontera con China cuando lo atraparon llevando Biblias a Corea del Norte. Es triste, pero casos como este se reportan una y otra vez.

«No logro olvidar a esas personas», dijo suspirando. «No puedo olvidar la mirada de envidia en sus rostros cuando les mostré mi Biblia. Me sentí muy mal por ellos».

Se usan como posavasos para bebidas o como un lugar conveniente donde poner el control remoto. Sus fuertes cubiertas sirven de apoyo para escribir una carta con el papel del hotel o para atrapar las cenizas que caen de un cigarrillo. Adornan con indiferencia la mesa de centro, junto a la fuente de dulces y la guía de programas de televisión. Aunque este libro continúa siendo el de mayor éxito en ventas año tras año, al parecer nadie lo lee mucho. Es la Biblia. La Biblia se usa mal y se descuida fuera de esos lugares en los que su verdadero valor se conoce muy bien. ¡Qué tan diferente trataríamos nuestras Biblias si tuviéramos que orar por veinte años para obtener una! ¿Qué puede hacer para revivir su pasión por la valiosa Palabra de Dios?

Visión extrema

A Liuba Ganevskaya la golpearon repetidas veces en la prisión rusa. Sin embargo, cuando miró a su torturador que sostenía el látigo sobre su espalda, sonrió.

—¿Por qué sonríes? —preguntó anonadado.

—Yo no lo veo como un espejo lo mostraría en este momento —dijo Liuba—. Lo veo como sin duda ha sido; como un bello niño inocente. Somos de la misma edad. Pudiéramos haber sido compañeros de juegos.

Yo, el Señor, te he llamado en justicia [...] para abrir los ojos de los ciegos.

Isaías 42:6-7

Dios abrió los ojos de Liuba para ver al hombre de una manera diferente. Veía su agotamiento; estaba tan cansado de azotarla, como ella de que la azotaran. Se sentía frustrado por no lograr que revelara las actividades de otros creyentes.

«Él se parece mucho a ti», le dijo Dios al corazón de Liuba. «Ambos están atrapados en el mismo drama de la vida. Tú y tus torturadores pasan a través del mismo valle de lágrimas».

Viendo al hombre a través de los ojos de Dios, la actitud de Liuba cambió. Así que le siguió hablando.

—Yo lo veo, también, como usted espera ser. Una vez vivió un perseguidor peor que usted, Saulo de Tarso, y él se convirtió en un apóstol y un santo.

Liuba le preguntó al calmado hombre qué carga tan pesada llevaba sobre él que lo llevó a la locura de golpear a una persona que no le hizo ningún daño.

A través de su preocupación amorosa, Liuba llevó a su torturador al reino de Cristo.

La visión terrenal a menudo se bloquea con diversas dolencias: astigmatismo, miopía, glaucoma y otras. Al igual que los lentes correctivos ayudan su visión, los ojos de su corazón se benefician con la intervención espiritual. Si nos guiamos por nuestra naturaleza humana, solo vemos lo malo en otros y no lo bueno. No obstante, Dios le concede visión espiritual a quienes quieren ver la vida desde una perspectiva celestial. Podemos comenzar a ver a un patrón intolerante, o a alguien que nos insulta, como un individuo herido que necesita amor. Podemos ver detrás de la máscara intimidante de un adolescente rebelde a la chica o al chico atemorizado que clama por aceptación. ¿Ve a otros con los ojos del cielo? ¿Qué diferencia haría en su vida tener visión espiritual?

Preferiría que me ahorquen antes que traicionar a mi Señor.

SALEEMA, UNA CRISTIANA DE DIECINUEVE AÑOS DE EDAD
EN PAKISTÁN QUE HAN PERSEGUIDO CON SAÑA POR SU FE

Honor extremo

RUMANIA: VALERIO GAFENCU

Valerio Gafencu y su familia acababan de perder a su padre y sufrían muchísimo a manos de los torturadores comunistas. Aun así, él no tenía nada malo que decir sobre los comunistas que le causaron tanto dolor a su familia. ¿Cómo lograría soportar tanto y no hablar en contra de sus torturadores?

«Cuando el rey David estaba en un gran aprieto», responde Él, «Simí le arrojó piedras, lo maldijo y lo acusó de crímenes que no había cometido (2 Samuel 16). Uno de los soldados de David estaba listo a matar a Simí, pero David lo detuvo. Permitió que Simí lo maldijera porque el Señor se lo había ordenado. David sabía que era inocente de lo que Simí lo acusaba, pero también reconoció que era culpable de otros pecados de los cuales Simí no sabía nada.

No juzguen, y no se les juzgará. No condenen, y no se les condenará. Perdonen, y se les perdonará.

Lucas 6:37

»Los comunistas nos llaman bandidos y enemigos del pueblo, lo cual no somos. No obstante, todos somos culpables de no ser santos ejemplares volviéndonos más semejantes a Cristo. Nuestra respuesta a las fechorías de los comunistas no debe ser el odio, sino la renovación interior. Los rayos de santidad que brotan de nosotros destruirán el mal. La palabra griega para Dios, *teos*, viene de una palabra que significa "brotar"».

El testimonio de Gafencu en la cárcel llevó a muchos a Cristo. Y hasta el día que murió, se negó a decir una palabra en contra de quienes le causaron dolor.

¿Merece un enemigo que le honren? Quizá es difícil pensar de esa manera. Podemos aprender, sin embargo, de la iglesia perseguida que Dios puede utilizar aun a nuestros enemigos para llevarnos más cerca de Él. Desde ese punto de vista, honramos el papel que desempeñan nuestros enemigos en nuestras vidas. Si insultamos a nuestros enemigos, podemos estar mostrando desprecio por el plan maestro de Dios. Si está ocupado maldiciendo a sus enemigos por la manera que lo han tratado, deténgase a pensar por qué Dios ha permitido la situación en su vida. ¿Está haciéndolo más fácil o más difícil para que Dios le enseñe algo a través de esto? Si es así, sin duda lo enfrentará de nuevo hasta que aprenda.

Rumor extremo

CHINA: CREYENTES CHINOS

«Hemos escuchado un rumor que las personas en Occidente dicen que en China no hay persecución de cristianos», comenzó la carta de un grupo de creyentes chinos.

«Más de cien hermanos están encarcelados aquí y muchos cristianos jóvenes de menos de dieciocho años de edad están bajo una fuerte presión policial. A algunos los arrojaron en pozos de estiércol; a otros los golpearon con varas electrificadas; a algunos los golpearon tanto que no podían ponerse de pie y solo se arrastraban.

»Unos pocos no pudieron soportar esto. Revelaron los nombres y las direcciones de sus compañeros trabajadores a la policía. A estos los sentenciaron, mientras que los que no dijeron nada al final los pusieron en libertad por falta de pruebas.

»La persecución es normal para nosotros. En muchos casos, nos ponen en libertad después del interrogatorio. Luego regresamos a nuestra zona original a predicar.

»Algunos adolescentes quieren dedicarse a Dios en el servicio cristiano a tiempo completo. Expulsados de sus hogares, están dispuestos a pasar toda la vida en este peregrinaje peligroso como evangelistas. Vemos esto con temor y temblor, imaginando que después de predicar el evangelio, a nosotros mismos nos desechen.

»Hemos pagado un gran precio por el evangelio: mucha sangre y sudor, muchas lágrimas vertidas, muchas vidas sacrificadas, y mucho soportar el viento y la lluvia».

Acuérdense de los presos, como si ustedes fueran sus compañeros de cárcel, y también de los que son maltratados, como si fueran ustedes mismos los que sufren.

Hebreos 13:3

Los rumores de que la persecución de los cristianos en China ha terminado son falsos por completo. Es más, esos rumores quizá sean las herramientas que el enemigo utiliza para suprimir las oraciones y el apoyo que necesitan estos creyentes perseguidos. A menudo sentimos que si nos decimos que algo no existe, quizá en realidad no existe. Si obviamos los informes de persecuciones y las historias de absoluta supervivencia, es posible que comencemos a creer que la opresión no existe. Sin embargo, no podemos esconder ni negar la verdad por suficiente tiempo para que cambie. Hoy en día están persiguiendo a nuestros hermanos y hermanas en los países restringidos. Sabiendo esto, ¿cuál es su respuesta? ¿Orará? ¿Servirá? ¿Dará? Pase algún tiempo pensando y orando en cuanto a su reacción.

Pregunta extrema

ROMA: TOLOMEO

«¿Eres cristiano?» Tres veces se hizo la pregunta. Tres veces la respuesta fue: «Sí». Martirizaron a tres cristianos. En el año 150 d.C., el gobernador romano Urbico no tenía tolerancia con los cristianos.

A Tolomeo lo acusaron de enseñar que la salvación solo viene a través de la fe en Jesucristo. Odiaba el engaño y el ateísmo de la época. Por lo tanto, cuando Urbico le preguntó si era cristiano, no podía mentir. Tenía que tomar una postura firme a favor de la justicia y respondió con audacia: «Sí».

Por esto lo encadenaron y golpearon muchas veces.

Ustedes son la sal de la tierra. Pero si la sal se vuelve insípida, ¿cómo recobrará su sabor?

Mateo 5:13

De nuevo lo llevaron ante Urbico. Y una vez más le hicieron una sola pregunta:

—¿Eres cristiano?

El dolor y el sufrimiento no cambiaban la realidad.

—Sí —respondió de nuevo Tolomeo.

Después de enterarse de los arrestos de Tolomeo, un anciano se acercó a Urbico y rogó por su alma.

—¿Por qué va a ejecutar a un maestro tan bueno? ¿Qué beneficio le traería a usted o al emperador? Él no ha violado ninguna ley. Solo confesó ser cristiano.

Intrigado por la defensa del hombre, le hizo una sola pregunta.

—¿Eres también cristiano?

—Sí, lo soy —dijo el anciano con valentía y firmeza.

—Entonces puedes reunirte con el maestro.

Como si esto no bastara, otro hombre se presentó con la misma protesta. De nuevo se hizo la pregunta:

—¿Eres cristiano?

A los tres hijos de Dios los ejecutaron por contestar esto:

—Sí.

La pregunta es lo suficiente sencilla. «¿Eres cristiano?» Es directa. Es personal. Es una cuestión de sí o no de la verdad. Entonces, ¿qué es lo difícil en la respuesta? El problema no es que los cristianos no sepan cómo contestar. El problema es que otros no nos hacen la pregunta lo bastante a menudo. No vivimos de una manera tan distinta que cualquiera piense en preguntar qué es lo diferente en nuestras vidas. Debemos reconocer que muy pocas personas nos hacen la pregunta que le hicieron a Tolomeo. Ese es el verdadero problema. ¿Cuándo fue la última vez que su estilo de vida despertó el interés de su compañero de trabajo, su amigo o su vecino lo suficiente para preguntarle acerca de su fe? Ya sabe la respuesta; ahora viva de tal manera que otros le hagan la pregunta.

Sonrisa extrema

RUMANIA: MILÁN HAIMOVICI

La celda fría y oscura de la cárcel estaba llena de cristianos rumanos que estaban decididos a llevar la luz de Jesús a las tinieblas. Uno de esos prisioneros era un creyente judío llamado Milán Haimovici.

Un día, Milán comenzó una discusión con otro compañero de celda que era un gran científico, pero era un ateo. Milán no estaba en el mismo nivel intelectual ni cultural que este profesor, pero le habló de Jesús. El profesor lo menospreció.

—Usted es un gran mentiroso. Jesús vivió hace dos mil años. ¿Cómo puede decir que camina y habla con él?

—Es cierto que murió hace dos mil años —respondió Milán—, pero también resucitó y vive aun ahora.

Entonces el profesor retó a Milán:

—Bueno, me dice que habla con usted. ¿Cuál es la expresión en su rostro?

—Algunas veces me sonríe —contestó Milán.

—Eso es una mentira —se rió el profesor—. Muéstreme cómo sonríe.

Milán accedió con gusto. Estaba rapado y era solo piel y huesos, con grandes círculos oscuros alrededor de los ojos. Le faltaban dientes y tenía puesto un uniforme de prisionero, pero apareció una sonrisa muy bella en sus labios. Su sucio rostro resplandeció. Había mucha paz, contentamiento y gozo en su rostro. El profesor ateo inclinó su cabeza y reconoció:

—Señor, usted ha visto a Jesús.

Alégrense en la esperanza, muestren paciencia en el sufrimiento, perseveren en la oración.

Romanos 12:12

Una sonrisa es una natural expresión humana de confianza, paz y contentamiento. Una sonrisa durante el dolor y el sufrimiento, e incluso la agonía da evidencia sobrenatural de Dios. Si Jesucristo, el mismo Hijo de Dios, en verdad vive en nuestros corazones, ¡algunos de nosotros necesitamos informarles a nuestros rostros las buenas nuevas! En la iglesia, algunas veces cantamos himnos como si fueran cantos fúnebres; nuestros pensamientos están muy distantes de nuestras palabras. ¿Qué revela su rostro sobre su relación con Jesús? ¿Es un testigo a otros que pasan a su lado por la calle? ¿Da fe del contentamiento de Cristo en su corazón? ¿O está ceñudo por la preocupación y sus labios siempre fruncidos? Pídale a Dios que lo ayude a ser consciente de su mensaje silencioso y que lo llene de su gozo.

Reto extremo

JUDEA: J. OSWALD SMITH

El Señor Jesucristo utilizó una estrategia en particular cuando le dio de comer a cinco mil personas que lo siguieron a pie desde los pueblos cercanos. Era cerca del anochecer y los discípulos fueron a verlo, pidiéndole que despidiera a la multitud por la noche. Sin embargo, Jesús tenía un plan diferente. Hizo que las personas se sentaran en filas de manera ordenada en la hierba. Después que Jesús tomó la comida y dio gracias, los discípulos comenzaron por un extremo de la primera fila y siguieron por allí dándole a cada uno una porción.

Porque tanto amó Dios al mundo, que dio a su Hijo unigénito, para que todo el que cree en él no se pierda, sino que tenga vida eterna.

Juan 3:16

Un predicador y escritor, J. Oswald Smith, hace una extraña pregunta en este momento: «¿Regresaron los discípulos por esa primera fila de nuevo pidiéndoles a todos que tomaran una segunda porción?

»¡No! Si hubieran hecho eso, los que estaban en las últimas filas se hubieran levantado y protestado con energía. Habrían dicho: "Vengan acá atrás. Dennos una porción. ¿Por qué deberían esas personas en las primeras filas tener una segunda porción antes que nosotros tengamos la primera?".

»Y hubieran tenido razón. Nosotros hablamos de la segunda venida de Cristo. Muchos no han escuchado todavía acerca de la primera venida. *¿Por qué debería alguien escuchar el evangelio dos veces antes que todo el mundo lo haya escuchado una vez?* Ni una sola persona en toda esa multitud de cinco mil personas tomó una segunda porción hasta que todos tuvieron una primera porción».

Muchos cristianos temen ir a países donde ningún misionero ha puesto pie antes. Es mucho más fácil permanecer en territorio conocido. Sin embargo, Jesús ordenó a los creyentes que fueran a «todas las naciones» y encontraran nuevos lugares en los que el nombre de Cristo nunca se ha proclamado. La interpretación realista de Smith de alimentar a los cinco mil reta nuestra metodología con respecto a la evangelización. ¿Por qué la mayoría de los recursos de personas y los presupuestos económicos se designan y se dirigen hacia personas que ya escucharon el evangelio? A decir verdad, muchos de esos países están en peligro de tener demasiadas iglesias, mientras que otros grupos de personas no tienen ni una sola Biblia traducida a su propio idioma. ¿Puede su apoyo ayudar a crear un balance más apropiado? ¿Puede su vida efectuar un cambio en el esfuerzo evangelista de mañana?

Rehén extremo

INGLATERRA: BILL Y JOHN

Bill y John estaban cerca de los muelles en el sur de Inglaterra cuando vieron la bandera rumana en la popa del barco. Era durante los años del gobierno comunista extremista de Rumania.

Con poca conversación, reconocieron el campo misionero ante ellos, desataron sus cajas de Biblias y subieron a bordo. Entraron al comedor donde toda la tripulación del barco de treinta y cinco personas se había reunido. Bill y John explicaron el porqué de su visita y comenzaron a sacar las Biblias rumanas. De inmediato, la tripulación les prestó toda la atención. La mayoría de ellos jamás había escuchado acerca de Dios y su Hijo, Jesús.

Cuando Bill y John descubrieron que no tenían suficientes Biblias rumanas, dos fornidos marineros agarraron a Bill por los brazos y con suavidad, pero con firmeza, lo sentaron en una silla. Explicaron disculpándose en inglés chapurreado que Bill permanecería allí hasta que John regresara con Biblias para todos ellos.

Así que la fe viene como resultado de oír el mensaje, y el mensaje que se oye es la palabra de Cristo.

Romanos 10:17

Un rehén por Biblias... John no sabía si reír o llorar, pero era la única manera que los rumanos aseguraban que John regresara. En un país comunista lleno de promesas rotas, no confiaban en nadie.

John corrió a la oficina y llenó su maletín con Biblias rumanas. En una hora, estaba de regreso en el comedor, donde la tripulación agradecida recibió las Biblias y puso en libertad a su «rehén».

Declárenlo a otros. Eso es lo que Jesús dijo que debíamos hacer con el mensaje del evangelio. De cualquier manera que podamos, dondequiera que vamos, cualquier cosa que hagamos, debemos estar ocupados proclamando el mensaje de Cristo. Nuestro compromiso quizá nos lleve a los muelles o solo a la mesa de la cocina de nuestros vecinos no creyentes. En cualquier caso, debemos estar preparados para declarar la Palabra de Dios a los que perecen espiritualmente. ¿Está motivado a proclamar el mensaje de Cristo? ¿Es consciente del tiempo limitado que tal vez tenga para completar su misión? No pierda otro momento pensando que alguna otra persona hará su parte. ¿Qué puede hacer hoy para esparcir las Buenas Nuevas?

Oramos por el gobierno de Sudán, pero también le damos gracias a Dios por él. Gracias a sus métodos y a su guerra contra los cristianos, al terror, las amenazas, los encarcelamientos, mire cómo ha crecido la iglesia. ¡Mire lo que Dios nos ha permitido hacer aquí en medio de esto! Mire cuántos están recibiendo a Cristo.

Un cristiano sudanés

Impresora extrema

CHINA: KATI LI

Los visitantes llegaron en secreto y en silencio a la casa de la anciana china. Los escoltaron hasta detrás de una cortina y después se arrastraron por más de cien metros a través de un largo y oscuro túnel que los llevó a dos habitaciones como cuevas.

En una de las habitaciones, una chica cristiana de diecinueve años de edad llamada Kati Li operaba una pequeña imprenta primitiva. Kati Li trabajaba en esta cueva por meses seguidos, imprimiendo libros ilegales y otros materiales cristianos. Si la descubrían, no podría mostrar más su verdadera identidad en público.

Aun así, a medida que la imprenta secreta producía más libros y panfletos, al Buró de Seguridad Pública (BSP) le pareció sospechoso y comenzó a interrogar a los aldeanos. Los que sabían de la imprenta no estaban dispuestos a cooperar.

Estoy convencido de esto: el que comenzó tan buena obra en ustedes la irá perfeccionando hasta el día de Cristo Jesús.
Filipenses 1:6

Al final, enojados por la falta de cooperación, el BSP comenzó a utilizar dinamita y explotar cada casa en la aldea hasta que por fin llegaron a la casa de la anciana. Descubrieron la cueva y confiscaron la imprenta. Sin embargo, los obreros huyeron con antelación y sin daño.

Hasta este día, Kati Li y los otros obreros permanecen escondidos. Si los encontraran, los encarcelarían de inmediato y quizá hasta los ejecuten. Nunca más verán a sus amigos y familiares. A pesar de todo, el trabajo y el testimonio de Kati continúan viviendo a través de los libros y panfletos que ella produjo. Hasta este día los leen miles de cristianos chinos.

Es posible que se interrumpa. Tal vez lo desvíen. Quizá hasta lo suspendan por un tiempo. Sin embargo, el reino de Dios avanza sin cesar. Nunca se puede detener. Cristo puso el reino en movimiento cuando les dio la Gran Comisión a sus discípulos. Desde ese día, todos los que se añaden al reino continúan creciendo a toda marcha a pesar de la oposición del enemigo. Sin duda, muchos han tratado de detener por completo al evangelio, pero han fracasado. ¿Ha experimentado una interrupción en su ministerio? ¿Ha estado preocupado que su parte ha terminado a causa de circunstancias imprevistas? Recuerde, Dios no ha terminado todavía con usted. Su impacto para el evangelio continuará mientras permanezca fiel a Él.

«Riquezas» extremas

SUDESTE ASIÁTICO: CRISTIANOS HMONG

«Apuñalaron a un creyente por la boca con un cuchillo largo y vertieron agua hirviente en la garganta de otro que atraparon con una Biblia. Ahogaron a toda una familia».

Los creyentes en la tribu hmong en el Sudeste asiático estuvieron de acuerdo en dar su testimonio en una cinta de vídeo. Querían animar a los cristianos en el Occidente.

Un cristiano hmong testificó: «Las autoridades comunistas se sienten amenazadas porque muchas personas de la tribu hmong se han convertido en cristianos. Golpean a los cristianos para tratar de obligarlos a regresar a la adoración de espíritus malignos».

El oro, aunque perecedero, se acrisola al fuego. Así también la fe de ustedes, que vale mucho más que el oro, al ser acrisolada por las pruebas demostrará que es digna de aprobación, gloria y honor cuando Jesucristo se revele.

1 Pedro 1:7

«La policía local nos prohibió convertirnos en cristianos. Nos amenazaron con echarnos en la cárcel y aun matarnos», añadió una mujer. «A pesar de todo, si tenemos que morir por la causa de Cristo, estamos dispuestos».

Estos creyentes están dispuestos a ponerse aun en mayor peligro para permitir que el mundo sepa que ellos se mantienen firmes frente a la persecución. La tribu hmong es la mayor del Sudeste asiático y está experimentando el crecimiento mayor del cristianismo. Es también uno de los grupos de personas más perseguidos.

Otra mujer dijo: «Le doy gracias a Dios que hemos permanecido fuertes. Creo que la persecución es solo una prueba de nuestra fe en Cristo. Extrae las verdaderas riquezas. Extrae la plata y el oro. Solo oren que seamos fieles hasta el fin».

El acero se fortalece a través de un proceso de templado: calentado a temperaturas extremas, golpeado para formarlo y enfriado. Entonces el proceso se repite una y otra vez: se calienta y se golpea con el propósito de sacar las impurezas y después se enfría a fin de que el metal se funda. Un proceso similar de templado fortalece nuestra fe. Cuando el odio de otro nos calienta, nos golpea la persecución y después nos enfrían con la sutil seguridad de la presencia de Dios, se desechan nuestras impurezas y se fortalece nuestra fe. ¿Ha reconocido el proceso de templado en su vida? No resista nada de ello. Aprenda de sus hermanos y hermanas en la tribu hmong. Sus enemigos no se dan cuenta que usted será más fuerte como resultado de su odio.

Más contrabandistas extremos

EUROPA ORIENTAL: MIHAI

La camioneta Volkswagen de Mihai se acercó poco a poco al punto de control fronterizo. Susurró con ansias una pequeña oración: «Querido Jesús, por favor, impide que los guardias fronterizos encuentren y confisquen tu Palabra».

Los guardias le ordenaron de manera brusca y metódica que saliera de la camioneta y comenzaron su lista de preguntas. «¿A qué viene a nuestro país? ¿Va a visitar a alguien aquí? Si es así, ¿a quién? ¿Tiene algunas armas?»

Mihai contestó cada pregunta con sumo cuidado, pero su corazón latía con gran intensidad mientras que, con el rabillo del ojo, veía a uno de los guardias mirando debajo de cada asiento de la camioneta. Mihai comenzó a cansarse de estar de pie por tanto tiempo. Satisfecho con las respuestas de Mihai, los guardias al fin le permitieron entrar a su país, con sus valiosos bienes escondidos de manera tan exitosa de su vista.

Pero tenemos este tesoro en vasijas de barro para que se vea que tan sublime poder viene de Dios y no de nosotros.

2 Corintios 4:7

Por años, este valiente joven mensajero había pasado de contrabando materiales impresos sobre el evangelio a los países comunistas de Europa Oriental, sin que su cargamento secreto lo descubrieran jamás. Mihai era un hombre común y corriente cuya visión extraordinaria era un enorme reto. No tenía piernas, se las amputaron casi desde las caderas, pero estaba resuelto a no permitir que esta discapacidad se interpusiera en su camino.

Como el apóstol Pablo, Mihai sabía que el poder de Cristo se perfeccionaría en sus debilidades físicas. Después que le pusieron extremidades metálicas, podía llenar los huecos en cada pierna con el material impreso y después comenzar con entusiasmo sus viajes.

Dios es un patrón que no hace acepción de personas respecto a su servicio. Mihai vio más bien su limitación personal como una gran manera de unirse a Dios en un trabajo creativo. Cada problema puede ser una oportunidad para un ministerio singular. Por ejemplo, quienes vienen de la tragedia de una familia divorciada pueden ministrar a otros en situaciones similares en maneras que a otras personas no les son posibles. ¿Qué ha considerado por largo tiempo como desventajas en cuanto a su propia utilidad en el reino de Dios? Piense en ellas desde el punto de vista de Dios. Entonces ofrézcaselas y vea cómo Él las utiliza para su gloria y provecho.

Más tesoros extremos

TAYIKISTÁN: LA CONGREGACIÓN DE GRACIA SONMIN

Era domingo y la congregación de la Iglesia de Gracia Sonmin en Dushanbe, Tayikistán, se había reunido para su servicio de adoración semanal. Aunque su país estaba ahora libre del gobierno opresivo comunista, los musulmanes radicales aún se oponían abiertamente a la iglesia. La opresión solo había cambiado de manos de una autoridad terrorista a otra.

En el momento que el pastor visitante terminaba su sermón, una fuerte explosión al fondo de la iglesia estremeció el edificio. Una bomba. En un momento, los creyentes fueron de adorar a Dios a correr sin parar a fin de salvar sus vidas. Trataron de escapar al pasillo, pero otra bomba explotó en su ruta de escape. Había cuerpos y sangre por todas partes en la iglesia que una vez fue llamada un «santuario».

Siempre llevamos en nuestro cuerpo la muerte de Jesús, para que también su vida se manifieste en nuestro cuerpo. Pues a nosotros, los que vivimos, siempre se nos entrega a la muerte por causa de Jesús, para que también su vida se manifieste en nuestro cuerpo mortal.

2 Corintios 4:10-11

Una anciana yacía en el suelo, sin poder moverse. La Biblia que había estado estudiando momentos antes en un culto de adoración cayó junto a ella, manchada por su sangre. Estaba abierta en una página donde había marcado tres versículos algún tiempo antes del ataque a su iglesia. «Pero tenemos este tesoro en vasijas de barro para que se vea que tan sublime poder viene de Dios y no de nosotros. Nos vemos atribulados en todo, pero no abatidos; perplejos, pero no desesperados; perseguidos, pero no abandonados; derribados, pero no destruidos» (2 Corintios 4:7-9).

Los musulmanes radicales consideraban a las personas inocentes como prescindibles por razón a su causa. Sin embargo, las muertes de los creyentes brillaban a manera de joyas como un testimonio de la fidelidad de Dios. El enemigo quebrantó el cuerpo de la anciana, su «vasija de barro», pero su tesoro interior se reveló cuando su espíritu ascendió al cielo unos días después del ataque. Somos más conscientes que nunca que la muerte puede venir de repente a manos de nuestro enemigo. Aun así, no tiene que temerle a la muerte. Después de todo, lo peor que nuestro enemigo puede hacernos es matar nuestro cuerpo mortal. Su cuerpo físico no es el verdadero «usted». Consuélese hoy sabiendo que el tesoro de su alma no lo pueden tocar.

Comienzos extremos

ESTADOS UNIDOS: RICHARD Y SABINA WURMBRAND

Un precioso día de otoño en 1967, la pareja estaba sentada frente a su antigua máquina de escribir en la pequeña mesa de la cocina en su nuevo hogar: los Estados Unidos. No había pasado tanto tiempo desde que el pastor Richard Wurmbrand estuviera sentado en una celda fría y oscura de una cárcel rumana por su trabajo en la iglesia clandestina. A su esposa, Sabina, la sentenciaron a trabajo forzado en un campo de prisioneros.

Ahora la pareja meditaba en el mensaje que Dios les dio. Querían comunicar las pruebas y los triunfos a que se enfrentaban los cristianos perseguidos en los países comunistas alrededor del mundo. La policía secreta rumana amenazó a la pareja a fin de que no hablaran en contra del comunismo, pero la intimidación no los detendría. Se sentían obligados a levantar la voz del cuerpo de Cristo sufriendo; una voz que había sido pasada por alto y olvidada por muchos en el mundo libre.

Compórtense sabiamente con los que no creen en Cristo, aprovechando al máximo cada momento oportuno.
Colosenses 4:5

Las palabras fluían con facilidad a las páginas, y al poco tiempo tenían su primera edición del boletín de *La Voz de los Mártires*. Comenzaron con solo cien dólares y unos pocos cientos de nombres y direcciones de cristianos que estaban interesados en ayudar.

La visión que nació en una celda solitaria de la cárcel ahora ha crecido a una organización mundial dedicada a servir a la iglesia perseguida. Millones de boletines posteriores de *La Voz de los Mártires* se han distribuido alrededor del mundo en más de una docena de idiomas.

Comience en alguna parte. Es ahí donde las buenas ideas en el servicio de Dios siempre comienzan: en alguna parte. Servir a Cristo significa que no importa dónde, ni cuándo, ni cómo va a comenzar, siempre que lo haga. Muchos continúan retardando sus sueños en lugar de comenzar en alguna parte. Nos decimos que serviremos a Cristo algún día: cuando los niños hayan crecido y estén fuera de la casa; cuando al fin logremos pagar todas las deudas y podamos diezmar. Cada vez que decimos que comenzaremos a servir a Cristo después de terminar alguna otra cosa, no hemos comprendido el propósito de nuestro llamado. ¿A qué lo está llamando Dios? No es cuándo Él lo está llamando a hacerlo, sino ¿qué es lo que quiere que haga? ¿Qué está haciendo ahora para comenzar a satisfacer su llamado?

Hijo extremo

GRECIA: TIMOTEO

Aunque Timoteo era joven, Pablo lo alentaba a ser un ejemplo para todos. Timoteo probó que podía vivir de acuerdo con esas instrucciones.

Timoteo era de Listra, una de las ciudades que Pablo visitó en su primer viaje misionero. El padre de Timoteo era griego, y su madre y su abuela eran cristianas judías que influyeron muchísimo en el joven Timoteo. Es más, la Biblia señala que eran los ejemplos de Timoteo en la fe. Pablo debió haber notado el potencial de Timoteo para convertirse en un fiel creyente.

Pero tú, permanece firme en lo que has aprendido y de lo cual estás convencido, pues sabes de quiénes lo aprendiste.

2 Timoteo 3:14

Cuando Pablo pasó en su segundo viaje misionero con Silas y Lucas, Timoteo se les unió y viajaron a Macedonia.

Pablo consideraba a Timoteo como su hijo en la fe. Cuando la iglesia en Éfeso necesitó un pastor, Pablo dejó a Timoteo allí para enseñar y alentar a los creyentes en esa ciudad. Timoteo compartió la vida y el ministerio de Pablo. Es posible que hasta estuviera con Pablo el día en que lo decapitaron en Roma, ya que Pablo le había pedido que fuera para una última visita.

Después de la muerte de Pablo, Timoteo regresó a Éfeso para dirigir la iglesia allí. Continuó censurando la adoración de ídolos que hizo ricos a muchos en la ciudad de Éfeso. Cuando Domiciano ratificó la segunda gran persecución romana de los cristianos, los idólatras cobraron fuerzas. A Timoteo lo apedrearon hasta la muerte alrededor del año 98 d.C., fiel hasta el final, como Pablo lo enseñó a ser.

No se espera ni se alienta a nadie a llevar la vida cristiana solo. A decir verdad, es imposible hacerlo. Del mismo modo que Pablo fue mentor de Timoteo, nosotros necesitamos a alguien que nos muestre el camino y que crea en nuestro potencial para efectuar un cambio a favor de Cristo. Crecemos observando a otros que guían por su ejemplo en nuestra iglesia, en nuestra comunidad, en nuestras familias y en nuestras escuelas. A medida que comenzamos a asumir nuestros propios papeles de influencia, necesitamos fanáticos en las gradas, animándonos hacia un compromiso mayor. ¿Quién es su ejemplo en la fe? ¿Quién tiene la responsabilidad de enseñarle cómo vivir por Cristo? Es posible que sea un familiar cercano, un amigo o un pastor. Agradézcale a Dios esa influencia en su vida.

*He llegado a creer que Dios, en su
sabiduría, permite en parte el martirio
en cada generación porque, sin ellos, la
realidad de la muerte de Cristo se vuelve
cada vez más borrosa para nosotros [...].
A medida que observamos [a los mártires],
la niebla que algunas veces cubre el
Gólgota del primer siglo se disipa y vemos
[...] al Señor clavado en la cruz.*

MARK GALLI

Rostros extremos

«Es asombroso cómo es capaz de ver a Jesús en los rostros de otros creyentes. Sus rostros resplandecen y es un gran logro que la gloria de Dios brille en el rostro de un cristiano en las cárceles comunistas. Nosotros no nos lavábamos; hacía tres años que no me bañaba, pero la gloria de Dios resplandecía aun detrás de la costra de suciedad. Y ellos siempre tenían sonrisas triunfantes en sus rostros», escribió un pastor encarcelado.

«Sé de otros cristianos que salieron en libertad de cárceles comunistas, al igual que yo. Como a ellos, las personas me detuvieron varias veces en la calle para preguntarme: "Señor, ¿qué hay en usted? Parece ser un hombre muy feliz. ¿Cuál es la fuente de su felicidad?". Yo les decía que venía de muchos años en cárceles comunistas sufriendo por mi Salvador.

Se alegrarán, y nadie les va a quitar esa alegría.

Juan 16:22

»No comprendían esto porque no podían pensar más allá de las dificultades de sus propias vidas. No habían aprendido a caminar en el Espíritu ni a experimentar la presencia de Dios. Muchos pensarían: "Si solo supiera la vida que tengo: un esposo que me golpea, una esposa gruñona e hijos que destrozan mi corazón". Hay muchas dificultades materiales y tempestades en su alma. ¿Y qué? ¿Cómo son comparadas con el gozo de conocer a Jesús?

Lo que Jesús da, nadie lo puede quitar. Nos da gozo en la presencia del Espíritu Santo dentro de nosotros. Y aunque nuestras circunstancias quizá se tornen confusas y oscuras, nuestro gozo aún resplandece. Aun la suciedad más oscura de tres años en una cárcel comunista es incapaz de disfrazar el gozo cristiano. No estamos necesariamente gozosos por nuestra aflicción. No estamos contentos por nuestras penas. Sin embargo, permanecemos gozosos por la presencia de Cristo dentro de nuestras penas. ¿Ha perdido su sentido de gozo? Se da cuenta que nadie le puede quitar su gozo. Si no está presente en su vida, es porque voluntariamente lo abandonó a causa de sus circunstancias. Pídale a Dios que restaure hoy su gozo en Él.

Sanidad extrema

PAKISTÁN: ASIF

La pierna de Asif se le fracturó cuando chocó con un auto en una calle de Pakistán. En medio del dolor, sintió una mano en su pierna. Levantó la vista para escuchar a una mujer orando que Jesús lo sanara. Asif comenzó a enojarse porque era musulmán. Entonces una energía extraña comenzó a correr a través de su cuerpo. Su pierna se enderezó y el hueso volvió a su lugar. Al final, se fue caminando hasta su casa desde el accidente.

Hambriento de conocer más acerca de este «Jesús» que lo sanó, Asif leyó acerca de los otros milagros de Jesús en la Biblia que le dio la mujer. Y llevó sus preguntas al *mulvi* (líder religioso) en su mezquita. «¿Por qué está hablando de Jesús?», dijo el mulvi con desprecio. «¿Cómo *no* me iba a interesar en Él?», preguntó Asif. «Él me sanó».

De oídas había oído hablar de ti, pero ahora te veo con mis propios ojos.

Job 42:5

El mulvi y otros en la mezquita encerraron a Asif en una habitación y lo obligaron a tomar veneno, pensando que si moría antes de aceptar a Cristo, lograría llegar al paraíso. Sin embargo, Asif despertó y clamó a Jesús.

De repente una luz brillante llenó la sucia habitación. Asif prometió: «Esta vida es para ti. Mientras esté en la tierra, trabajaré para ti».

Desde entonces, la familia de Asif lo ha repudiado y en repetidas ocasiones lo han golpeado porque se niega a dejar de hablarle a la gente sobre su nuevo amigo Jesucristo.

Algunas veces tenemos que experimentar el poder de Dios antes que creamos. En realidad, muchos no creyentes prefieren debatir sobre la religión a distancia antes que tener que lidiar con un encuentro espiritual personal. Nadie puede disputar la experiencia personal. El individuo es el único experto en la materia. Encontrar a Dios es experimentar su poder y sentir su presencia. La Biblia proporciona muchos ejemplos de no creyentes que encontraron el poder de Dios. Algunos respondieron con adoración. Otros resistieron su poder y sufrieron las consecuencias. De cualquier manera, una persona nunca es la misma después de una experiencia con Dios. Es como si Dios le estuviera diciendo a un corazón decididamente dudoso: «Yo soy real. Enfréntate a esto». ¿Cómo le ha mostrado Dios que es real? ¿A quién puede declarar su experiencia?

Globos extremos

COREA DEL NORTE: LA VOZ DE LOS MÁRTIRES

—Abuela, ¡mira lo que encontré! —La chica de Corea del Norte estaba muy emocionada. Sostenía algo nunca antes visto. La abuela lo miró con su poca vista, pero no lograba percibir los detalles. Así que llamó a la madre de la chica.

—Por favor ven y dime lo que se encontró esta niña.

La hija de la anciana entró a la habitación y tomó el objeto de la mano arrugada de su madre. Su hija comenzó a leer las palabras impresas en el globo plástico bien construido.

Toda la Escritura es inspirada por Dios y útil para enseñar, para reprender, para corregir y para instruir en la justicia, a fin de que el siervo de Dios esté enteramente capacitado para toda buena obra.
2 Timoteo 3:16-17

—"El Señor Jesús te ama. Tus hermanos y hermanas no te han olvidado. Porque tanto amó Dios al mundo, que dio a su Hijo unigénito".

—¡Son las Escrituras! —exclamó la abuela—. ¡Nos han enviado versículos bíblicos en un globo! Por favor sigue leyendo.

El globo plástico tenía palabras de ánimo para las tres generaciones de coreanas del norte. Contenía un mensaje de cristianos en el Occidente y más de seiscientos versículos bíblicos llevando al lector desde la creación, a la cruz y a la segunda venida de Jesucristo. En la última década, más de cien mil de estos «globos con Escrituras» han flotado hacia Corea del Norte.

El ministerio de La Voz de los Mártires encontró una manera singular para alcanzar con la Palabra de Dios y el evangelio a esas personas oprimidas. Dice en el Salmo 19:1: «Los cielos cuentan la gloria de Dios, el firmamento proclama la obra de sus manos».

Como los globos en esta historia, Dios desea que las Escrituras de aliento floten a través de nuestras mentes y de nuestros corazones en el momento que más las necesitamos. Sin embargo, no puede traer a la mente pasajes de las Escrituras que nunca estuvieron allí en primer lugar. Es irónico, pero aunque vivimos en una sociedad libre, a menudo actuamos como si estuviéramos en un país restringido como Corea del Norte sin tener acceso a la Palabra de Dios. Nuestra lectura bíblica es esporádica y poco frecuente, como si no tuviéramos un ejemplar de las Escrituras. Quizá sea el momento de pedirle a Dios que «flote» su Palabra a través de las fronteras de su mente cerrada. Dedique tiempo en su horario para leer la Biblia cada día y pídale a Él que renueve un deseo por su Palabra.

Verdad extrema

PAKISTÁN: NADIA NAIRA MASIH

Nadia Naira Masih, de quince años de edad, es una cristiana comprometida. Su práctica normal cuando vivía en su hogar era orar y leer su Biblia temprano cada mañana. Aunque sus padres no la ven desde febrero de 2001, ellos suponen que ella continúa esta práctica en la casa de su raptor.

Un musulmán llamado Maqsood Ahmed secuestró a Nadia. La madre de Maqsood, entonces amiga de la familia de Nadia, ayudó a atraer a Nadia a salir de su casa, donde la obligaron a entrar en un auto con Maqsood, dos de sus hermanos, y un amigo, todos con armas automáticas. Desde entonces no la han vuelto a ver.

El Dios al que servimos puede librarnos [...] de las manos de Su Majestad. Pero aun si nuestro Dios no lo hace así, sepa usted que no honraremos a sus dioses ni adoraremos a su estatua.

Daniel 3:17-18

El secuestro de jóvenes es raro en Pakistán, pero es común para la policía pakistaní no prestar atención cuando se cometen los crímenes contra cristianos, en especial cuando les ofrecen un soborno. Esta es al parecer la situación en el secuestro de Nadia y la policía local ha sido lenta en seguir el caso.

En la casa de Nadia entregaron un certificado que decía que se había casado con Maqsood. El certificado explicaba que, a causa de su matrimonio, Nadia se había convertido de manera oficial de su fe cristiana al islam. Sin embargo, Nadia es solo una adolescente. Enfrentándose al enojo y a la pérdida, los padres de Nadia aún no dicen nada en contra de Maqsood. En lugar de eso, confían que Dios es lo bastante poderoso para hacer lo que sea necesario para traer de regreso a Nadia.

La confianza es algo que una persona no comprende por completo hasta que es lo único que tiene. Los padres de Nadia saben lo que es confiar. No confían necesariamente que en sí Nadia regresará algún día. En lugar de eso, tienen plena confianza que Dios es capaz de traerla segura a casa. La diferencia es enorme. Si fueran a confiar en un resultado específico, su confianza quizá se tambalearía si no resultara de esa forma. Sin embargo, decidieron poner su confianza en el poder infalible de Dios y su habilidad en hacer que ocurran las cosas. Si Dios en su sabiduría decide no permitir el regreso de Nadia, confiarán en Él aun más. ¿Confía en Dios solo hasta cierto punto, dependiendo del resultado? ¿O confía en Él a pesar de cualquier resultado?

Certeza extrema

ROMA: JUSTINO

—Si lo azotan o decapitan por ser un criminal, ¿cree aún que ascenderá al cielo? —preguntó Rústico, el prefecto de la ciudad.

—Creo que si soporto estas cosas tendré lo que Jesús me prometió —dijo Justino—. Pues sé que su regalo de vida perdura con los que permanecen en Él, incluso hasta el fin del mundo.

—¿Piensa entonces que recibirá alguna recompensa allá?

—No lo pienso; lo sé. Estoy seguro de ello.

—Usted debe acceder a ofrecer un sacrificio a los dioses —dijo Rústico recostándose con impaciencia.

Justino se mantuvo inconmovible.

—Ninguna persona en su sano juicio denigra la comunión con Dios yéndose a los ateos.

Rústico había tenido suficiente.

—A no ser que obedezca, lo ejecutarán sin misericordia.

—Sé que no tengo que temer si muero por testificar de Dios. Considero que en la muerte por tal razón está nuestra salvación y confianza ante Cristo —contestó Justino.

—Haga lo que quiera, pues somos cristianos y no sacrificamos a los ídolos —dijeron los otros que estaban con Justino.

Rústico pronunció la sentencia sobre los cristianos que rechazaron sus demandas.

—Estas personas que se negaron a sacrificar a los dioses y no obedecen los dictámenes del emperador, serán azotadas y decapitadas de acuerdo con la ley.

No teman a los que matan el cuerpo pero no pueden matar el alma. Teman más bien al que puede destruir alma y cuerpo en el infierno.

Mateo 10:28

Cuando Justino les dijo a sus verdugos: «Ustedes pueden matarnos, pero no pueden hacernos verdadero daño», ¿eran esas las palabras de un loco? ¿Estaba confundido mientras contemplaba la certeza de su propia muerte? No, solo estaba seguro de una cosa: el regalo de Jesucristo de la vida eterna. Mientras contemplaba el final de su existencia terrenal, Justino casi veía la belleza de su hogar celestial. ¿Tiene más temor de perder su vida en la tierra que seguridad de su vida eterna en el cielo? La muerte no es un tiempo para dudas. Asegúrese de ello mientras está aún vivo y bien. Reciba el regalo de Dios de la vida eterna a través de una relación con Jesucristo como su Salvador.

Autor extremo

INGLATERRA: JOHN FOXE

John Foxe, un joven maestro en la Universidad de Magdelen, rogaba en oración: «Ellos se hacen llamar tus sacerdotes y ministros, pero se adoran a sí mismos y a su poder político. Ayúdales a darse cuenta que no hay necesidad de otro mediador entre Dios y el hombre sino Jesucristo y su Palabra».

Alguien escuchó a John y lo reportó de inmediato a la administración de la universidad. Lo acusaron de mantener creencias en rebelión al gobierno y en contra de la iglesia del estado. Cuando se negó a rechazar sus convicciones, el concejo lo expulsó de la universidad.

A causa de esto, John tuvo gran dificultad para encontrar trabajo como maestro. Un día, exhausto y con hambre, se sentó a orar en una iglesia. Un hombre que John nunca había visto apareció de repente y puso una cantidad de dinero en su mano. «Anímese», dijo él. «En unos pocos días se le presentará un nuevo trabajo». Pocos días más tarde lo contrataron como tutor.

Bajo el reinado de Enrique VIII, se toleraban a los cristianos como John. Cuando María I llegó al poder, sin embargo, ejecutó a cualquiera que desafiara los edictos religiosos del estado. Trescientas personas murieron durante su reinado de cinco años. John y su esposa embarazada huyeron de Inglaterra a Bélgica, escapando cuando estaban a punto de que los detuvieran.

En defensa de los que murieron por su fe, John escribió el *Libro de los Mártires de Foxe*.

Porque a nosotros, lo mismo que a ellos, se nos ha anunciado la buena noticia; pero el mensaje que escucharon no les sirvió de nada, porque no se unieron en la fe a los que habían prestado atención a ese mensaje.

Hebreos 4:2

Es una cosa leer sobre la persecución, pero otra muy diferente es experimentarla. Asimismo, muchas personas leen acerca de las vidas de cristianos comprometidos y admiran su valentía desde lejos. Sin embargo, no tienen una experiencia personal de fe que pudieran llamar como propia. Mientras exaltan el valor de los mártires, no se relacionan con su origen: una relación personal con Jesucristo. Es posible que lean el mensaje del evangelio, pero no responden en fe. Los mártires vivieron y murieron llamando a otros, aun a sus opresores, a la fe en Cristo. ¿Estarán llamándolo a usted hacia un compromiso cristiano aun ahora mientras lee sus historias? No exalte solo la fe de ellos cuando lo invitan a experimentarla en lo personal.

La cárcel no es un impedimento
para una vida cristiana útil.

EL PASTOR RICHARD WURMBRAND

Penalidad extrema

INGLATERRA: JUAN WYCLIFFE

En una fría mañana inglesa de 1428, unos hombres vagaban sin reverencia por un cementerio. Uno de ellos, vestido con elegancia en sus túnicas religiosas, dijo: «Aquí está. Desentiérrenlo. Vamos a terminar con esto».

Cuando las palas al fin dieron con algo sólido, el hombre en las ropas elegantes aguardaba y observaba.

—Ábranlo —dijo.

—Pero señor, ¡hace cincuenta años que está aquí! —respondió uno de los excavadores—. ¡No puede quedar mucho!

El líder religioso se estremeció y después no hizo caso a su irritación.

—Entonces saque la cosa completa. Lo quemaremos todo.

¿Qué pudiera haber enojado tanto a este hombre? ¿Por qué desenterrar el cuerpo del hombre cincuenta años después de su muerte para quemarlo en ceremonia como a un hereje? Alrededor de 1376, Juan Wycliffe publicó la doctrina de «el dominio se funda en la gracia». Este mensaje muy controversial declara que: «El evangelio por sí solo es suficiente para regir las vidas de los cristianos en todas partes».

Wycliffe también había comenzado a traducir la Vulgata Latina, versión de la Biblia, al inglés y a distribuirla en secreto en panfletos y libros. Continuó su trabajo hasta su muerte en 1384, ciento treinta y tres años antes de la Reforma.

—Echen las cenizas al río —ordenó el hombre cuando se apagó el fuego—. Esto debe ser lo último que escuchemos sobre Juan Wycliffe y sus enseñanzas.

Pasarían cien años más antes que fuera legal leer una Biblia en inglés.

Y no solo en esto, sino también en nuestros sufrimientos, porque sabemos que el sufrimiento produce perseverancia; la perseverancia, entereza de carácter; la entereza de carácter, esperanza.

Romanos 5:3-4

Los funcionarios religiosos trataron lo mejor posible de acabar con «lo último» de Juan Wycliffe. En lugar de eso, parece que cada partícula de ceniza del cuerpo quemado de Juan llevó una nueva sed por la Palabra de Dios a través de Europa. Sus esfuerzos no solo fallaron en alcanzar su objetivo, sino que en realidad ayudaron a la causa de Cristo. De igual manera, pudiéramos ver a menudo a nuestro enemigo, Satanás, hacer grandes esfuerzos por destruir el cristianismo. Sin embargo, sus esfuerzos en el mejor de los casos alcanzan un resultado opuesto. Dios permite la persecución para inspirar a los creyentes e impulsarlos hacia un mayor compromiso. ¿Está permitiendo que la persecución personal se lleve a cabo de acuerdo con el plan de Dios? Es posible que pronto vea que la oposición de sus perseguidores lo hace más fuerte y que sus maldiciones traen las bendiciones de Dios.

Martirio extremo: Primera parte

ROMA: CARPO

—Mi primer nombre y mi nombre elegido es cristiano. En el mundo me llaman Carpo.

—Ya conoce los decretos del emperador —declaró el procónsul—: Debe adorar a los dioses todopoderosos de Roma. Por lo tanto, le aconsejo que se presente y les ofrezca sacrificio.

—Yo soy cristiano. Yo honro a Cristo, el Hijo de Dios, que vino no hace mucho tiempo para salvarnos y nos ha liberado de las locuras del diablo. No sacrificaré a tales ídolos. En el mejor de los casos, representan fantasmas, demonios en realidad. Me resulta imposible ofrecerles sacrificio.

El mensaje de la cruz es una locura para los que se pierden; en cambio, para los que se salvan, es decir, para nosotros, este mensaje es el poder de Dios.

1 Corintios 1:18

—Tiene que sacrificar; César lo ordenó.

—Los vivos no le sacrifican a los muertos.

—¿Cree que los dioses están muertos?

—Ellos nunca fueron hombres, ni jamás vivieron para que pudieran morir. Quienes los adoran están envueltos en un grave engaño.

—Lo dejé hablar demasiadas tonterías y ahora le permití blasfemar de los dioses y su majestad el emperador. Tiene que terminar con esto ahora o será demasiado tarde. ¡Sacrificará o morirá!

—Yo no puedo sacrificar. Nunca he sacrificado a ídolos y no comenzaré ahora.

El procónsul ordenó que lo colgaran y lo desollaran con instrumentos de tortura, mientras él clamaba:

—¡Yo soy cristiano! ¡Yo soy cristiano! ¡Yo soy cristiano!

Como al procónsul en esta historia, el mensaje de la cruz le parece una locura a quienes no lo comprenden. Y sienten que deben oponerse a lo que no comprenden. Quizá ellos temen lo que no logran comprender. Tal vez su orgullo les impide aceptar con humildad el evangelio de Dios por fe. Por cualquier razón, prefieren perecer que confiar en el mensaje de la cruz. Debemos darnos cuenta que los que discuten en contra del cristianismo a menudo lo hacen porque no aceptan la verdad por fe. ¿Está orando por los que atacan el evangelio? A medida que ora por los que persiguen a otros, pídale al Espíritu Santo que los ayude a comprender el mensaje de la cruz.

Martirio extremo: Segunda parte

ROMA: PAPILO

El procónsul enfocó su atención en Papilo, no muy lejos de donde Carpo colgaba sangrando.

—¿Tiene hijos? —preguntó el procónsul.

—Ah, sí, a través de Dios yo tengo muchos hijos.

—Él quiere decir que tiene hijos por su fe cristiana —gritó uno de la multitud que los rodeaba.

Escuchando esto, el procónsul se enojó aun más.

—¿Por qué me miente diciendo que tiene hijos? —gritó él.

—Le digo la verdad. En cada distrito y ciudad tengo hijos en Dios.

El enojo del procónsul no se aplacó.

—¡Usted sacrificará o sufrirá el mismo destino que Carpo! ¿Qué me dice ahora?

—Yo he servido a Dios desde que era joven —contestó Papilo con firmeza—. Nunca he sacrificado a ídolos. Yo soy cristiano. No hay nada que pueda decir que sea mayor o más maravilloso que decir que soy cristiano.

> Yo mismo, hermanos, cuando fui a anunciarles el testimonio de Dios, no lo hice con gran elocuencia o sabiduría.
>
> 1 Corintios 2:1

El procónsul ordenó que lo colgaran junto a Carpo y lo desollaran con instrumentos de tortura de hierro. Papilo no emitió ningún sonido, sino soportó el tratamiento como un valiente luchador.

Cuando el procónsul vio su excepcional resolución, ordenó que quemaran vivos a Carpo y Papilo. Los dos descendieron por sí solos al anfiteatro, satisfechos de que pronto estarían libres de este mundo. A Papilo lo clavaron al poste. Cuando las llamas ascendieron, oró con calma y entregó su alma.

Los cristianos se preocupan a menudo por lo que van a decir cuando los llamen a defender su fe. Cuando llega la oportunidad, nos empujamos como un estudiante universitario ensayando mentalmente las preguntas para un examen a medio semestre. «¿Y qué si me piden que defienda la Trinidad?» «¿Qué digo si me preguntan sobre el destino de los que nunca escucharon el evangelio?» «¿Y cómo defiendo el nacimiento de una virgen?» En realidad, no podemos encontrar mejores palabras, ni más verdaderas que nuestro propio testimonio de fe en Cristo. «Yo soy cristiano. No hay nada que pueda decir que sea mayor o más maravilloso que decir que soy cristiano». Todo el ensayo no convencerá a un incrédulo más que su disponibilidad de expresar con sinceridad su amor por Jesús.

Martirio extremo: Tercera parte

ROMA: AGATÓNICA

A Carpo lo clavaron en el poste, y a medida que las llamas lo envolvían, oraba con gozo: «¡Alabanza sea a ti, oh Señor, Jesucristo, Hijo de Dios, que me consideraste a mí también, un pecador, digno de morir como un mártir como lo has hecho!». Entonces entregó su alma al cielo.

A medida que Carpo oraba, Agatónica vio la gloria de Dios desplegarse delante de él. Los cielos se abrieron para revelar el banquete de las bodas del Cordero de Dios, con mesas suntuosas extendidas delante de ella y Jesús mismo de pie a su cabeza. Su corazón saltó y ella reconoció un llamado del cielo.

> *Revívanos, e invocaremos tu nombre.*
> *Salmo 80:18*

De un salto se puso de pie y gritó:

—Este banquete también se ha preparado para mí. Debo recibir el banquete de la gloria.

—¡Compadécete de tu niño, tu hijo! —se oyó un grito desde las gradas.

—Él tiene a Dios para que lo cuide —respondió Agatónica—, pues Dios es el proveedor de todos; pero yo iré y estaré con él.

Ella saltó al anfiteatro, se quitó su túnica exterior y con júbilo permitió que la clavaran en el poste.

Los espectadores comenzaron a llorar.

—¡Esta sentencia es cruel e injusta! —gritaron.

—¡Señor, Señor, Señor, ayúdame —clamó ella en las llamas—, pues huyo a ti!

Entonces ella entregó su alma y se unió a su Señor. Fue en el año 165 d.C.

Reacción en cadena. Es el efecto inesperado que una vida tiene sobre otra: algo inexplicable y no planeado. Comenzó con Carpo, que mostró el camino del valor a Papilo, mientras a ambos los torturaban por su fe. Entonces una observadora, inspirada por los increíbles resultados de su martirio, se arrojó hacia la fe muriendo voluntariamente en la hoguera. Hoy en día vemos la reacción en cadena de la fe en los avivamientos de la iglesia y en las universidades. La vemos en aldeas, pueblos y comunidades a través de varios continentes donde una vida motiva a otra, y aun a otra, a un mayor compromiso. ¿Cuánto tiempo ha pasado desde que experimentara una reacción en cadena de compromiso en su iglesia o en su comunidad? Ore para que el avivamiento comience con usted, el eslabón más importante en la cadena.

Fugitiva extrema

CHINA: LO LIEU

Lo Lieu caminaba con cautela por la calle atestada de gente en China, mirando hacia atrás para asegurarse que no la seguían ni la reconocían. Pasó otro cartel que mostraba su rostro en el que se ofrecía una recompensa de casi seiscientos dólares por su arresto.

Cuando Lieu solo tenía diecisiete años de edad, abandonó su hogar para ser sierva de Dios. Fundó una organización de compañerismo que ayudaba a establecer casas-iglesias no registradas, ilegales a los ojos del gobierno comunista. Su trabajo la ponía en contacto con cristianos extranjeros que pasaban Biblias de contrabando hacia su país.

Así que cada uno de nosotros tendrá que dar cuentas de sí a Dios.

Romanos 14:12

Después de casi diez años en el ministerio, la policía la arrestó. Lieu soportó un intenso interrogatorio. Una vez la golpearon con tanta fuerza que cayó en coma por varias horas. Aun así, se negó a darles a las autoridades información sobre los creyentes con los que trabajaba o de sus actividades.

Meses más tarde, la pusieron en libertad sin haber revelado nada a la policía acerca de su trabajo, pero todavía estaba bajo vigilancia. Pocos años más tarde, la arrestaron junto con otros cinco y confiscaron todas sus pertenencias. Esta vez la sentenciaron a tres años en un campo de trabajo forzado.

Después de cumplir su sentencia, la pusieron en libertad, pero aún es un blanco de la policía. A pesar de las amenazas de arresto, Lieu continúa viviendo como una fugitiva para Cristo, cometiendo el «crimen» de amar a Jesús y expresarles ese amor a otros.

Piense en esto: Si hubiera una orden de arresto en contra de todos los cristianos comprometidos, ¿quién lo delataría a usted a la policía? ¿Su espíritu bondadoso y su saludo agradecido delatarían su identidad al empleado de la tienda local? ¿Otros padres compañeros en el uso compartido de autos lo identificarían como un creyente potencial por el modo cortés y paciente con que espera su turno? ¿Pudieran otros en su trabajo debatir si delatarlo o no por tener evidencias concretas de su fe en Cristo? ¿Batallaría su propia familia con la decisión de llamar a la policía? ¿O se convencerían que su actitud y sus acciones en realidad no estaban de acuerdo con la descripción de un «cristiano comprometido»? ¿Qué piensa? ¿Qué debería hacer?

Fruto extremo

PAKISTÁN: SAFEENA

Safeena es una chica tranquila, encantadora. Creciendo en Pakistán, aprendió que como mujer y cristiana, sus oportunidades en la vida serían limitadas y escasas.

Así que cuando consiguió el empleo cocinando y limpiando para una familia musulmana rica, estaba gozosa porque ganaría algún dinero y ayudaría a su familia pobre.

Al final, la belleza y el comportamiento apacible de Safeena atrajeron al hijo de su patrón. Él se dirigió a sus padres para tomarla como esposa, pero Safeena era cristiana. Ellos la presionaron a que se convirtiera al islam, pero Safeena se negó con valentía y determinación. Después de semanas de presión, quería retirarse, pero sabía que su familia necesitaba el dinero con urgencia.

Por sus frutos los conocerán. ¿Acaso se recogen uvas de los espinos, o higos de los cardos? Del mismo modo, todo árbol bueno da fruto bueno, pero el árbol malo da fruto malo.

Mateo 7:16-17

Por último, el joven se dio por vencido de tratar de convencer a Safeena que fuera su esposa y tomó una decisión severa. Arrastró con fiereza a Safeena a una de las habitaciones y la violó a la fuerza.

Safeena estaba destruida. De inmediato dejó su empleo, pero antes que pudiera presentar una acusación, la familia se volvió en su contra y le dijo a la policía que estaba robando. A Safeena la arrestaron enseguida y sufrió más violaciones en la cárcel.

Safeena no se arrepiente de tomar una postura firme a favor de Cristo, pero aún batalla con la vergüenza de lo ocurrido. Se aferra con valentía a las promesas de Dios para su sanidad física y emocional en medio de su lucha por perdonar a su perpetrador.

Aprendemos mucho de una religión examinando los resultados en las vidas de sus seguidores. Esta es una historia sobre una familia que siguió al dios equivocado por el camino equivocado. La religión de la familia los presionó a la manipulación, la inmoralidad sexual, la mentira y la injusticia. En contraste, el Dios de Safeena, el Dios de amor, la guió a ser hacendosa, sacrificada y resuelta. Un día, Dios ayudará a Safeena a perdonar a los que le hicieron daño. Tenga cuidado cuando escuche a otros decir que todas las religiones son básicamente iguales. Tenemos el llamado a ser inspectores de frutos, examinando con cuidado el fruto en las vidas de las personas para revelar sus motivos. No se deje engañar por lo que lea acerca de cualquier religión. Observe con detenimiento los resultados en las vidas de sus seguidores.

*Mientras más duro pega el
diablo, más disfrutaremos
su derrota. ¡Que venga!*

UN CRISTIANO EN SUDÁN

231

«Viviendas clandestinas» extremas

BANGLADESH: ANDRÉS

El ministerio de Andrés en Bangladesh vio el bautismo de setecientos cuarenta y nueve musulmanes conversos. Además, el ministerio participó en la distribución de más de tres mil Biblias y Nuevos Testamentos y más de ciento treinta y siete mil folletos sobre el evangelio.

Sin embargo, Andrés vio los peligros de muchos musulmanes conversos y estableció un refugio que sirve como vivienda clandestina. Familias cristianas o individuos de todo el país llegan al refugio secreto, pero no para descanso y seguridad. A los nuevos cristianos se les enseña en el discipulado y la evangelización desde el amanecer hasta el anochecer.

«La cosecha es abundante, pero son pocos los obreros», les dijo a sus discípulos. «Pídanle, por tanto, al Señor de la cosecha que envíe obreros a su campo».
Mateo 9:37-38

Después que se gradúan del programa, los envían a otra aldea donde no los conocían antes. ¡Este se convierte en su nuevo campo misionero! Estos cristianos llegan al refugio para escapar del peligro, solo para que los preparen para una situación aun más peligrosa. Y saben que no están solos; cientos de sus hermanos y hermanas salieron antes que ellos para llevar a Jesucristo a través de Bangladesh.

El trabajo de Andrés es arriesgado. Una y otra vez la policía lo ha arrestado y detenido y los musulmanes radicales lo han golpeado por temor a sus alcances. A su familia y su hogar también lo amenazan sin cesar. El ministerio de Andrés es proporcionar viviendas clandestinas a los musulmanes conversos, pero su labor es poco segura. Es un riesgo diario para su familia y para los que participan en su ministerio; sin embargo, sus estudiantes reciben vida eterna y se gradúan para darles a otros la misma oportunidad.

Imagínese un campesino tratando de recoger solo una gran cosecha. No importa con cuánta diligencia trabaje el campesino, no tendría suficiente tiempo en la temporada para completar la labor. Jesús comparó la gente perdida a un campo de almas listas para la cosecha. La obra requiere demasiado trabajo para una sola persona. Por consiguiente, tenemos el llamado a emplear una estrategia similar al método de Andrés en las viviendas clandestinas de Bangladesh. Debemos enseñarles a otros cómo hablarles a los demás acerca de Cristo. No basta con ganar conversos al cristianismo. Debemos ganar discípulos que, a su vez, aprendan a hacer discípulos. ¿Es usted el campesino que batalla solo? ¿O le enseña a otros cómo trabajar el campo?

Perseverancia extrema

AZERBAIYÁN: EL PASTOR ROMÁN ABRAMOV

El pastor Román Abramov y su esposa trabajaron con diligencia durante tres años para establecer una iglesia en Ismailly, Azerbaiyán. Sin embargo, en menos de un año de mudarse a la aldea, agentes policiales los arrestaron tratando de forzarlos a salir del pueblo.

La iglesia se reduce a diez miembros la mayoría de las semanas, pero siguen predicando el evangelio de Jesucristo. A causa de la presión de las autoridades locales sobre los propietarios potenciales, los Abramov tenían problemas en alquilar una casa, así que lograron construir una en la cual pudieran tanto vivir como tener reuniones de acuerdo con la ley.

Cuando los Abramov comenzaron a celebrar reuniones de la iglesia en su nuevo hogar, la asistencia acostumbrada comenzó a aumentar poco a poco. Entonces en diciembre pasado, mulahs (líderes religiosos musulmanes) llegaron a su casa y les dijeron que no tenían derecho a celebrar cultos cristianos.

Y la constancia debe llevar a feliz término la obra, para que sean perfectos e íntegros, sin que les falte nada.
Santiago 1:4

El pastor Abramov defendió a su iglesia e invitó a los mulahs a los cultos. Uno de ellos aceptó la invitación y desde entonces viene con regularidad. Sin embargo, otro mulah acusó a los cristianos de pisotear un ejemplar del Corán, e hizo una petición al gobierno regional para que cerrara la iglesia. Entonces, las autoridades locales comenzaron a visitar los hogares de los miembros de la iglesia, acosándolos e interrogándolos y sentenciando a algunos a diez días de cárcel.

A pesar de la censura y el temor de muchos de los miembros de la iglesia, el pastor Román cree en oración que vendrá el avivamiento. Su hogar permanece abierto a todos los que quieran venir y asistir a sus reuniones.

Hay algunas cosas que desearíamos no tener. Las pruebas son una de ellas. ¿Por qué parece que la vida es un problema tras otro? Aun así, la Biblia nos enseña que no se supone que la vida sea sin problemas. Como niños, a menudo nos dábamos por vencido si una tarea se hacía muy difícil. Desistimos frente a la dificultad. A medida que maduramos, sin embargo, aprendimos a perseverar, a mantenernos firmes y lograr el objetivo. Asimismo, a medida que maduramos en nuestra fe, aprendemos el valor de la perseverancia. ¿Está aún inmaduro, desilusionándose con facilidad y tentado a darse por vencido? Dígale a Dios que está preparado para «crecer».

Afeitada extrema

Las personas a menudo están dispuestas a dar muchísimo para ayudar a hermanos y hermanas perseguidos alrededor del mundo. Es posible que el maestro de ciencias y estudios sociales de séptimo grado, Park Gillespie, ¡sea el primero en dar su cabello!

Después de escuchar a obreros cristianos hablarles a su clase acerca del Sudán, los estudiantes de Park captaron una visión para ayudar a los refugiados que perseguían por su fe. La compasión ferviente de los estudiantes sorprendió aun a sus maestros.

Al ver a las multitudes, tuvo compasión de ellas.
Mateo 9:36

Lo que comenzó como una campaña a fin de que los estudiantes de séptimo grado recolectaran frazadas para los sudaneses que sufrían, pronto se extendió a toda la escuela y por último a la comunidad. Gillespie se comunicó con la estación de televisión WBTV en Charlotte, Carolina del Norte, y les habló acerca de lo que los chicos hacían para aliviar el sufrimiento en Sudán.

Las frazadas ya comenzaban a llenar las aulas, pero el problema de los costos de envío no se había considerado. Cuando el reportero de WBTV llegó para reportar la historia, Gillespie mencionó que se afeitaría la cabeza si les ayudaban con el costo. Poco después que la historia salió al aire, los fondos comenzaron a llegar.

Así que a causa de su amor por personas que jamás siquiera había conocido, Gillespie se afeitó la cabeza. Todos los estudiantes se reunieron para ese acto y el reportero de WBTV filmó el acontecimiento. Los estadounidenses sienten a menudo que pueden hacer poco para ayudar a los cristianos perseguidos en otros países. Park Gillespie probó lo contrario.

Park Gillespie y sus estudiantes nos enseñan el proceso de cómo la compasión lleva a la creatividad, al compromiso y, por último, al costo. Park y sus estudiantes estaban dispuestos a pagar el precio, ¡aun hasta el último cabello de su cabeza! La compasión es una respuesta natural al sufrimiento, pero no basta por sí sola. Debemos activar nuestra compasión con soluciones creativas a los problemas. Después, debemos comprometernos a poner en marcha nuestras soluciones y estar dispuestos a pagar el costo. ¿Dónde está usted en el proceso? ¿Ha puesto su compasión a trabajar con algún pensamiento creativo? ¿Ha hecho el compromiso de ayudar a causar un cambio? ¿Está listo para pagar el precio ahora?

Más penalidad extrema

PAKISTÁN: AYUB MASIH

«Esta celda no me impedirá amar a mi Señor, Jesucristo», escribió Ayub Masih. Ha cumplido hasta ahora más de cinco años en la cárcel por acusaciones falsas.

A los cristianos en Pakistán a menudo los acusan falsamente de blasfemia contra Mahoma, el fundador del islam. Según las reglas musulmanas, la blasfemia es un crimen que lleva una sentencia de muerte. Ayub estaba hablando de manera informal a un amigo musulmán con quien a menudo discutía y bromeaba sobre temas controversiales; la conversación los llevó a *Versos satánicos,* un polémico libro acerca del islam. Los escucharon, y por presión de otros, el «amigo» de Ayub presentó una denuncia en su contra.

A Ayub lo arrestaron y sentenciaron a muerte por blasfemar de Mahoma. Poco después de eso, atacaron a su aldea y expulsaron de sus hogares a las doce familias cristianas que vivían allí. Ayub se declaró inocente de los cargos y apeló la sentencia del tribunal. Hace cinco años que espera en la cárcel una respuesta del tribunal.

Porque la paga del pecado es muerte, mientras que la dádiva de Dios es vida eterna en Cristo Jesús, nuestro Señor.

Romanos 6:23

En estos momentos se encuentra en la cárcel central Sahiwal en Multan, Pakistán. Sabe que, aun después que lo pongan en libertad, su vida seguiría corriendo peligro, y hasta les causaría peligro a otros en su familia o en su comunidad. A principios de 1998, hubo un atentado en contra de su vida, y un *mulah* islámico (líder religioso) una vez ofreció una recompensa de diez mil dólares a cualquiera que matara a Ayub.

En los países musulmanes hoy en día, hablar sobre una materia religiosa considerada contraria al islam puede significar la muerte. Es irónico, pero hasta los mismos adoradores musulmanes se enfrentan a una pena de muerte. La Biblia enseña que la paga del pecado es muerte espiritual. Fuera de Cristo, todo el mundo se enfrenta a una muerte eterna. Sin embargo, gracias a Dios, Cristo pagó la pena de muerte para todos los que creen, aun los musulmanes. Jesucristo ocupó nuestro lugar a manos del verdugo al crucificarlo en una cruz. Su muerte nos permite tener vida eterna con Dios en el cielo. Agradézcale a Dios hoy que su sentencia de muerte se conmutara y que recibiera el perdón. Y ore por los países musulmanes que pueden matar a cristianos en la tierra, pero que sin Cristo se enfrentan a su propia muerte eterna.

Lógica extrema

SUDÁN

«Canta este canto [un credo musulmán] o morirás», gritó el soldado del norte de Sudán. El cristiano capturado veía el odio en sus ojos y se preguntó cuántas vidas había eliminado. El soldado presionó un cuchillo grande contra el cuello del cristiano.

La lógica le decía: «¡Canta! Dios sabe que estás bajo coerción ¿Por qué entregar tu vida por no decir unas pocas palabras que de todos modos no crees?».

He sido crucificado con Cristo, y ya no vivo yo sino que Cristo vive en mí. Lo que ahora vivo en el cuerpo, lo vivo por la fe en el Hijo de Dios, quien me amó y dio su vida por mí.

Gálatas 2:20

Por otra parte, sabía que la Biblia enseña que las palabras de una persona tienen poder. Recordó que la confesión de una persona acerca de Cristo es poderosa. «¿Sería poderosa también una confesión blasfema?», se preguntó. «¿Aun si no lo creyera?» Las preguntas parecían batallar una contra otra en su mente. Su lógica peleaba contra su amor por Cristo.

Los cristianos en Sudán a menudo se enfrentan a tales decisiones, y han visto a muchos de sus amigos y familiares morir por creer en Cristo. Los mártires optaron por no cantar un credo musulmán, no querían contaminar sus espíritus con cantos blasfemos y arriesgarse a quebrantar el corazón de Dios.

Su defensa contra los argumentos lógicos es que el Cristo viviendo en ellos no cantaría tal canto: Por lo tanto, tenían que enfrentarse a las consecuencias. Este mismo Cristo viviendo en ellos, que no cantaría tampoco, temía una amenaza de muerte. Estos creyentes se consideraban ya muertos en Cristo; en verdad, no lograrían dañar al Cristo en ellos.

Cada día nos enfrentamos a las contiendas entre la lógica y la fe. La lógica nos dice que sigamos la corriente. La fe nos dice que vayamos en contra de la corriente de la popularidad. Es posible que cuando escuchemos la lógica, pongamos a un lado nuestras convicciones para hacer lo que otra persona desea. ¿Qué tan a menudo cantamos el cántico de otra persona a fin de evitar un enfrentamiento? Pudiera ser un trabajo que requiere prácticas engañosas. La lógica le dice que mantenga su boca cerrada para proteger su empleo. Si siente que pudiera haber escuchado por demasiado tiempo la voz de la razón, pídale a Dios que lo ayude a enfocarse en Él en lugar de la razón. Pídale la fe que necesita para hablar con sabiduría lo bueno en el momento ilógico.

Más contrabandistas extremos

UCRANIA: CRISTIANOS CLANDESTINOS

El guardia de la frontera rusa realizaba su patrullaje rutinario. Con el final de la Segunda Guerra Mundial, las fronteras se guardaban con celo ante cualquier actividad sospechosa. Dos amenazas eran primordiales: ciudadanos soviéticos tratando de escapar y contrabandistas tratando de introducir artículos ilegales como Biblias.

Este guardia en particular lo asignaron a la frontera entre la República Socialista Soviética de Ucrania y Rumania. Caminaba con lentitud en el apacible frío, moviendo su linterna de un lado a otro sobre la nieve recién caída.

De repente su ensueño se rompió cuando su luz iluminó unas marcas en la nieve. ¡Pisadas! ¡Van hacia Rumania! Levantó el silbato a sus labios y sonó una alarma larga, continua, aguda.

Pronto otros guardias lo rodearon. ¡Por aquí! ¡Por aquí! Saltó y gritó, señalando los cuatro pares de pisadas. «¡No pueden estar lejos! ¡Quizá les demos alcance antes de que lleguen a Rumania!» El grupo salió en la noche todo lo rápido que pudo.

Los envío como ovejas en medio de lobos. Por tanto, sean astutos como serpientes y sencillos como palomas.
Mateo 10:16

Al sonido, cuatro cristianos rumanos se paralizaron en la oscuridad. Escucharon con atención, mientras los gritos de los guardias y los ladridos se disipaban poco a poco en la lejanía. Se miraron unos a otros y sonrieron. A la señal de su líder, continuaron el viaje, caminando con cuidado de espaldas hacia Ucrania, llevando su valioso cargamento de Biblias a sus hermanos y hermanas en la iglesia clandestina.

La Biblia dice que nuestro adversario espiritual utiliza intentos astutos para frustrar al cristianismo. En contraste, nosotros que llevamos el evangelio de la paz parecemos como presas inocentes para lobos. Sin embargo, Jesús nos instruye a reconocer los peligros de ser ovejas entre lobos y a planear de acuerdo con eso. Debemos utilizar una estrategia precisa y tácticas sabias a fin de ser más listos que la oposición y superarla. Satanás tiene poder, pero Dios es todopoderoso. Él lo capacitará con el propósito de ganar la victoria sobre sus enemigos. Su trabajo es pedir sabiduría y valor para llevar a cabo los planes de victoria de Dios. ¿Se está enfrentando a algún problema en particular? ¿Ha orado y le ha pedido a Dios sabiduría mientras planea su próximo paso? Confíe en Él para saber cómo ser más listo que su enemigo; Él lo ha estado haciendo por años.

Como Cristo ya no está en la tierra, quiere que su cuerpo, la iglesia, revele su sufrimiento en el sufrimiento. Como somos su cuerpo, nuestros sufrimientos son sus sufrimientos.

JOHN PIPER, DESIRING GOD [DESEANDO A DIOS]

Impulso extremo

VIETNAM: LINH DAO

Mientras Linh Dao y su madre se acercaban a la cárcel, ella sabía lo que haría. Sin embargo, tendría que hacerlo parecer impetuoso, como la acción de una jovencita dominada por la emoción.

El padre de Linh es un pastor clandestino en Vietnam. Un año antes, cuando tenía diez años de edad, cuatro agentes de la policía irrumpieron en su hogar y lo registraron de arriba abajo, buscando Biblias que ella había escondido en su mochila de la escuela. A su padre lo arrestaron y sentenciaron a la reeducación a través de trabajo forzado.

Mientras llegaban a la cerca de alambre que las separaba del padre de Linh, ella vio su oportunidad. Pasó a través de un agujero en la cerca, corrió a su padre y lo abrazó con fuerza. Los guardias la observaron, sorprendidos, pero la dejaron tranquila. Después de todo, ¿qué daño iba a causar una niñita?

Dame integridad de corazón para temer tu nombre.
Salmo 86:11

La familia de Linh pudo pasarle a su padre de contrabando una pequeña pluma con la cual él escribía Escrituras y sermones en papel de cigarrillo. Estos «sermones de cigarrillos» circularon de celda en celda y llevaron a muchos prisioneros a Cristo.

Linh Dao ahora es una adolescente impetuosa que no se preocupa del riesgo antes de hacer lo que es bueno. Su deseo es seguir los pasos de su padre y ser una predicadora del evangelio. Conoce en lo personal los peligros de expresar su fe en Vietnam comunista y sigue siendo «impulsiva» por obedecer a Cristo en lugar de a los humanos.

Una de las razones que los creyentes no son más impulsivos en su testimonio por Cristo es que escuchan dos voces cuando deberían escuchar solo una. La obediencia impulsiva nunca brota de una atención dividida. Escuchamos la voz de Dios en nuestros corazones que nos dice de inmediato lo que deberíamos hacer en una situación específica. «Dilo ahora. Expresa tu fe». No obstante, a la vez escuchamos nuestra propia voz que presenta toda clase de excusas. «Ahora no. Más tarde. ¿Qué estás haciendo?» Dios nos ofrece un corazón indiviso que solo escucha su voz. Cuando maduramos en nuestra fe, aprendemos que la obediencia viene con más naturalidad, tan impulsiva como un reflejo. ¿A cuál voz escuchará hoy?

Poder extremo

BANGLADESH: ABDULLAH

Desde que Abdullah aceptó a Jesús, su familia ha tratado por todos los medios de cambiar su forma de pensar. Después de todo, su padre era un hombre respetado en su aldea y en todo Bangladesh, habiendo construido una mezquita junto a su propiedad.

Cuando las palabras no convencieron a Abdullah que regresara al islam, recurrieron a los golpes. Cuando esto no resultó, llamaron a otros para golpearlo con más severidad. Nada dio resultados; Abdullah se aferró con tenacidad a su fe en Cristo. Al final, su madre, exasperada, dejó de darle de comer, poniendo solo cenizas en su plato. Abdullah oró por la fortaleza de Dios y se mantuvo firme.

> Pero cuando venga el Espíritu Santo sobre ustedes, recibirán poder.
> Hechos 1:8

Como último recurso, la familia llamó al *mulah* (un líder religioso islámico) a que fuera y celebrara una ceremonia islámica para liberar al muchacho del «diablo» que había tomado control de su vida. El mulah fue a su hogar y recitó oraciones musulmanas sobre el niño. Cantó. Le impuso las manos al muchacho. Danzó y gritó. El Espíritu dentro de Abdullah se mantuvo firme. Después de cinco horas, el mulah se dio por vencido, exhausto.

«El Espíritu de Abdullah es más poderoso que mi espíritu», le dijo al padre del muchacho cuando se retiró. A Abdullah no lograban disuadido, ni detenerlo en hablarles a otros de ese poderoso Espíritu. ¡En unos pocos meses, había guiado a veintisiete musulmanes a la fe en Cristo, infundiéndolos a todos con el Espíritu de Cristo!

En un intento de lidiar de manera creativa con una crisis de energía potencial, ingenieros modernos tratan de diseñar autos que se muevan en su totalidad con baterías. El problema es que los autos necesitan tener acceso a una fuente de energía que recargue sus baterías. Hasta ahora, el concepto es aún tan nuevo que las estaciones con los cargadores de energía auxiliar son pocas y distantes unas de otras. Sin una fuente de energía, el auto es impotente. Asimismo, los cristianos que tratan de ser testigos eficientes sin el poder del Espíritu Santo son del mismo modo impotentes. Además de aprender la Palabra de Dios, debemos depender del Espíritu Santo por sabiduría, protección y poder en nuestro testimonio. ¿Está tratando de hacer cosas por Jesús con su propio esfuerzo en lugar de permitir que su poder fluya a través de usted?

Amor extremo por la Palabra de Dios

INGLATERRA:
UNA SIRVIENTA JOVEN

En el siglo dieciséis, el rey Felipe II adoptó una postura severa en contra de los que trataban de interpretar solos las Escrituras. Cualquier persona que se encontraba estudiando la Biblia durante este tiempo la ahorcaban, quemaban en la hoguera, ahogaban, descuartizaban o enterraban viva.

A los inquisidores del rey los enviaron a inspeccionar la casa del alcalde de Brugge a fin de ver si allí se celebraban algunos estudios bíblicos. En su búsqueda, descubrieron una Biblia. Todos los presentes negaron saber nada acerca de ella. Entonces una joven sirvienta entró. Cuando le preguntaron acerca de la Biblia, declaró:

—¡Yo la estoy leyendo!

—Ah, no, ella no sabe leer —dijo el alcalde tratando de defenderla.

Ábreme los ojos, para que contemple las maravillas de tu ley.

Salmo 119:18

Sin embargo, la sirvienta no deseaba que la defendieran por una mentira.

—Es cierto, este libro es mío. ¡Yo lo estoy leyendo, y es más valioso para mí que cualquier otra cosa!

La sentenciaron a morir asfixiada, sellada en la pared de la ciudad. Un momento antes de su ejecución, le preguntó un oficial:

—¿Tan joven y bella y lista para morir?

—Mi Salvador murió por mí —respondió ella—. Yo también moriré por él.

Cuando al fin solo faltaba un ladrillo para terminar la pared, le dijeron de nuevo:

—¡Arrepiéntete! ¡Di solo una palabra de arrepentimiento!

En lugar de eso ella expresó su único deseo de estar con Jesús y añadió:

—¡Ah Señor, perdona a mis asesinos!

Para algunos es un simple libro... un libro de mayor éxito en ventas por años. Para otros es solo una tradición familiar, dada en bodas, nacimientos y funerales. Aun para otros, es la Palabra santa e inspirada de Dios. Esos creyentes se aferran a las palabras como si fueran cartas de un amante, leyéndolas una y otra vez. ¿Qué ven en la verdad de la Palabra de Dios? ¿Qué los hace estar dispuestos a arriesgar la vida por leerla? Pídale a Dios la respuesta. Si las verdades permanecen como un misterio para usted, pídale a Dios que abra sus ojos para ver sus palabras con más claridad. Sin su ayuda, las palabras permanecerán como marcas en una página. Sin embargo, Dios hace que cobren vida.

Testigo extremo

—¿Qué sucedió? —preguntó la madre de Corea del Norte cuando su hijo entró por la puerta principal con una mirada de consternación.

—Hoy me encontraba con mi amigo cuando dos agentes de la policía nos detuvieron. Derribaron a mi amigo y lo acusaron de ser cristiano. Mi amigo no trató de defenderse. Aun con una pistola que le apuntaba directo, su rostro permaneció tranquilo.

»Me miró a los ojos y sin decir palabra, ya sabía lo que estaba diciendo. Quería que yo creyera lo mismo que él. Y entonces solo dijo "Bendícelos". Lo ejecutaron delante de mí porque era cristiano. Yo ni siquiera sé qué es un cristiano. No comprendo nada de esto.

Después que contó su historia, su madre sostuvo su cabeza en sus manos y dijo con sencillez:

—Yo comprendo.

Entonces comenzó a declararle la verdad acerca de Cristo su Salvador. Le enseñó a su hijo acerca del nacimiento milagroso de Jesús, y la oportunidad de salvación que vino a través de su muerte en una cruz. Aunque le dolía que nunca se hubiera atrevido a testificarle a su hijo porque le preocupaba su seguridad, agradecía que Dios les diera una segunda oportunidad.

—Cuando esas balas atravesaron el corazón de tu amigo, Dios sembró una semilla de esperanza en el tuyo.

Hoy en día este joven está pasando Biblias de contrabando hacia Corea del Norte y estableciendo casas-iglesias.

Pues ustedes han nacido de nuevo, no de simiente perecedera, sino de simiente imperecedera, mediante la palabra de Dios que vive y permanece.
1 Pedro 1:23

La madre del niño le dio vida física cuando nació en su familia, pero le pasó la oportunidad de ayudarle a recibir vida eterna a través del nuevo nacimiento. La vida física desaparece, pero el regalo de Dios de vida eterna dura para siempre. Cuando declaramos la Palabra de Dios a los que amamos, Dios les ofrece vida eterna. ¿Ha perdido una oportunidad de presentar el plan de salvación a los que ama? Pídale a Dios que le dé una segunda oportunidad como le dio a la madre de este muchacho. No espere a que la tragedia llegue antes de aprovechar la oportunidad.

Himno extremo

COREA DEL NORTE: ELIZABETH PRENTISS

«Me siento tan vacía», lloraba Elizabeth Prentiss. La pérdida de dos hijos parecía abrumadora. Aunque había experimentado gran dolor en su vida al perder el uso de sus piernas, su fe en Cristo la mantuvo siempre sonriente con una habilidad singular de alentar a otros.

Esta vez el pesar era demasiado que soportar. «Dios, por favor ministra a mi espíritu quebrantado».

Dios contestó su oración. Una tarde, conmovida más allá de su hondo dolor, escribió la letra de este conocido himno inspirador:

Sentir más grande amor por ti, Señor;
Mi anhelo es mi oración que elevo hoy.
Dame esta bendición: sentir por ti, Señor,
más grande amor [...]
Busqué mundana paz y vil placer;
No quiero hoy nada más que tuyo ser [...]
Tu nombre, yo al morir, invocaré,
Contigo iré a morar, tu faz veré.
Y por la eternidad pensando en tu bondad,
Más te amaré, más te amaré.

> *Más bien, en todo [...] nos acreditamos como servidores de Dios [...] aparentemente tristes, pero siempre alegres.*
>
> 2 Corintios 6:4, 10

[«Sentir más grande amor», tr. Ernesto Barocio, Himnario de Alabanza Evangélica, El Paso, TX, 1978].

Elizabeth nunca supo el consuelo y el impacto que su himno tendría sobre los cristianos de hoy en día. En Corea del Norte, cuando el ya fallecido líder comunista Kim Il Sung descubrió treinta cristianos viviendo bajo tierra, los hizo sacar para ejecutarlos en público. Las últimas palabras cantadas por los cristianos mientras se enfrentaban a la muerte fueron las de su himno: «Sentir más grande amor».

Jesús no nos escatima la aflicción. Se da cuenta que algunas veces solo tenemos que llorar. Aun así, nos ama demasiado para permitirnos que nos ahoguemos en nuestras lágrimas de aflicción. Permite que la angustia dure el tiempo suficiente para hacer su obra en nuestras vidas, haciéndonos crecer para ser más como Él. Entonces, en ese momento cuando pensamos que ya no podemos más, vemos un cambio positivo en nuestras vidas. Llegará el día en que nos sentiremos más fuertes. La carga parecerá más ligera. Como los cristianos de Corea del Norte esperando la persecución, nosotros al fin sabremos lo que es regocijarnos incluso en el sufrimiento. ¿Ha experimentado la obra completa de la angustia? ¿Le ha traído más amor hacia Cristo?

Almacén extremo

RUMANIA: EL PASTOR RICHARD WURMBRAND

El pastor Richard Wurmbrand abrió la pesada puerta de acero y entró en la gran habitación de concreto. Miró a su alrededor a los libros amontonados en el suelo. Con una amplia sonrisa y lágrimas en los ojos, recogió uno y se lo mostró a su amigo. Era una Biblia para niños en el idioma rumano.

Después de calmarse, dijo: «Yo estuve aquí donde ahora se encuentra este almacén. Estuve aquí mismo, diez metros bajo tierra e incomunicado por tres años. Nunca vi el sol ni la luna. Me golpeaban casi a diario. Ahora las Biblias y mis libros están almacenados aquí. ¡Dios no lo podía haber hecho mejor!».

Ahora bien, sabemos que Dios dispone todas las cosas para el bien de quienes lo aman, los que han sido llamados de acuerdo con su propósito.
Romanos 8:28

Cuando cayó el comunismo en Rumania en 1989, obreros de La Voz de los Mártires lograron comprar una librería y una imprenta grande de los comunistas caídos por un precio insignificante. Imprimieron miles de los libros de Richard Wurmbrand y Biblias y necesitaban un lugar temporal para almacenarlos. El nuevo alcalde de Bucarest ofreció el almacén debajo del palacio de Ceausescu; ¡el lugar exacto donde Richard pasó años en prisión orando por un ministerio en su patria de Rumania!

Cuando Richard estuvo en la cárcel, los guardias le dijeron que nunca quedaría en libertad, ni haría ninguna otra labor útil para Dios. ¡Hoy en día, su lugar de tortura se ha convertido en un lugar de ministerio!

Vainilla, mantequilla, azúcar, harina y cacao componen la lista de ingredientes para hacer un pastel de chocolate perfecto. Mezclando todos esos ingredientes hacemos un postre dulce. No obstante, si quitamos cualquiera de esos ingredientes, como la vainilla, el sabor no es tan dulce, sino aun amargo. Asimismo, Dios es un experto cocinero, mezclando los ingredientes en nuestras vidas para hacer una ofrenda dulce a Él. Una experiencia individual por sí sola quizá sea amarga; pero mezclada con todo lo demás, nuestras vidas se convierten en una creación divina. ¿Está experimentando una prueba amarga ahora mismo? Espere para ver cómo Dios utilizará esa experiencia y traerá otros ingredientes a la mezcla. Confíe en Él, espere y vea.

Usted solo puede ayudar a otros en proporción a lo que ha sufrido. Mientras mayor es el precio, más puede ayudar a otros. Mientras menor es el precio, menos puede ayudar a otros. A medida que pasa a través de las pruebas ardientes, las tribulaciones, las aflicciones, las persecuciones, los conflictos, a medida que permite que el Espíritu Santo obre la muerte de Jesús en usted, la vida fluirá hacia otros, aun la vida de Cristo.

EL CRISTIANO CHINO WATCHMAN NEE,
ENCARCELADO EN CHINA POR SU FE

Lealtad extrema

RUMANIA: EL PASTOR RICHARD WURMBRAND

Los doce estudiantes estaban de pie con su pastor a lo largo de la cerca. Del otro lado había una zanja grande, más allá de la cual había una abertura a una cueva artificial. Un gran león se movía de un lado a otro frente a la entrada de la cueva.

Su pastor dijo: «A sus antepasados los arrojaron ante tales bestias salvajes por su fe. Sepan que ustedes también tendrán que sufrir. A ustedes no los arrojarán a los leones, pero tendrán que sufrir a manos de hombres que tal vez sean mucho peor que estos animales. Decidan ahora mismo si desean prometer lealtad a Cristo».

Dios es el que nos mantiene firmes en Cristo, tanto a nosotros como a ustedes.

2 Corintios 1:21

Los estudiantes se miraron entre sí. Ante ellos estaba su pastor, Richard Wurmbrand, un hombre que había pasado catorce años en la cárcel por su trabajo en la iglesia clandestina. Esta era la última semana del pastor en Rumania, ya que se había pagado un rescate a fin de que él y su familia salieran de su patria, y se marcharían en unos pocos días.

Richard no sabía si sus alumnos de la escuela dominical sufrirían bajo la mano cruel de los comunistas ateos, pero quería implantarles una fe que sobreviviera las pruebas más severas. Así que llevó a los alumnos al zoológico local para ver los leones.

Aunque jóvenes, los estudiantes comprendieron todo lo que su pastor les quería decir. Con lágrimas, contestaron decididos: «Prometemos nuestra lealtad a Cristo».

La lección de Richard a los jóvenes era oportuna. Aunque a lo mejor no comprendieran todas las implicaciones del martirio hasta más tarde y quizá nunca tuvieran que enfrentarse a ello, esa ilustración los ayudó a tomar una decisión importante. Aseguraron su lealtad a Cristo por adelantado. Una decisión tomada por adelantado es la clave del éxito durante la oposición. Debemos establecer quién tiene nuestra lealtad mucho antes de que se ponga a prueba. El momento de mayor presión no es el de considerar nuestras opciones y decidir nuestras convicciones. Es el momento de poner en acción nuestras convicciones predeterminadas. ¿Ha establecido sus convicciones antes de la tentación a fin de que ningún patrón, cónyuge, familiar, gobierno u otra autoridad logre cambiar su forma de pensar?

Testimonio extremo

ARMENIA: BARTOLOMÉ

El rey Astiages le gritaba: «¡Pervertiste a mi propio hermano, a mi esposa y a algunos de mis hijos! ¡Trastornaste la adoración de nuestros dioses! ¡Los sacerdotes de Astarté claman por tu sangre! ¡Si no dejas de predicar a este Jesús y sacrificas a nuestros dioses, morirás con mucho dolor!»

Después que los apóstoles se separaron, Bartolomé viajó con el evangelio a través de Laconia, Siria, el norte de Asia y hacia la India. Después fue a la capital armenia de Albana, donde muchos aceptaron a Cristo. A Bartolomé lo llevaron aquí ante el rey para que lo sentenciara.

«Yo no los he pervertido», respondió Bartolomé, «sino que los he convertido a la verdad. No sacrificaré a sus falsos dioses. ¡Yo solo he predicado la adoración del único Dios verdadero y prefiero sellar este testimonio con mi propia sangre que sufrir el más pequeño desastre de mi fe o de mi conciencia!»

El rey estaba furioso. Para callar a Bartolomé, ordenó que le pegaran con varas y lo torturaran. Sin embargo, Bartolomé alentó a otros a que se aferraran a la verdad. Entonces lo colgaron de cabeza en una cruz y lo desollaron vivo con cuchillos. A pesar de eso, llamó a todos a venir al único Dios verdadero y a su Hijo, Jesucristo. Al final, el rey ordenó que decapitaran a Bartolomé con un hacha, silenciando su llamado, pero preservando su testimonio y sellando su destino en Jesucristo.

Ellos lo han vencido por medio de la sangre del Cordero y por el mensaje del cual dieron testimonio; no valoraron tanto su vida como para evitar la muerte.

Apocalipsis 12:11

Quizá algunos que escuchan las historias de los mártires leen acerca de sus vidas con un sentido de derrota. Después de todo, como Bartolomé, al final murieron a manos de sus enemigos. Incluso de Jesús, se ha llegado a una conclusión similar. Quienes refutan su resurrección piensan que era un maestro maravilloso cuyo ministerio quedó trunco de manera trágica por su muerte prematura. ¿Es la muerte en realidad una señal de la victoria de Satanás? No en el caso de Jesús. Es más, la muerte de Jesús fue la victoria final de Dios sobre el pecado. En el caso de los mártires cristianos, el testimonio proporcionado a través de sus muertes valerosas llevó a muchos más a la fe de lo que jamás pudieron en vida. Es posible honrar a Dios con su muerte al igual que con su vida.

Declaraciones extremas

Septiembre 5

ROMA: EL APÓSTOL PABLO

Pablo le escribió a Timoteo: «Pelea la buena batalla de la fe; haz tuya la vida eterna, a la que fuiste llamado» (1 Timoteo 6:12). Conocía de cerca la batalla.

Pablo describió algunas de sus experiencias a los corintios: «En todo y con mucha paciencia [...] en sufrimientos, privaciones y angustias; en azotes, cárceles y tumultos; en trabajos pesados, desvelos y hambre [...] como moribundos, pero aún con vida; golpeados, pero no muertos; aparentemente tristes, pero siempre alegres; pobres en apariencia, pero enriqueciendo a muchos; como si no tuviéramos nada; pero poseyéndolo todo» (2 Corintios 6:4-5; 9-10).

Mientras estaba en la cárcel sentenciado a muerte, Pablo le escribió a los filipenses: «Porque para mí el vivir es Cristo y el morir es ganancia. Ahora bien, si seguir viviendo en este mundo representa para mí un trabajo fructífero [...]. Me siento presionado por dos posibilidades: deseo partir y estar con Cristo, que es muchísimo mejor, pero por el bien de ustedes es preferible que yo permanezca en este mundo. Convencido de esto, sé que permaneceré y continuaré con todos ustedes para contribuir a su jubiloso avance en la fe» (Filipenses 1:21-25).

Sin embargo, algunos años más tarde, le escribió a Timoteo: «He peleado la buena batalla, he terminado la carrera, me he mantenido en la fe» (2 Timoteo 4:7). En Roma, a los sesenta y cuatro años de edad, decapitaron a Pablo por orden del emperador Nerón y fue a estar con Jesús.

> *Sin embargo, considero que mi vida carece de valor para mí mismo, con tal que termine mi carrera y lleve a cabo el servicio que me la encomendado el Señor Jesús, que es el de dar testimonio del evangelio de la gracia de Dios.*
> Hechos 20:24

Si alguna vez necesitamos inspiración para continuar adelante en medio del sufrimiento, no necesitamos buscar más allá de la vida de Pablo. Su carrera de resistencia comenzó con problemas desde el principio. Pasó a través de una miríada de experiencias espeluznantes registradas en el libro de los Hechos. Aun así, consideró que todo lo que soportó no era nada comparado con conocer a Jesús y hacer que otros lo conocieran. ¿Puede decir lo mismo que Pablo respecto al sufrimiento? ¿No hay nada capaz de detenerlo de su meta de conocer a Cristo y hacer que otros lo conozcan? Si teme que está en su última etapa de servicio fiel, preste atención a las palabras de aliento de Pablo y comience su segundo esfuerzo.

«Bautista» extremo

JUDEA: JUAN EL BAUTISTA

Juan el Bautista nunca cesó de hablar a favor de la justicia. Cuando el rey Herodes Antipas mató a su esposa para tomar la esposa de su hermano, Juan lo reprendió. Le dijo a Herodes que desobedecería las leyes de Dios si hacía eso. Herodes llegó a odiar a Juan por reprenderlo, pero también le temía porque el pueblo lo consideraba un profeta. Herodes quería matar a Juan, pero no se atrevía a ponerle una mano encima y arriesgarse a la reacción violenta del pueblo. Sin embargo, bajo presión de su nueva esposa, Herodías, hizo lo mejor en lugar de matarlo: lo echó a la cárcel.

Mientras estaba en la cárcel, Juan envió mensajeros a Jesús para verificar que era Aquel que esperaban del cual había profetizado. Con la certeza de Jesús de quién era, de hecho, Aquel que esperaban, Juan descansó en el conocimiento de que la misión de su vida estaba completa. El Mesías había venido. Juan sabía que lo que le ocurriera ahora no tenía importancia. Todo lo que importaba era Jesús.

> *A él le toca crecer, y a mí menguar.*
> *Juan 3:30*

En el cumpleaños del rey Herodes, la reina Herodías envió a su hija a bailar ante él. Cuando Herodes hizo una impetuosa promesa bajo juramento de darle a la chica cualquier cosa que quisiera, ella con astucia pidió la cabeza de Juan en una bandeja. Herodes, avergonzado frente a sus invitados, no tuvo el valor de rehusar esta escandalosa petición, así que ordenó que decapitaran a Juan.

Muchos admiran su valor y exaltan su valentía, pero los mártires no vivieron y murieron para que los admiraran. Es posible que se llegue a venerar tanto sus historias que perdamos de vista el propósito de sus vidas. Los que murieron por su fe lo hicieron para exaltar a Jesús, no para hacerlo menguar. Nuestra respuesta a sus vidas debería ser una mayor veneración por el Señor, no que nos impresionemos por gente de carne y hueso. Su mayor sentido de compromiso no está en lo que le traerá elogios. Su devoción no está en que se vaya a escribir su nombre en la galería de los cristianos famosos. Su compromiso debe glorificar a Jesús y solo a Él.

«Archivero» extremo

UNA CÁRCEL COMUNISTA: FLORICA

Florica estaba escéptica y se resistía a tener esperanza. Hacía varias semanas que habían visto a mujeres saliendo de la cárcel. Nadie sabía a dónde las llevaban mientras las llamaban por nombres y las mujeres se reunían en el patio de la cárcel. Quizá las ponían realmente en libertad.

Y así, cuando escuchó que llamaban su nombre, se resignó a aceptar la voluntad de Dios, fuera lo que fuera.

El comandante detrás del escritorio dijo: «Debes saber que en este lugar yo soy más poderoso que Dios. Al menos, hasta este momento tu Dios no ha hecho ninguna intervención a tu favor. ¿En verdad has aceptado esto? Quiero decir, ¡ya te habrás dado cuenta que en una sociedad comunista no se necesita un dios! Y tú tampoco debes necesitar uno. Si alguna vez te ponen en libertad de aquí, verás por ti misma los asombrosos logros que hemos alcanzado en los últimos años, ¡y solo estamos comenzando!».

Para que todo el mundo se calle la boca y quede convicto delante de Dios.
Romanos 3:19

Florica vio los documentos en su escritorio y respondió: «Ya veo que usted es poderoso. Y estoy segura de que tiene aquí documentos acerca de mí que nunca he visto y que pueden decidir mi destino. Sin embargo, Dios también mantiene sus archivos. Ninguno de nosotros tendría vida sin Él. Así que si me deja aquí o me pone en libertad, yo lo aceptaré como lo mejor para mí».

Tres días más tarde, a Florica la pusieron en libertad.

Cuando los niños están en la escuela, aprenden enseguida el poder de la pizarra. Desde la perspectiva de un niño, tener su nombre escrito en la pizarra por el maestro es la máxima responsabilidad para los estudiantes rebeldes. Cuando éramos niños, ansiábamos que los que nos causaban problemas tuvieran sus nombres escritos en la pizarra. Estábamos seguros de que el castigo sería rápido y seguro. ¿Hemos perdido un poco de esa confianza infantil? ¿Estamos tan cansados por la proliferación de la maldad en el mundo de hoy en día que ya no creemos que Dios sigue «anotando nombres»? La Biblia nos enseña que el mundo entero tiene responsabilidad ante Dios. Así que, no se desanime cuando vea que la maldad al parecer no tiene castigo. Dios los llevará a la justicia.

Revolucionarios extremos

ROMA

Los cristianos primitivos eran revolucionarios espirituales. En una sociedad que adoraba ídolos y llamaba «ateos» a quienes se negaban a hacerlo, los cristianos eran una fuerza radical que amenazaba la continuidad de Roma. Iban en contra del gobierno mayoritario así que llegaron a percibirlos como una amenaza a la autoridad romana. Los odiaban tanto que sus muertes no solo eran numerosas, sino que las llevaban a cabo con un estilo horrendo.

Los cristianos eran revolucionarios que proclamaban el último juicio y la futura transformación del mundo a través del regreso de Cristo para que muchos se salvaran. Promovían a Jesucristo como una autoridad superior que el emperador romano. Por lo tanto, los emperadores romanos enviaron decretos que manifestaban que cualquiera que profesara ser cristiano se sentenciaba a morir sin entablar un proceso legal. A estos «rebeldes» que se atrevían a desafiar la autoridad del emperador no se les proporcionaban derechos legales. El imperialismo romano patrocinó diez períodos de persecución extrema, cada uno peor que el anterior.

Haz tuya la vida eterna, a la que fuiste llamado y por la cual hiciste aquella admirable declaración de fe delante de muchos testigos.

1 Timoteo 6:12

Los revolucionarios llegaron a conocerse por el nombre de *mártir*. Lo adoptaron esos testigos que llevaron sus testimonios ante jueces y emperadores con la determinación de soldados bien disciplinados. Los llamaron mártires o confesores, incluso si no murieron bajo escrutinio. Sencillamente no cambiarían su forma de pensar. El martirio significa ser un testigo de su fe en Cristo, a pesar de severas circunstancias. Todo testigo por Cristo es un revolucionario de hoy en día.

Los mártires en la historia eran, como nosotros lo somos hoy en día, soldados en una guerra espiritual. La batalla comenzó cuando Jesús despachó los poderes de maldad muriendo en la cruz. En su muerte, desarmó al infierno y a sus demonios. Los mártires continúan su batalla, sin embargo, no peleando con armas físicas, sino con armas espirituales. Su confesión es al arma elegida. Marchan al territorio enemigo como los países restringidos y proclaman sin temor la victoria de Cristo sobre Satanás. Su valiosa posesión no es la vida, sino su testimonio. Es por eso que están dispuestos a entregar la vida por mantener sus creencias. ¿Dónde se unirá a la batalla? ¿Está dispuesto a blandir el arma de su confesión?

La Comisión

Le pedí al Señor que ayudara a mi vecino,
Y llevara el evangelio a tierras lejanas,
Y consolara al enfermo, pero Él me dijo:
Si me amas, sé mis manos.

Le pedí al Señor que fuera a los moribundos,
Y al huérfano en la calle,
Y visitara al preso, pero Él me dijo:
Si me amas, sé mis pies.

Le pedí al Señor que mirara al pobre,
Y cuidara a cada bebé que llora,
Y viera la necesidad de cada hombre, pero Él
me dijo:
Si me amas, sé mis ojos.

Le dije al Señor, yo quiero servirte,
Pero no sé dónde comenzar.
Amar es la respuesta, Él me dijo:
Si me amas, sé mi corazón.

G. SHIRIE WESTFALL

Resistencia extrema

PATMOS: EL APÓSTOL JUAN

¿Qué hace con alguien que lo hierven en aceite pero no muere?

Se dice que el emperador romano Domiciano ordenó que al apóstol Juan lo hirvieran en aceite hasta morir, pero Juan solo continuaba predicando desde dentro de la cazuela. En otro momento, a Juan lo obligaron a beber veneno, pero como se promete en Marcos 16:18, no le hizo daño. Por lo tanto, a Juan, la cabeza de la iglesia de Éfeso en ese tiempo, lo desterraron a Patmos en el año 97 d.C.

Juan sobrevivió todo esto porque Dios aún no había terminado con él. Todavía tenía que venir una «revelación».

Mientras estaba en una cueva en la isla de Patmos, Juan recibió una visión. La visión se convirtió en el libro de Apocalipsis; el libro que actuaría como la fuerza impulsora para la evangelización en la era de la iglesia. Profetizó los hechos alrededor del regreso de Cristo. Juan escribió acerca de la segunda venida de Cristo y la esperaba con ansias. Aun hoy en día sus escrituras inspiran a los creyentes a esperar el glorioso regreso de Cristo.

Dos años después del exilio de Juan, el emperador Domiciano murió y Juan regresó a la iglesia de Éfeso. El más joven de los discípulos vivió para ser también el más viejo, muriendo en paz en Éfeso a los ochenta años de edad después de más de medio siglo de servicio constante a la iglesia de Jesús.

Yo, Juan, hermano de ustedes y compañero en el sufrimiento, en el reino y en la perseverancia que tenemos en unión con Jesús, estaba en la isla de Patmos por causa de la palabra de Dios y del testimonio de Jesús.

Apocalipsis 1:9

Es imposible retirarse del servicio de Dios. Solo pregúntele a Juan. En un tiempo cuando el promedio de vida era mucho menor, Juan vivió hasta llegar a los ochenta años de edad, sirviendo con fidelidad todo ese tiempo. Quizá usted ha estado batallando con su propia utilidad en el servicio de Dios. Quizá se siente demasiado viejo y se encuentra pensando que Dios pudiera utilizar a alguien más joven en su lugar. O Quizá es joven y soltero y se pregunta si una pareja casada sería más lo que Dios tiene en mente. En lugar de permitirle dejar de hacer algo por sus propias excusas, Dios quiere desarrollar en usted una resistencia espiritual que no se desilusiona con facilidad. Comience pidiéndole a Dios hoy que le revele sus próximos pasos en el servicio a Él.

Desobediencia extrema

JERICÓ: RAJAB

Cuando Josué envió dos espías a explorar la tierra de Jericó, se escondieron en la casa de Rajab la prostituta. La casa de Rajab estaba construida sobre la muralla de Jericó, un muro que impedía el paso ilegal de visitantes inoportunos. Cuando el rey se enteró que los espías israelitas estaban en la ciudad, envió de inmediato un mensaje a Rajab. Le ordenó que sacara a los espías que entraron en su casa.

Rajab desobedeció la orden de su rey y escondió a los espías, incluso mintiendo para proteger su paradero. Más tarde esa noche, sacó en secreto a los espías de la ciudad bajándolos con una larga soga a través de su ventana y por la muralla.

No hay autoridad que Dios no haya dispuesto.

Romanos 13:1

Rajab sabía poco del Dios de Israel, pero estaba preparada para ayudar a su pueblo. Desobedeció a sus autoridades paganas e incluso puso su vida en peligro. Como resultado, se le perdonó la vida.

Un acto similar de contrabando se encuentra en Hechos 9:25. Poco después de su conversión, Pablo pasó varios días con los discípulos en Damasco, predicando y enseñando en las sinagogas. Los judíos estaban tan confundidos por el cambio en Pablo que lo consideraron una amenaza. Los discípulos lo bajaron por una muralla para salir de las puertas de la ciudad y salvar su vida de los judíos que conspiraban para matarlo.

Algunos cristianos creen que desobedecer a las autoridades gubernamentales en los países restringidos justifica la persecución. ¿Merecen los cristianos chinos que rehúsan inscribirse con la iglesia oficial las palizas que soportan? En los países islámicos, ¿merecen los musulmanes que se convierten al cristianismo que los apedreen hasta la muerte? Mientras que ciertos pasajes quizá se interpreten de manera diferente, todos los cristianos estamos de acuerdo en que no debemos permitir que el gobierno nos obligue a desobedecer las leyes de Dios. Desde luego, esto no les permite a los cristianos llevar a cabo venganzas personales en contra del estado. La desobediencia solo se justifica cuando nos obligan a decidir entre la lealtad a Cristo y la lealtad a las leyes del gobierno. ¿Cuál es su postura en este asunto? Estudie las Escrituras y decida por sí mismo.

Engaño extremo

COREA DEL NORTE: UNA ANCIANA

«Un día la maestra nos dijo que jugaríamos un juego especial. Nos habló en voz baja sobre un libro especial que nuestros padres quizá escondieran en la casa. Debíamos esperar a que nuestros padres se durmieran, buscar este libro y traerlo en secreto a la escuela al día siguiente para recibir una sorpresa especial. Yo fui a casa y enseguida comencé a buscar el libro.

»Al otro día, yo fui una de los catorce niños que llevaron el libro negro, una Biblia, a clase. Nos regalaron unas bufandas de color rojo brillante y los otros niños aplaudieron mientras la maestra nos marchaba alrededor del aula.

Y no es de extrañar, ya que Satanás mismo se disfraza de ángel de luz. Por eso no es de sorprenderse que sus servidores se disfracen de servidores de la justicia.

»Yo corrí a casa esa tarde porque estaba muy emocionada por contarle a mi madre cómo me había ganado la bufanda roja. Ella no estaba en la casa ni en el granero. Yo esperé, pero ni ella ni mi padre llegaron a casa, y yo comencé a sentir temor. Tenía hambre y estaba oscureciendo. Comencé a sentirme mal por dentro y me quedé dormida en una silla.

»Al día siguiente agentes de la policía vinieron y me informaron que yo estaba ahora bajo la custodia del gobierno. Nunca vi de nuevo a mis padres».

2 Corintios 11:14-15

Una anciana de Corea del Norte contó esta historia. Nunca supo de sus padres y todavía batalla por encontrar perdón. Ella es solo una de muchas que pasaron a través de tales pruebas.

Contrario a la caricatura popular, el diablo no se aparece con un traje rojo, ni con un tridente. Reconoceríamos con facilidad una insinuación tan obvia de la maldad. Sin embargo, como la niña en esta historia, con frecuencia nos encontramos con él de otra manera. Los representantes del enemigo a menudo son personas impresionantes en posiciones altas. Considere la influencia de un socio de negocios convincente. O imagínese el poder que un profesor universitario ejerce en nombre de la enseñanza. Como lo descubrió la niña en esta historia, el enemigo juega sucio. Debemos echar a un lado la ingenuidad y estar en guardia contra el enemigo siempre que nos encontramos con él o sus representantes. ¿Es una presa fácil para el enemigo? ¿O lo encontrará alerta y en guardia?

Prisionero extremo

VIETNAM: TO DINH TRUNG

To Dinh Trung ha viajado cientos de kilómetros en su bicicleta, a través de caminos de tierra llenos de baches para ministrar a la tribu K'Ho. Esta es una de sesenta tribus en Vietnam en las que el gobierno prohíbe que los visitantes evangelicen. Cuando entró en la aldea el 4 de abril de 1995, la policía de repente lo bajó de su bicicleta y comenzó a golpearlo. Lo grabaron en vídeo y lo ridiculizaron frente a los aldeanos.

Lo llevaron a la cárcel y lo detuvieron durante seis meses antes del juicio. Cuando entonó un cántico de niños llamado: «Ama al Señor Día y Noche», lo sentenciaron a pasar aun más tiempo en la cárcel.

Yo, Pablo, prisionero de Cristo Jesús por el bien de ustedes los gentiles.

Efesios 3:1

Al final, debido a la presión que ejercieron las organizaciones de ayuda cristiana sobre el gobierno, a Trung le ofrecieron ponerlo en libertad seis meses antes de tiempo. Sin embargo, aunque tenía una esposa fiel y dos hijos pequeños que lo esperaban, ¡el evangelista no estaba listo para irse! Vio esto como otra oportunidad divina de predicarles a los perdidos. ¿Qué iban a hacerle? ¡Ya estaba en la cárcel!

A través de los esfuerzos de Trung en la cárcel cerca de Quang Ngai, muchos se entregaron a Cristo. Después de escuchar sobre los numerosos cristianos que estaban orando y haciendo peticiones a su favor, ¿cómo iba a desperdiciar esta oportunidad de ser un ejemplo abandonando su vida por el reino de Dios? Trung rehusó su libertad anticipada y optó por permanecer en la cárcel y continuar su labor como evangelista.

Trung fue una vez un prisionero del estado y estaba sujeto a crueldad y tortura. Sin embargo, cuando decidió permanecer en la cárcel por el término de su sentencia, se convirtió en un prisionero de Jesucristo. El estado trató de quebrantarlo. Su nuevo Amo, Jesús, lo restauró. El estado trató de apagar su mensaje. Jesús tomó su mensaje a cada celda de la cárcel, haciendo de Trung el doble de eficiente como evangelista que antes de su sentencia. Trung nos recuerda lo que es disfrutar la libertad bajo el gobierno de Cristo aun en medio de sentirse esclavizado a las preocupaciones y desgracias de esta vida. Usted pudiera sentirse como un prisionero de una situación deprimente similar. Permita que Jesús lo libere permitiéndole que Él se convierta en el verdadero Amo de su vida.

Pastor extremo

SUDÁN: EL PASTOR LUCAS

El pastor Lucas se enfrentaba a las difíciles despedidas de cada uno de sus cinco hijos y su esposa antes de emprender la caminata hacia el campamento de refugiados y regresar a su ministerio en el sur de Sudán. Pasarían tres meses antes que volviera a ver a su familia, pues su ministerio está en una de las zonas más afectadas por la guerra civil y los ataques del gobierno islámico.

La congregación del pastor Lucas no tiene edificio para su iglesia porque la guerra civil de casi dos décadas en Sudán ha destruido muchos edificios. Se reúnen cada semana a la sombra de un árbol grande en el cual se ha grabado una cruz. Los miembros se sientan en el suelo o permanecen de pie durante los cultos mientras el pastor Lucas se para cerca de la cruz y predica.

¿Quién nos apartará del amor de Cristo?

Romanos 8:35

Si el pastor Lucas se quedara con su familia, tendría tiempo con ellos cada día. Desde luego, los obreros de auxilio continuarían proporcionando comida para los sudaneses desplazados, cuidando de sus necesidades físicas. Sin embargo, Dios llamó a Lucas a que cuidara de las necesidades espirituales de las personas. ¿Quién ocuparía su lugar si no fuera?

Lucas ministra en una región que no tenía una iglesia funcionando antes. Obedece el mandato de Dios de ser sal y luz en una zona destruida por la guerra. Es difícil para el pastor Lucas, algunas veces angustioso, dejar a su familia. Sin embargo, Dios ha recompensado su sacrificio con una «iglesia bajo un árbol» llena de vida y creciente.

La obra de Dios a veces nos separa de los que amamos. Jesús mismo dejó todo lo conocido en su pueblo natal y a su familia cuando tenía treinta años de edad para comenzar su ministerio. Si vamos a seguir los planes de Dios para nuestras vidas, ese camino nos llevará a menudo lejos de lo familiar y hacia lo desconocido. Mientras que nuestro peregrinaje tal vez nos separe de nuestros seres queridos, de nuestro hogar, nuestra comodidad y nuestra seguridad, nunca estamos separados del amor de Cristo. Su amor es nuestro compañero constante y, por lo tanto, nunca estamos solos en verdad. ¿Está añorando su hogar? ¿Su familia? ¿Sus amigos? Si está seguro que sigue la voluntad de Dios para su vida, debe permanecer en la tarea. Cristo será su compañero constante.

Predicador de televisión extremo

VIETNAM: EL HERMANO K'BE

La primera vez que los hijos del hermano K'Be lo vieron en la televisión vietnamita, estaban emocionados. Su emoción desapareció cuando escucharon al locutor decir que su padre era un criminal. Decían que era culpable de muchos «crímenes» contra el gobierno vietnamita.

Los «crímenes» del hermano K'Be eran predicar el evangelio en reuniones de casas-iglesias sin inscribir. El gobierno puso su rostro en televisión a fin de avergonzarlo y advertirles a otros que se cuidaran de él. También transmitieron entrevistas que la policía le hizo a través de la televisión y la radio, pero esto solo ayudó a diseminar aun más el mensaje del evangelio. Le dio una plataforma para alcanzar a muchos otros para Cristo. Los que lo vieron en televisión, preguntaban sobre su fe y él pudo hablarles de Cristo.

Este es mi evangelio, por el que sufro al extremo de llevar cadenas como un criminal. Pero la Palabra de Dios no está encadenada.

2 Timoteo 2:8-9

«Pusieron mi rostro en televisión para que las personas me identificaran», explicó. «Mis vecinos dicen: "¿Por qué dejar su familia?". Yo les digo que Dios se ocupará de eso. Yo debo ir. La cosecha está lista y hay pocos obreros».

Viendo que la vergüenza pública no refrenaba el ministerio de K'Be, la policía lo ha amenazado de arrestarlo la próxima vez que lo atrapen predicando. «Mi esposa se regocija que nuestros nombres están en el Libro de la Vida y que mi rostro sea un testimonio en televisión. La policía está ayudando a diseminar el evangelio. Pueden cerrar la iglesia, pero no nuestro testimonio».

Los creyentes pudieran ser clavados a un poste, encadenados en una celda de la cárcel o encerrados en empalizadas. Los creyentes incluso pudieran morir. No obstante, el evangelio sigue vivo. K'Be nos recuerda que el evangelio no se trata de un edificio de una iglesia, de una reunión, ni de un creyente en particular. El edificio de una iglesia lo pueden cerrar. Una reunión se puede disolver. A un creyente se puede encarcelar o matar. ¿Está nuestro entendimiento del cristianismo atado a cierto pastor o edificio de una iglesia o actividad? ¿Florecería aún su fe (como ocurre en los países restringidos) si todas estas formas externas se eliminaran? La Palabra de Dios permanecería a pesar de estas restricciones. ¿Seguiría encontrando una forma, como lo hizo K'Be, de continuar viviendo su fe?

La oportunidad de ser un siervo del Señor existe en todos los tiempos y en todos los lugares. La oposición no debe causar una diferencia. En lo espiritual solo tenemos un Líder. Él ordena nuestros pasos.

Tom White, que sufrió en una cárcel cubana comunista por dejar caer sobre la isla panfletos del Evangelio desde una avioneta

Médico extremo

RUMANIA: LA DOCTORA MARGARITA PESCARU

En Rumania comunista, cada cárcel tenía un médico que a menudo estaba presente durante las sesiones de interrogatorio y dirigía al torturador en los mejores métodos de inducir dolor sin causar la muerte. Sin embargo, algunos médicos tomaban su juramento en serio y odiaban lo que hacían los comunistas.

Uno de esos médicos era una bella mujer cristiana llamada Margarita Pescaru. A todo el personal médico lo registraban cuando entraban en la cárcel, pero la doctora Pescaru, a gran riesgo para ella, pudo pasar medicina de contrabando varias veces. Sus esfuerzos desinteresados salvaron muchas vidas.

Me presentaré ante el rey, por más que vaya en contra de la ley. ¡Y si perezco, que perezca!
Ester 4:16

Una vez la asignaron a un hospital de la cárcel que estaba especialmente designado para pacientes tuberculosos. Durante este tiempo, los comunistas situaron a hombres como «reeducadores» para utilizar cualquier medio necesario a fin de convencer a una persona a que denunciara todo lo que creían y jurar total lealtad al comunismo.

Esos reeducadores eran despiadados y muchos cristianos murieron bajo su tortura. Cuando la doctora Pescaru escuchó las noticias de que ellos habían llegado al hospital de la cárcel para comenzar su trabajo destructivo en los pacientes tuberculosos, hizo lo inconcebible. Fue a los oficiales de más alto nivel de todas las cárceles y defendió la situación de los prisioneros indefensos. Nadie sabe cómo, pero la doctroa Pescaru obtuvo favor de los oficiales.

Por un tiempo cesó en el comunismo rumano la tortura de inocentes por los «reeducadores», gracias a sus audaces esfuerzos.

Trátelo. Es la diferencia entre avanzar o detenerse. Tratar. Es lo que los cristianos están comprometidos a hacer cuando se enfocan en el evangelio de Cristo. Trataron. Decir al menos que usted trató es la única manera en que los creyentes están de acuerdo de cómo enfrentarse al fracaso. Es cierto, nunca sabemos lo que sucederá a no ser que tratemos. Quizá abandonamos con mucha rapidez las ideas creativas que vienen a nosotros en cuanto a promover el mensaje del evangelio en el trabajo, en el hogar o en nuestra comunidad. Pensamos que nunca resultarán. Nos convencemos que la oposición sería demasiado fuerte. Aun así, no lo sabremos con seguridad a no ser que tratemos. ¿Está dispuesto a tratar de obedecer a Cristo a cualquier costo, comenzando hoy?

Empapelado extremo

COREA: ROBERT J. THOMAS

Robert J. Thomas y su esposa salieron para ser los primeros misioneros en Corea en julio de 1863. Su esposa murió poco después de su llegada. En 1866, después de evangelizar por unos pocos meses en Corea y aprender el idioma, Thomas viajó en el barco estadounidense, el *General Sherman*, a lo largo del río Taedong al lugar en el que se encuentra la capital de Corea del Norte hoy en día. El *Sherman* se encalló en un banco de arena. Los soldados coreanos en la orilla desconfiaban y estaban temerosos, así que abordaron el barco blandiendo cuchillos largos y brillantes.

Cuando Thomas vio que lo iban a matar, levantó la Biblia coreana hacia ellos diciendo: «Jesús, Jesús». Lo decapitaron.

Veinticinco años después de la muerte de Thomas, alguien descubrió una pequeña casa de huéspedes en esta área con un empapelado extraño. El papel tenía caracteres coreanos impresos en él. El dueño de la casa explicó que había pegado las páginas de este libro en la pared para preservar las escrituras. El dueño y muchos de los huéspedes venían y se quedaban a «leer las paredes». Era la Biblia que Thomas les dio a sus asesinos.

Yo sembré, Apolos regó, pero Dios ha dado el crecimiento. Así que no cuenta ni el que siembra ni el que riega, sino solo Dios, quien es el que hace crecer.

1 Corintios 3:6-7

Aunque los comunistas gobiernan esa región hoy en día, la iglesia vive. El trabajo de Robert J. Thomas, llamado el «misionero temporal», continúa en Corea del Norte, donde ahora la Palabra de Dios no solo está pegada en sus paredes, sino también está escondida en sus corazones.

Imagínese sembrando un huerto en la primavera solo para mudarse en el verano. Todo el tiempo y el esfuerzo invertido en sembrar, desyerbar y regar las semillas para los tomates, pimientos y melones parecen perdidos. Lo mismo se puede decir de nuestro testimonio por Cristo. Aquí el premio es mayor que una cesta de tomates. Sin el beneficio de ver el fruto de nuestros esfuerzos, puede ser doloroso confiar que nuestro duro trabajo se apreciará y respetará. Recuerde, Dios es el que hace que todas las cosas crezcan. Podemos confiar que Dios continuará la obra que hemos comenzado, aun cuando nos mueva a otra cosa. ¿Qué huertos necesita dejar para que otro lo haga crecer?

Resistencia extrema

EL IMPERIO ROMANO: BLANDINA

Blandina era una sierva que estaba tan llena del poder de Dios que quienes se turnaban para torturarla día y noche al final se dieron por vencidos. A decir verdad, su tortura parecía fortalecer más la fe de Blandina. Proclamaba con denuedo su fe, diciendo: «Yo soy cristiana; no seremos avergonzados».

A Blandina la persiguieron durante el reinado del emperador romano Marcos Aurelio Antonino (161–170 d.C.) Fue durante este tiempo que los cristianos mantenían archivos exactos de sus sufrimientos. Con esto esperaban alentar a otros creyentes que los seguirían con las verdaderas historias de resistencia.

Así perseverarán con paciencia en toda situación, dando gracias con alegría al Padre. Él los ha facultado para participar de la herencia de los santos en el reino de la luz.

Colosenses 1:11-12

A Blandina la colgaron de un poste, pero ella resistió, sirviendo para alentar a quienes presenciaban su tortura. Después de sobrevivir este escenario, la llevaron a una arena con leones junto con un chico cristiano de quince años de edad llamado Pontico, que se sintió alentado con su ejemplo. Blandina no mostró desesperación ante los animales, sino que se «regocijaba y se alegraba de su partida como si fuera una invitada a un banquete de boda».

A Blandina la echaron dos veces ante leones hambrientos que no la tocaban. Por lo tanto, regresó ilesa a la cárcel.

Al final, fue «destrozada por los leones, azotada, puesta en una red y embestida por un toro salvaje, y puesta desnuda en una silla de metal al rojo vivo». Aun así, vivió y alentó a todos los que estaban cerca de ella a permanecer firmes en su fe. Por último, Blandina murió atravesada por una espada después que sus torturadores no pudieron hacerla negar su fe.

Aunque no relacionadas a testimonios cristianos, hay situaciones que al parecer no podemos eludir y que son un reto doloroso. Criar a un niño difícil en la casa. Trabajar junto a un compañero de trabajo difícil. Soportar la vida en un medio duro. Hay momentos cuando pensamos que no podemos soportar más la presión y sentimos la tentación de darnos por vencidos. Sin importar las circunstancias, Dios nos da la resistencia y la fortaleza para hacer cualquier cosa que nos llama a hacer. Dios le pidió a Blandina que resistiera la tortura. Quizá nos pida a nosotros que busquemos ayuda como padres, a enfrentar a nuestro compañero de trabajo o a llevar a cabo alguna otra labor al parecer imposible. Presentando el nombre de Jesús, podemos ser sus testigos. Sin importar nuestro escenario, Dios está con nosotros, dándonos paciencia y aun gozo. ¿En qué esferas necesita esta resistencia extrema que solo viene de nuestro Dios benévolo?

Ladrón extremo: Primera parte

RUSIA: NIKOLAI KHAMARA

A Nikolai Khamara lo arrestaron por robo y lo encarcelaron por diez años. Khamara observaba a los cristianos y se preguntaba qué clase de seres eran. Eran hombres, pero mostraban gozo a pesar de sus sufrimientos y cantaban en horas muy oscuras. Cuando tenían un pedazo de pan, lo compartían con alguien que no tenía ninguno. Sus rostros resplandecían mientras hablaban con alguien que Khamara no podía ver.

Un día dos cristianos se sentaron con Khamara y le preguntaron acerca de su historia. Khamara les contó su triste historia y terminó diciendo:

—Yo soy un hombre perdido.

—Si alguien pierde un anillo de oro, ¿cuál es el valor de ese anillo cuando está perdido? —le preguntó uno de los cristianos con una sonrisa.

—¡Qué pregunta tan tonta! Un anillo de oro es un anillo de oro. Uno lo ha perdido, pero algún otro lo tendrá.

—Muy buena respuesta —dijo el cristiano—. Ahora dime, ¿cuál es el valor de un hombre perdido? Un hombre perdido, aun un ladrón, un adúltero o un asesino, tiene todo el valor de un hombre. Es de tanto valor que el Hijo de Dios abandonó el cielo por él y murió en la cruz para salvarlo.

El cristiano le dijo al ladrón:

—Es posible que hayas estado perdido, pero el amor de Dios te puede encontrar.

Al escuchar esto, Khamara entregó su vida a Cristo.

> *Pero Dios demuestra su amor por nosotros en esto: en que cuando todavía éramos pecadores, Cristo murió por nosotros.*
>
> *Romanos 5:8*

¿Cómo se mide el valor? Por lo general, mediante la inversión de tiempo, dinero o emoción de una persona. O sea, la forma en que una persona trata una posesión, una actividad o aun una relación revela cuánto esa persona lo valora. Considere, por ejemplo, la diferencia en el tratamiento de ropas de trabajo viejas y de un traje nuevo. O el contraste entre el cuidado de un vaso desechable y una copa de cristal. Y cuando se pierde una posesión preciada o se hiere a un ser querido, ah se vierten las lágrimas. Así que, ¿de cuánto valor son las personas... o es usted? Como el cristiano le dijo a Khamara, tan valioso que Jesús abandonó el cielo y murió en una cruz por sus criaturas perdidas y rebeldes. Dios las ama mucho. A usted lo aman; es valioso. Regocíjese y proclame estas Buenas Nuevas a los otros «amados» que tiene cerca.

Ladrón extremo: Segunda parte

RUSIA: NIKOLAI KHAMARA

Nikolai Khamara fue a la cárcel como ladrón y salió como un cristiano. Después que lo pusieron en libertad, se unió a la iglesia clandestina en Rusia.

Algún tiempo después, arrestaron al pastor de la iglesia de Khamara. Las autoridades lo torturaron, esperando que traicionara a la iglesia, pero no les dijo nada. Entonces arrestaron a Nikolai Khamara. Lo llevaron ante el pastor y le dijeron:

—Si no nos dices los secretos, torturaremos a Khamara frente a ti.

El ladrón no viene más que a robar, matar y destruir; yo he venido para que tengan vida, y la tengan en abundancia.
Juan 10:10

El pastor no podía soportar ver a otra persona sufriendo por él. Sin embargo, Khamara le dijo:

—Sea fiel a Cristo y no lo traicione. Yo estoy contento de sufrir por el nombre de Cristo.

—¿Cómo voy a ver esto? ¡Se quedará ciego! —le gritó el pastor a Khamara sin poder soportarlo.

—Cuando me quiten mis ojos, yo veré más belleza que la que veo con estos ojos. Yo veré al Salvador. Usted debe permanecer fiel a Cristo hasta el final —respondió Khamara.

Cuando los interrogadores le dijeron al pastor que le cortarían la lengua a Khamara, este dijo:

—Alabado sea el Señor Jesucristo. Aquí la tiene. Yo he dicho las palabras más sublimes que se pueden decir. Y si así lo desean, me pueden cortar la lengua ahora.

El antiguo ladrón les robó a los oficiales la oportunidad de robarle a él su fe. Sufrió una muerte de mártir.

La historia de Khamara es una lección en contrastes entre el reino de Dios y el reino del diablo. La Biblia nos enseña cómo reconocer a los que roban, matan y destruyen como miembros del reino del diablo. En el caso de Khamara, el enemigo le robó la vista, destruyó su facultad de hablar y al final lo mató. En contraste, el reino de Jesús es acerca de la vida, vida al extremo. Como tal, Jesús le dio a Khamara una nueva vida y restauró a un antiguo ladrón a la justicia. Los dos reinos están en conflicto y nuestras vidas son el botín. Khamara «desertó» al otro lado cuando dos creyentes le mostraron cómo unirse al reino de Dios. ¿Qué hace usted para llevar a otros al reino de Dios?

Traducciones extremas: Primera parte

INGLATERRA: UNA VIUDA CRISTIANA

A seis hombres y una viuda los llevaron frente al tribunal por cometer un crimen extremo contra la Iglesia de Inglaterra. Les habían enseñado a sus hijos el Padrenuestro y los Diez Mandamientos en el idioma inglés.

En 1519, el latín era el único idioma permitido para instrucción bíblica en Inglaterra. Sin embargo, la gente común y corriente hablaba inglés. Los creyentes traducían en secreto partes de las Escrituras al inglés y pasaban con cautela las traducciones de casa en casa. Sin embargo, ahora estaban atrapados y los iban a atar a los postes y quemar en público.

Para mí es más valiosa tu enseñanza que millares de monedas de oro y plata.

Salmo 119:72

La misericordia del tribunal solo le sonrió a la viuda entre los siete prisioneros y a ella le permitieron salir en libertad. Nadie protestó porque estaba sola y tenía hijos que cuidar en su hogar.

Un guardia llamado Simón Mourton se ofreció con generosidad acompañar a la viuda perdonada en el camino a su casa. Mientras Simón la guiaba por el brazo, escuchó un ruido metálico dentro de la manga de su abrigo. Del abrigo sacó la traducción en inglés, los mismos materiales que les estuvo enseñando a sus hijos. Aunque acababa de escaparse de una sentencia de muerte, a continuación se negó a separarse de las traducciones, creyendo que sus hijos todavía necesitaban saber la verdad de la Palabra de Dios. Ahora su destino estaba sellado.

Poco después, a los seis hombres y la valiente viuda los ataron a tres postes de madera y los quemaron vivos.

Vivimos en una era digital de sistemas de alarmas caseras que compiten con la complejidad de las de muchos bancos. Está claro lo que valoramos; nuestros hogares y nuestras posesiones son demasiado valiosos para correr el riesgo de que se pierdan. Aun así, para los cristianos que vivían en el siglo dieciséis, las Escrituras eran su posesión más valiosa. Como la viuda tenaz en esta historia, consideraron que solo unas porciones de la Biblia valían el precio de sus vidas. Mientras que los tiempos pudieran haber cambiado, el valor de la Palabra de Dios no ha cambiado. Nuestras vidas todavía deben demostrar a otros que la Palabra de Dios es valiosa, aunque no es probable que muramos por hacerlo. ¿Saben otros cuánto o qué tan poco atesoran las Escrituras? ¿Pueden notar el valor personal que la Palabra de Dios tiene en su vida?

*Los misioneros cristianos deben
denunciar y dar con ellos sin falta
porque son lobos astutos que sirven
como una herramienta del imperialismo.*

UNA ADVERTENCIA ABIERTA EMITIDA POR EL GOBIERNO
DE COREA DEL NORTE A SU PUEBLO

Traducciones extremas:
Segunda parte

INGLATERRA:
 WILLIAM TYNDALE

«Pero, maestro Tyndale, debe admitirlo», se burló el erudito doctor de teología, «ilos hombres están mejor con las leyes de la iglesia que logran comprender que con la propia ley de Dios en la Biblia!»

William Tyndale se enfureció con esto. «¡Yo reto a los sacerdotes y a sus leyes! ¡Si Dios me permite vivir, no pasará mucho tiempo antes que cualquier muchacho que usa un arado conocerá las Escrituras mejor que ellos!» Su comentario causó rencor entre Tyndale y la iglesia establecida. Pronto huyó de Inglaterra al continente, donde produjo su versión «fuera de la ley» del Nuevo Testamento en inglés.

Por ti yo he sufrido insultos.
Salmo 69:7

Por años, los pequeños Nuevos Testamentos de Tyndale se pasaron de contrabando en fardos de algodón a bordo de barcos alemanes y cualquier otro lugar por el que pudieran entrar a Inglaterra en secreto. Sin embargo, a Tyndale entonces lo traicionó un «amigo», Henry Philips, y lo procesaron por herejía.

Mientras Tyndale permaneció en la cárcel por más de un año esperando su ejecución, se cree que terminó la traducción del Antiguo Testamento al inglés. Sus últimas palabras antes de morir en la hoguera en octubre de 1536 fueron: «¡Señor! ¡Abre los ojos del rey!».

Dios lo hizo. Solo un año después del martirio de Tyndale, la monarquía permitió que la primera Biblia en inglés se imprimiera de forma legal. La Versión Autorizada del Rey Jacobo apareció setenta y cinco años más tarde. En la actualidad, esta versión es, en un estimado de noventa por ciento, una réplica palabra por palabra del trabajo de Tyndale.

La oposición no es igual al fracaso. Algunas veces significa todo lo contrario. Los más bien intencionados colegas pudieran algunas veces oponerse a nuestra visión por el ministerio. Es posible que hasta nos confundamos por su crítica y comencemos a cuestionar nuestro llamado. Cuando Dios nos da una visión para el ministerio, como le dio a Tyndale, debemos ser fieles a la tarea a pesar de las probabilidades. La crítica no debe apagar nuestro entusiasmo; debe hacernos más comprometidos a mejorar nuestra visión. ¿Le ha dado Dios una visión para el ministerio? Es posible que, como Tyndale, no vea los resultados de su labor por algún tiempo, si es que los llega a ver. Y a lo mejor lo censuran en el proceso. Aun así, manténgase firme en la tarea y Dios se encargará de la crítica.

Niños de valor extremo

COREA DEL NORTE: CHENG LEE Y HONG JUN

Los comunistas les dicen a los niños de Corea del Norte que sufrirán un destino horrible si alguna vez los atrapan en China. Aun así, los niños también saben que si son lo bastante afortunados para escapar, deben buscar un edificio con la forma de una cruz en él. Dos niños de Corea del Norte que lograron llegar a una iglesia china contaron sus historias al pastor.

«Mi nombre es Cheng Lee. Mi hermana y yo vimos a nuestros padres morir de hambre. Logramos cruzar el río Yalu caminando mientras estaba aún congelado. Una vez que llegamos al otro lado, mi hermana mayor dijo: "Quédate aquí. Yo tengo que ir sola un poco más adelante". Ella nunca regresó». Cheng solo tiene seis años de edad.

Al ver la osadía con que hablaban Pedro y Juan [...] quedaron asombrados y reconocieron que habían estado con Jesús.

Hechos 4:13

Hong Jun, un niño de once años de edad, dijo: «Yo quiero regresar a Corea del Norte y hablarles a otros de Cristo». Entonces lloró mientras cantaba.

Ah, Señor, danos la voz del evangelio,
Por nuestros amados hermanos que el Señor amó tanto antes.
¿Adónde se han ido todos esos? El Señor está mirándolos.
Ah, Señor, envíanos a ellos, a nuestros amados hermanos coreanos,
Ah, Señor, envíanos a ellos, a nuestros amados hermanos coreanos,
Dondequiera que estén, permíteles florecer como flores.

Unos meses más tarde, a Hong Jun lo secuestraron de la aldea y lo obligaron a regresar a Corea del Norte. Quizá les esté testificando a sus secuestradores ahora.

El valor es una de esas cosas que las personas no saben que tienen hasta que lo exige una situación. En el momento crucial cuando se necesita, o bien lo tienen o no lo tienen. Lo mismo se puede decir del carácter; ciertas situaciones revelarán de forma definitiva si lo tenemos o no. Como resultado, el carácter y el valor son dos cosas que son difíciles de fingir. Por fortuna, Jesucristo nos da un valor irrevocable y un carácter indudable para los momentos que más los necesitamos. Pudiéramos presentar una apariencia de valor, pero solo Jesús nos puede hacer valientes. Pudiéramos tener una reputación pública impecable, pero solo Jesús nos puede dar el carácter para los momentos en los que nadie nos está mirando. ¿Dónde ve el carácter y el valor obrando en su vida?

Otra luz extrema

PAKISTÁN: ZAHID

Zahid era un sacerdote musulmán pakistaní que les tendía emboscadas a los cristianos y quemaba sus Biblias. Una vez se quedó con una de las Biblias y comenzó a estudiarla para probar que el cristianismo era una mentira.

«Yo leí la Biblia, buscando contradicciones que pudiera utilizar contra la fe cristiana», declaró Zahid. «De repente, una gran luz apareció en mi habitación y escuché una voz que llamaba mi nombre. La luz iluminaba toda la habitación.

»Zahid, ¿por qué me persigues?", preguntó la voz.

»Yo tenía miedo. No sabía qué hacer. Pregunté: "¿Quién eres?".

»"Yo soy el Camino, la Verdad y la Vida". Por las tres noches siguientes, la luz y la voz regresaron. En la cuarta noche, me arrodillé y acepté a Jesús como mi Salvador».

> *«Yo soy el camino, la verdad y la vida», le contestó Jesús. «Nadie llega al Padre sino por mí».*
>
> *Juan 14:6*

Después de convertirse al cristianismo, a Zahid lo arrestaron y encarcelaron como un traidor al islam. Durante dos años lo torturaron en la cárcel y, al final, lo sentenciaron a muerte. Cuando le pusieron la soga alrededor del cuello, Zahid les dijo a sus verdugos que Jesús era «el Camino, la Verdad y la Vida». Quería que su último suspiro se utilizara para salvar a sus compatriotas.

Entonces, de repente, los guardias entraron y dijeron que había habido un aplazamiento de la sentencia y a Zahid lo pusieron en libertad. Nadie sabe por qué se revocó la sentencia de Zahid, pero hoy en día él continúa viajando a través de Pakistán como un evangelista.

Las personas que han pasado a través de una experiencia al borde de la muerte casi siempre dicen la misma cosa. Concluyen que Dios debe haber tenido un propósito para extender sus vidas. Es lamentable, ¡pero las entrevistas de televisión pocas veces regresan para ver cuál resulta ser ese propósito! ¿Descubrieron el propósito de Dios para sus vidas o no? En realidad, Dios tiene el mismo propósito para cada una de nuestras vidas. Quiere que lo conozcamos y que otros lo conozcan a través de nosotros. Algunos, como Zahid, pudieran ir a través de experiencias singulares para llegar a los lugares en particular en los que van a hacer que Dios se conozca. Sin embargo, nuestra misión permanece básicamente la misma. ¿Siente alguna vez que Dios lo tiene en esta tierra por una razón específica? Es conocerlo y hacer que lo conozcan.

Poder extremo

ROMA: VINCENT

Las sogas en sus muñecas y en sus tobillos se estiraron más hasta que el cristiano romano Vincent sintió que sus brazos se desprendían de sus hombros y sus caderas se descoyuntaban.

Decio, el emperador romano, estaba de pie junto al potro de tormento donde estaba atado Vincent.

—Morirás en un terrible dolor —le dijo al joven cristiano.

—Ninguna muerte es más honorable que la de un mártir —le respondió Vincent al rey con convicción—. Yo veo el cielo y aborrezco sus ídolos.

Y ser fortalecidos en todo sentido con su glorioso poder. Así perseverarán con paciencia en toda situación.
Colosenses 1:11

Furioso, el rey ordenó que al cristiano ahora inválido lo torturaran aun más. Sin embargo, no lograban quitarle la sonrisa a Vincent.

—Usted solo destruye mi cuerpo que tiene que perecer de todos modos —le dijo en medio de su dolor—. Dentro de mí vive otro Vincent y sobre él usted no tiene poder. A ese Vincent no lo pueden torturar, ni lo pueden matar.

Vincent acogió la muerte con una sonrisa.

Al final, los soldados romanos lo quitaron del potro de tormento, pero sus atormentadores no estaban satisfechos. Le quitaron su ropa y lo arrojaron en una celda donde el piso estaba cubierto de vidrios rotos. Incapaz de pararse, a Vincent lo obligaron a acostarse sobre los pedazos de vidrio. Aun ahí, la paz de Dios estaba con él. Los guardias después le informaron al emperador que él descansaba sobre los vidrios rotos «como si fuera una cama de flores».

En la cultura moderna, la idea del poder se vincula a la autoridad y a una posición. El poder está reservado para los que son importantes en lo exterior, para los cultos y para los refinados. Sin embargo, la historia muestra que las personas con la posición de poder son solo ineficientes sin la fortaleza interior para llevar a cabo sus deberes. En contraste, Dios se enfoca en nuestra fortaleza interior a través de la presencia del Espíritu Santo. El sufrimiento es su escuela, donde nos enseña lo que es ser fuerte. Somos capaces de soportar más de lo que nos imaginamos. Somos audaces más allá de nuestras fuerzas. Usted pudiera sentir que sus sufrimientos lo han hecho débil. Pídale a Dios que le muestre cómo, en sí, pueden hacerlo más fuerte. Flexione sus músculos. Verá que es más fuerte de lo que piensa.

Soldados extremos

EL IMPERIO ROMANO: CUARENTA HOMBRES FIELES

El emperador Constantino legalizó el cristianismo en el Imperio Romano en el año 320 d.C. Sin embargo, Licinio, que controlaba la mitad oriental del imperio, rompió lealtad con el Occidente y continuó reprimiendo el cristianismo.

Cuando Licinio exigió que cada soldado bajo su orden sacrificara a los dioses romanos, los cuarenta hombres cristianos de la «Legión del Trueno» rehusaron. Su general, Lisias, hizo que los azotaran, los desgarraran con garfios y después los encarcelaran encadenados. Cuando siguieron negándose a doblegarse y abandonar la adoración de Dios, ordenó que les quitaran la ropa y los dejaran en medio de un lago congelado hasta que cedieran.

Comparte nuestros sufrimientos, como buen soldado de Cristo Jesús.

2 Timoteo 2:3

Un baño caliente estaba preparado para cualquiera que abandonara sus convicciones. Los hombres oraron juntos a fin de que su grupo no se dividiera. Sin embargo, cuando oscureció, uno de ellos no podía soportar más el frío y corrió al baño caliente.

Uno de los guardias que había observado a los cuarenta soldados valientes cantarle a Cristo se enojó que uno se rindiera a las órdenes de Lisias. Su enojo se convirtió en convicción, y después su convicción se convirtió en fe. Se despojó de sus ropas y corrió sobre el lago congelado, cumpliendo la promesa de ser «¡cuarenta soldados valientes por Cristo!»

Los cuarenta murieron juntos ese día. El que negó su fe por un baño caliente también murió.

La comunidad cristiana está compuesta de varios individuos comprometidos que actúan todos de acuerdo. Ya bien sea en una universidad cristiana, un ministerio cristiano, una iglesia o una familia, el grupo de hermanas y hermanos es una fuerza que hay que tener en cuenta. Siempre nos mantenemos firmes con más fuerza cuando nosotros permanecemos juntos. A través de las Escrituras, Dios nos exhorta a unirnos en una comunidad de compromiso; una familia de fe. Más que el principio de fortaleza en números, una comunidad cristiana alienta la fe de sus miembros. Como en esta historia, el fuerte compensa por los que son débiles. ¿Ha identificado su comunidad cristiana? ¿Le ha asegurado a su iglesia o familia o a otro grupo su amor y lealtad al costo que sea?

Belleza extrema

LENINGRADO: AIDA SKRIPNIKOVA

«En la cárcel, la cosa más difícil era vivir sin una Biblia».

Aida Skripnikova era una mujer joven y bella. Sin tener aún veinticinco años de edad, se paraba en una esquina de las calles de Leningrado y distribuía poemas declarando su amor por Jesús y su gozo en conocerle como Señor y Salvador. Pronto la arrestaron, pero demostró ser resuelta en sus convicciones, aunque la sentenciaron a un año de cárcel.

Cuando Aida cumplió veintisiete años, se enfrentó a su cuarto encarcelamiento por su determinación de defender el evangelio. Fue sincera, diciendo en una publicación: «No podemos callar lo que constituye todo el significado de nuestra vida: Cristo».

Que la belleza de ustedes... sea... la que procede de lo íntimo del corazón y consiste en un espíritu suave y apacible. Esta sí que tiene mucho valor delante de Dios.
1 Pedro 3:3-4

Su cuarto encarcelamiento resultó ser el más difícil. Los guardias trataban sin cesar de corromper su fe de todas formas: desde el abuso hasta ofrecerle chocolate. Aun así, lo más duro para ella era vivir sin la Palabra de Dios. Le confiscaron su ejemplar de las Escrituras. Como castigo, pasó diez días incomunicada. Más tarde recibió un Nuevo Testamento y lo protegía como algo más valioso que la vida.

Cuando al fin la pusieron en libertad, Aida estaba casi irreconocible; su deslumbrante belleza había desaparecido, y parecía veinte años más vieja. No obstante, el amor de Dios brillaba a través de su sonrisa, restaurando su belleza sin paralelo desde adentro.

En muchas tiendas de comestibles hay más cremas de belleza que vegetales enlatados. Los estantes de cosméticos están llenos de fórmulas que prometen renovar y restaurar nuestra apariencia externa. Si solo nos preocupáramos tanto por nuestro carácter interior como lo hacemos por nuestra apariencia externa. Los mártires nos enseñan a valorar la renovación de lo que en realidad somos en nuestro interior. El ser interior. Esta es la persona que ninguna cantidad de tortura logra abatir. Esta es la que se está transformando en la imagen de Cristo. Es posible que desee impresionar a otros según las normas del mundo. Sin embargo, Dios piensa que su ser interior es mucho más bello. ¿Está tan enfocado en su carácter interior como en su apariencia externa? ¿De qué maneras se embellece más su ser interior a medida que envejece?

Yo pedí fortaleza, y Dios me dio
dificultades para hacerme fuerte.
Yo pedí sabiduría, y Dios me dio
problemas que resolver.
Yo pedí prosperidad, y Dios me dio
mente y músculos para trabajar.
Yo pedí valor, y Dios me dio peligros
que sobrepasar.
Yo pedí amor, y Dios me dio
oportunidades.
No recibí nada de lo que quería;
Recibí todo lo que necesitaba.
Mi oración ha sido contestada.

DE LA FAMILIA DE MICHAEL JOB, UN ESTUDIANTE DE MEDICINA
CRISTIANO INDIO QUE MATARON EN JUNIO DE 1999
A CAUSA DE LAS ACTIVIDADES EVANGELÍSTICAS DE SU PADRE

«Enseñanza» extrema: Primera parte

INGLATERRA:
EL DOCTOR
ROWLAND TAYLOR

Las personas de Hadley le rogaron al doctor Rowland Taylor que no fuera a ver al obispo y señor canciller de Winchester. Sabían que el obispo estaba furioso por las enseñanzas del doctor Taylor.

Por casi veinte años, la Biblia inglesa se había distribuido de forma legal en Inglaterra. El doctor Taylor solo les enseñó a todos en su iglesia a leer la Biblia y a seguir sus enseñanzas. En contraste, los líderes religiosos bajo el cruel reinado de la reina María I ordenaron una sujeción estricta a las costumbres de la iglesia.

> *Le contestó Jesús:*
> *«El que me ama,*
> *obedecerá mi*
> *palabra».*
> *Juan 14:23*

Después que el obispo lo insultó y acusó, Rowland contestó: «Yo soy un hombre cristiano. No he blasfemado en contra de la iglesia. Es más, por su propia acusación, usted es el hereje. Cristo murió una vez por todas por los pecados de la humanidad. Es suficiente. Usted y sus tradiciones no pueden ofrecer nada más».

Por los siguientes dos años, el doctor Taylor fue un prisionero. Cuando se enteró que lo quemarían en la hoguera a las afueras de Hadley, se regocijó. No le preocupaba su seguridad. En lugar de eso, se regocijó al pensar en viajar a través de Hadley una vez más viendo a sus hermanos y hermanas en la fe.

Al doctor Rowland Taylor lo martirizaron en el invierno de 1555.

El amor se expresa en muchos lenguajes diferentes. Las personas necesitan escuchar el amor en su propio lenguaje para reconocerlo. Algunos esposos les sirven el desayuno a sus esposas en la cama para demostrar su amor. Aun otras esposas necesitan un regalo atento para escuchar «te amo» con claridad. Las compañías de tarjetas de felicitación esperan que lo digamos con palabras. Jesús, sin embargo, dice que su lenguaje de amor es la obediencia. De esa manera expresamos nuestro amor a Él. Cuando lo obedecemos, demostramos que lo amamos. A Taylor lo martirizaron por enseñarles a sus seguidores a expresar el lenguaje de amor de Jesús. Les enseñó a leer la Biblia y obedecer sus enseñanzas. Muéstrele a Jesús que lo ama y honre la memoria del doctor Taylor hoy.

«Enseñanza» extrema: Segunda parte

INGLATERRA:
EL DOCTOR
ROWLAND TAYLOR

Antes de morir en la hoguera por enseñar la Biblia, el doctor Rowland Taylor escribió estas bellas palabras:

«Yo le dije a mi esposa y a mis hijos: el Señor me los dio a ustedes y el Señor me saca de ustedes y a ustedes de mí: ¡Bendito sea el nombre del Señor! Yo lo he encontrado más fiel y favorable que cualquier esposo o padre. Confíen en Él por los méritos de su amado Salvador: Crean, amen, teman y obedézcanlo. Oren a Él porque ha prometido ayudar. No me consideren muerto porque yo viviré para siempre y nunca moriré. Yo voy primero y ustedes me seguirán después, a nuestro hogar eterno.

> *Cumple con mis mandatos y vivirás; cuida mis enseñanzas como a la niña de tus ojos.*
>
> *Proverbios 7:2*

»Yo les digo a mis queridos amigos de Hadley, y a todos los que me han escuchado predicar, que yo parto de aquí con una conciencia tranquila en cuanto a mi enseñanza, por la cual oro que ustedes den gracias a Dios conmigo. Puesto que yo, conforme a mi poco talento, he declarado a otros las lecciones que extraje del libro de Dios, la bendita Biblia. Por lo tanto, si yo o un ángel del cielo les predicaran otro evangelio que aquel que ustedes han recibido, ¡la gran maldición de Dios esté sobre ese predicador!

»Partiendo de aquí con una esperanza segura, sin ninguna duda de nuestra salvación eterna, le doy gracias a Dios mi Padre celestial a través de Jesucristo mi seguro Salvador».

Rowland Taylor

¿Recuerda al más memorable maestro de su niñez? Quizá era cierto perfume que usaba. Quizá era la manera peculiar en que se frotaba la parte calva de su cabeza. Algo acerca de esa persona permanece en su mente. Sin embargo, cuando envejecemos, valoramos a los maestros por razones diferentes. Recordamos lo que nos enseñaron; lecciones que nunca olvidaremos. Siempre recordaremos a aquel que nos enseñó la Palabra de Dios por primera vez. No podemos permitirnos olvidar las verdades básicas que nuestros maestros nos enseñaron acerca del amor de Dios y su salvación. Cuando alguien más viene en nombre de la cultura o algo académico, las verdades de Dios lo protegerán y lo ayudarán a reconocer la falsedad. Son más que simples recuerdos. Son su posesión más valiosa.

Familia extrema

CAMBOYA: HAIM Y SU FAMILIA

En la selva de Camboya, a Haim y su familia les dieron palas y les dijeron que cavaran sus propias tumbas. Eran rehenes del Jemer Rojo que consideraban a los cristianos «enemigos de la gloriosa revolución».

Los soldados les permitieron a Haim y a su familia arrodillarse, tomarse de las manos y orar. Haim entonces animó a los soldados a arrepentirse y aceptar a Jesús como Señor y Salvador. Los soldados estaban confusos por la compasión en su voz frente a la muerte.

Cualquiera que hace la voluntad de Dios es mi hermano, mi hermana y mi madre.
Marcos 3:35

Mientras hablaba, uno de sus hijos saltó y corrió al bosque. Los soldados comenzaron a correr detrás de él, pero Haim los detuvo. Su calma convenció a los comunistas a ver lo que él haría.

Mientras su familia estaba arrodillada con los rifles de los soldados apuntándoles, Haim caminó hasta el borde del bosque. «Hijo, ¿puede compararse el robo de unos pocos días de vida como fugitivo en el bosque a unirte a tu familia aquí alrededor de una tumba, pero pronto ser libre para siempre en el paraíso con Cristo?» Después de un momento, hubo un movimiento en las ramas mientras el hijo de Haim con lágrimas en los ojos salía y se arrodillaba junto a su padre.

Haim miró a los soldados: «Ahora estamos listos para partir».

Aun así, ninguno de los soldados podía apretar el gatillo. Sin embargo, pronto llegó un oficial que no había presenciado el regreso del niño, regañó a los soldados por cobardes y mató a los cristianos.

A algunas familias se les conoce por ser muy unidas. Otras se enorgullecen de ser ricas en extremo. Aun otras familias señalan como algo significativo sus excesivas ocupaciones. Aunque Dios puede utilizar esas otras cosas, su idea de la influencia es muy diferente. ¿Qué hace a una familia útil en el reino de Dios? La obediencia extrema. No es el tamaño de la camioneta de la familia lo que importa; es su compromiso a Cristo. Dios diseñó la familia como un lugar en el que los padres guían con su ejemplo a fin de que los hijos aprendan cómo obedecer a Cristo. Aunque la situación de Haim era singular, nosotros podemos ser también obedientes en nuestras situaciones. ¿Cómo caracterizaría el compromiso de su propia familia? ¿Qué familia es un ejemplo de una familia extrema?

Uso extremo de mentiras

RUSIA: UN ESTUDIANTE UNIVERSITARIO

El profesor ateo sonrió a la foto de Lenin colgada junto a la puerta y entonces se acercó a la jarra de agua en una mesa. Sacó un paquete de un polvo y a medida que lo echaba en la jarra poco a poco, el agua enrojeció.

—Este es todo el milagro —comenzó su lección—. Jesús tenía escondido en sus mangas un polvo como este y luego simuló haber cambiado el agua de una manera maravillosa. Sin embargo, yo lo puedo hacer aun mejor que Jesús; puedo cambiar el vino en agua de nuevo.

Sacó otro paquete de polvo y lo puso en el líquido rojo. Se volvió claro. Con otro paquete se volvió rojo de nuevo.

Uno de los estudiantes estaba sentado en su escritorio, moviendo su cabeza, sin dejarse impresionar. Al final, retó al profesor:

—Usted nos ha asombrado, camarada profesor. Solo le pedimos una cosa más: "¡Tómese su vino!"

—Eso no lo puedo hacer —dijo el profesor riendo—. El polvo es veneno.

—Esa es toda la diferencia entre usted y Jesús —respondió el cristiano—. Él, con su vino, nos ha dado gozo, mientras que usted nos envenena con su vino.

El profesor salió enojado del aula e hizo que arrestaran y echaran en la cárcel al estudiante. No obstante, las noticias del incidente se diseminaron muy lejos y fortalecieron a muchos en su fe.

> *Cambiaron la verdad de Dios por la mentira.*
> Romanos 1:25

La promesa del enemigo de un cambio fácil es una mentira. La mayoría de las tiendas por departamentos tiene un método de intercambio amistoso que les permite a los clientes cambiar sus compras para quedar satisfechos. Las personas se forman en línea para cambiar una talla más pequeña por una más grande o un color por otro esperando que eso les haga lucir más delgadas o más bonitas o sencillamente más contentas. De la misma manera, muchas personas en la vida se forman en línea con la verdad de Dios en la mano. Les han dicho que intercambien la verdad de Dios por cualquier cosa y los hará clientes satisfechos. Siempre terminamos desilusionados al final. Dios quiere que usted discierna las mentiras del enemigo. Aférrese a la verdad de Dios, a cualquier costo.

Petición extrema

El cuerpo envejecido de Delores estaba cansado de correr y se puso a llorar: «¡Dios, por favor ten misericordia de nosotros, tus hijos!». Delores, junto con otros creyentes, huía para salvar su vida, mientras que los atacantes disparaban la artillería sobre su aldea. Utilizando su tosco bastón, subió, paso a paso, una empinada cordillera de montañas hasta que alcanzó un lugar seguro. Se estableció en un campamento de refugiados improvisado junto con cientos de otros que desplazaron por la violencia.

Gritaban a gran voz: «¿Hasta cuándo, Soberano Señor, santo y veraz, seguirás sin juzgar a los habitantes de la tierra y sin vengar nuestra muerte?

Apocalipsis 6:10

Delores es una de millones de cristianos que viven en Indonesia, una nación compuesta de más de trece mil islas. Indonesia también es el país musulmán más poblado del mundo. Aun así, los musulmanes y los cristianos han compartido el mismo espacio por años, viviendo juntos en paz por generaciones. Sin embargo, se enfrentan a un nuevo enemigo: Grupos musulmanes fanáticos han incitado en los últimos tiempos muchas yihads (guerras santas) en las islas. Hoy en día no hay paz entre los musulmanes y los cristianos.

En una ciudad, los cristianos se reunieron y cantaron «Yo me rindo a él» en la oficina del gobernador en una demostración pacífica de la causa de Cristo. Hicieron una petición para que el gobierno reconociera a cuantos cristianos mueren masacrados a manos de musulmanes militantes. Incluso mientras el tranquilo cuerpo de creyentes continuaba cantando, las fuerzas musulmanas atacaron otra aldea y la saquearon. Muchas comunidades que antes florecían ahora solo son montones de ceniza y escombro.

Delores es solo una en la multitud de creyentes de Indonesia que claman a Dios por liberación. Apocalipsis habla de una multitud de mártires que anhelan el juicio y la justicia de Dios. Sin embargo, no deben clamar solos. Nosotros que estamos vivos debemos unir nuestras voces junto con sus súplicas fervientes. Aunque quizá estemos a un mundo de distancia en la comodidad de nuestros hogares, nuestro apoyo sincero solo se encuentra a la distancia de una oración. Cuando ofrecemos nuestras oraciones por seguridad y liberación, unimos nuestros corazones con los que sufren. ¿Orará hoy por Delores y otros creyentes en Indonesia? ¿Le pedirá a Dios que los proteja en su peregrinaje y que escuche nuestras oraciones por su liberación?

Oración extrema

SUIZA: MICHAEL SATTLER

Michael Sattler no se sorprendió por su sentencia: cortarle la lengua y después quemarlo por hereje. Era el siglo dieciséis y Michael era un anabaptista, un movimiento de creyentes que querían regresar al tipo de iglesia del Nuevo Testamento. Sin embargo, las instituciones religiosas y sociales de Europa veían a los anabaptistas como una amenaza.

Una multitud de espectadores comenzó a reunirse en el mercado. Uno de ellos era Klaus von Grafeneck, de veinticinco años de edad, que estaba de pie cerca del convicto, observando cómo se preparaba el verdugo para la inminente muerte de Michael.

A pesar de su poco clara forma de hablar, Michael comenzó a orar: «Querido Señor, abre los ojos de este joven...»

De repente, Klaus saltó hacia atrás, ¡asombrado de que este criminal orara por él!

Oren en el Espíritu en todo momento, con peticiones y ruegos. Efesios 6:18

Cuando el verdugo ató a Michael, el prisionero se volteó a la multitud y en un lenguaje incoherente dijo: «¡Conviértanse!» Entonces cerró sus ojos y oró: «Dios todopoderoso, eterno... yo testificaré... en este día de la verdad y la sellaré con mi sangre».

Con eso, el verdugo echó a Michael en el fuego. Cuando las sogas en sus manos se quemaron por completo, él las levantó y oró: «Padre, encomiendo mi espíritu en tus manos».

Klaus se conmovió tanto con la oración por él del condenado que registró la muerte de Sattler como tributo. Lo concluyó escribiendo: «Que Dios nos permita testificar de Él con tanta valentía y paciencia».

La oración es el arma secreta del cristiano. Hace una declaración silenciosa o una insinuación abierta de nuestra fe en Cristo. Cuando Klaus escuchó orar a un hombre condenado, lo hizo detenerse y pensar. Asimismo, cuando otros en un restaurante nos ven bendecir nuestros alimentos antes de comer, también pudiéramos causarles que se detengan y consideren a Dios. Aun si captamos los pensamientos de las personas por un instante y volteamos sus mentes hacia Cristo, hemos cumplido con nuestra responsabilidad. Como Michael lo probó con Klaus, la oración cambia vidas e inspira compromiso. Sin embargo, Dios no puede utilizar las oraciones que no ofrece. Tome algún tiempo para ofrecer una oración silenciosa a beneficio de alguien que encuentre hoy. Nunca sabrá lo que sucederá como resultado.

La palabra «misionero» no está en la
Biblia; la palabra «testigo» sí está.

JIM ELLIOTT, MISIONERO A ECUADOR QUE FUE MARTIRIZADO MIENTRAS
TRATABA DE LLEVAR EL EVANGELIO A LA TRIBU INDIA AUCA.
CITADO POR ELIZABETH ELLIOT EN MY SAVAGE, MY KINSMEN
[MI SALVAJE, MIS PARIENTES]

Manuscrito extremo

ITALIA: EUSEBIO

«La Gran Persecución» comenzó en Roma en el año 303 d.C. bajo Diocleciano. Este fue un período cuando Diocleciano publicó edictos oficiales contra el cristianismo en un esfuerzo por destruir la fe. Entre las resoluciones detalladas estaban las siguientes órdenes:

Los cristianos que tuvieran cargos públicos perderían su posición;

Todas las acusaciones contra los cristianos se acogerán bien y se recibirán;

Los cristianos se torturarán por su fe;

Las Escrituras se confiscarán y quemarán de inmediato;

Los edificios de iglesias se destruirán;

A un pueblo que aún no ha nacido se le dirá que Dios hizo justicia.

Los derechos civiles de los cristianos se negarán por la fuerza; y

Salmo 22:31

Presidentes, obispos y líderes de iglesias se arrestarán para sacrificar a los dioses.

Durante este tiempo, un joven escritor llamado Eusebio documentó las atrocidades cometidas contra la iglesia primitiva. Un líder de la iglesia y teólogo llamado Pánfilo lo inspiró en gran medida. A Pánfilo lo arrestaron y torturaron en el año 308 d.C., pero no antes de causar un impacto significativo en la vida de Eusebio.

Eusebio escribió: «Vimos con nuestros propios ojos las casas de oración destruidas hasta sus cimientos [...] y las Escrituras inspiradas y sagradas echadas al fuego [...] y los pastores de las iglesias, algunos escondiéndose de manera vergonzosa aquí y allá».

La ejecución de Pánfilo en el año 309 d.C. no disuadió a Eusebio de escribir el manuscrito, Historia de la iglesia.

A Eusebio lo arrestaron más tarde por su contribución a la causa cristiana. Sin embargo, le perdonaron la vida. Dios lo protegió para que continuara escribiendo su mensaje a la iglesia futura. Sus escritos abrieron los ojos de generaciones futuras a las tribulaciones que enfrentó la iglesia primitiva. Su documentación de la vida y la muerte de un legado de líderes cristianos nos recuerdan el gran patrimonio de héroes cristianos. Si logramos aprender hoy en día de la fe valiente y el amor imperecedero de nuestros ancestros perseguidos, los escritos no son en vano. Ni tampoco son sus sufrimientos. ¿Qué hace usted hoy que pudiera inspirar a la siguiente generación hacia un compromiso mayor? Pídale a Dios que le ayude a dejar su propio legado.

Encubrimiento extremo

ARABIA SAUDÍ: UN ESPOSO Y ESPOSA

Un hombre y su esposa llegaron a la nación rica en petróleo de Arabia Saudí desde otro país.

Vivían y trabajaban en este país musulmán que llamaban su nuevo hogar. Al final, conocieron y adoraron con otros trabajadores extranjeros que tenían su misma fe: el cristianismo. No obstante, practicar el cristianismo en la capital espiritual de Mahoma no solo es poco popular; también es ilegal. Aun así, la pareja aceptó los riesgos de encarcelamiento, deportación y posible muerte por continuar con fidelidad su adoración.

No hay nada escondido que no llegue a descubrirse, ni nada oculto que no llegue a conocerse públicamente.

Lucas 8:17

Por muchos años vivieron en paz. Sin embargo, un día miembros de la policía saudí invadieron su hogar. Los llevaron a la estación de policía para interrogarlos sobre su orientación religiosa. Su computadora, que para entonces contenía información de contactos con muchos otros cristianos locales, la confiscaron. Temían que otros pronto sufrieran la misma suerte.

El esposo permaneció en la cárcel, pero retiraron los cargos contra su esposa y la pusieron en libertad. Ella hizo varias apelaciones a gobiernos extranjeros a fin de que la ayudaran a limpiar el nombre de su esposo y que lo pusieran en libertad de la cárcel. Confió en los que estaban a favor de la libertad. A pesar de eso, otros países no estaban dispuestos a intervenir en su situación. Su esposo se quedó preguntándose si la vería de nuevo. Su caso es una de muchas persecuciones secretas contra cristianos en el país musulmán de Arabia Saudí. No obstante, la verdad se sabrá algún día.

Arabia Saudí es un país en el que se reporta uno de los más altos índices de ejecuciones en el mundo. En 1999, Arabia Saudí gastó más de un millón de dólares en compañías de relaciones públicas para asegurar el secreto de sus abusos a los derechos humanos; pero ellos no pueden mantener el secreto para siempre. Debemos orar que las voces de los cristianos en las cárceles sauditas se escuchen y contesten en el transcurso de nuestra vida. Sabemos que cuando Cristo vuelva, ninguna compañía de relaciones públicas logrará protegerlos de su juicio, ¿pero y qué de hoy en día? La oración es el primer paso en hacer la distinción. No es un secreto; la oposición es poderosa. Sin embargo, Dios es más poderoso. ¿Qué hace usted para llamar su poder a favor de los que están en la cárcel?

Insubordinación extrema

EL IMPERIO ROMANO: LA LEGIÓN TEBANA

En el año 286 d.C., el emperador Maximiano les ordenó a los seis mil seiscientos sesenta y seis hombres de la Legión Tebana que marcharan a Galia y lo ayudaran contra los rebeldes en Borgoña. Cada miembro de esta división era un cristiano devoto.

Después de viajar por un camino difícil a través de los Alpes, Maximiano ordenó un sacrificio general antes de entrar a la batalla. Cada hombre de la Legión Tebana rehusó deshonrar a Dios. El emperador estaba enojado por su insubordinación, así que trató de persuadirlos haciendo que mataran a uno de cada diez hombres a filo de espada. Sin embargo, los legionarios no estaban menos resueltos en su postura firme. El emperador trató de cambiar su postura haciendo que los soldados pasaran de nuevo a través de ellos, matando a uno de cada diez. Estos hombres murieron con gran dignidad y aplomo como si estuvieran en batalla. Aun así, la segunda masacre no fue más eficaz que la primera.

Pero Pedro y Juan replicaron: «¿Es justo delante de Dios obedecerlos a ustedes en vez de obedecerlo a él? ¡Júzguenlo ustedes mismos!»

Hechos 4:19

A decir verdad, los soldados restantes estaban más resueltos que nunca a resistir después de la masacre de sus compañeros. No deseando morir, y a la dirección de sus oficiales, redactaron un artículo de lealtad al emperador. Declararon que su fe y dedicación a Dios solo los hacía más leal al emperador. Esperaban que esto apaciguara al emperador, pero tuvo el efecto opuesto. Enfurecido, ordenó que mataran al resto de la Legión Tebana.

La insubordinación es la mayor ofensa militar. A pesar de eso, la Legión Tebana no tenía otra opción, pues desobedecer a Dios hubiera sido un crimen aun mayor. Los humanos gobiernan con autoridad. Sin embargo, solo Dios otorga autoridad. La Biblia nos da ejemplos de cómo el pueblo de Dios eligió obviar la autoridad humana cuando estaba en conflicto con los mandamientos de Dios. Considere a las parteras hebreas y también los padres de Moisés que desobedecieron las órdenes del faraón. Considere a Daniel y sus compañeros que rehusaron servir a dioses ajenos. Sus ejemplos y los ejemplos de estos valientes soldados nos recuerdan que tenemos una obligación de reconocer la autoridad humana. No obstante, debemos respetar la autoridad de Dios por encima de todo. Cuando las órdenes humanas están en conflicto directo con los mandamientos de Dios, debe considerar el riesgo de la insubordinación.

Restricción extrema

ROMA: SEBASTIÁN

Sebastián caminaba todos los días por los pasillos del palacio. Trabajó duro para obtener su posición en la guardia real, pero una vez que llegó a Roma, se abstuvo del estilo de vida idólatra de la Roma imperial. Solo quería servir a Cristo de todo corazón.

Cuando el emperador Diocleciano escuchó de su austeridad, tuvo poco interés de su historial de servicio. Lo enfrentó y descubrió su fe. Con esto, ordenó que sacaran a Sebastián fuera de la ciudad y lo mataran con flechas. Los soldados hicieron su trabajo y dejaron su cuerpo para que se pudriera.

Aparto mis pies de toda mala senda para cumplir con tu palabra.

Salmo 119:101

Pronto un grupo de cristianos llegó para darle al cuerpo una sepultura apropiada.

Mientras lo levantaban, uno de ellos exclamó: «¡Se mueve!».

«¡Silencio!», advirtió otro. «Vamos a llevarlo a un lugar seguro».

A Sebastián lo llevaron a una de sus casas donde lo atendieron y se recuperó de sus heridas. En cuanto estuvo lo suficiente bien, se puso ante el emperador de nuevo. Una vez que probó la esperanza del cielo, los placeres de este mundo tenían aun menos atractivo para él.

Desde luego, el emperador estaba asombrado de ver a Sebastián al parecer de regreso de la muerte. Ordenó que lo apresaran, lo mataran a golpes y arrojaran su cuerpo en la alcantarilla. Los cristianos recuperaron de nuevo su cuerpo y lo enterraron en las catacumbas.

Inmoralidad sexual. Lenguaje indecoroso. Robar. Mentir. Timar. Demasiados cristianos se definen a sí mismos solo por lo que no hacen. Sin duda, hay toda una serie de actividades que Dios le prohíbe a su pueblo que practique. Sin embargo, las restricciones no son provechosas por sí solas. A Sebastián no lo martirizaron por su simple restricción; de lo contrario lo habrían matado solo por ser una buena persona. Lo martirizaron por su fe franca. Asimismo, debemos restringirnos o retenernos del mal a fin de abrazar por completo los mandamientos de Dios. Obedecer. Adorar. Amar. Servir. Defina su fe por lo que hace, no por lo que no hace. ¿Lo conocen por ser solo una buena persona con una fe sincera?

Libertad extrema

MORAVIA: PABLO GLOCK

Pablo Glock estaba en un aprieto. Estaba encarcelado por sus creencias anabaptistas y su carcelero le había dado algunas libertades sobre la base de que prometiera no escapar. Se le permitía buscar leña, reparar zapatos, hacer pequeños trabajos y diligencias, pero tenía que permanecer fuera de la vista cuando se acercaban extraños, a fin de que los líderes religiosos no se enteraran de su libertad.

Pablo estaba asombrado de su libertad. Su carcelero, Klaus von Grafeneck, había presenciado el martirio de su compañero anabaptista Michael Sattler en 1527. Como un sencillo espectador, Klaus se conmovió cuando Sattler oró por él momentos antes de su ejecución. Eso había sido veinticinco años antes, y quizá Klaus tenía una debilidad en su corazón hacia los anabaptistas injustamente perseguidos.

Pablo no tenía nada que perder. Su esposa e hijo ya estaban muertos; solo tenía a sus compañeros hermanos en Moravia. Sin embargo, Pablo no sucumbiría a la tentación de huir. Si escapaba, Klaus, que fue tan bueno con él, estaría en un tremendo problema legal y en el futuro los anabaptistas encarcelados en esa área estarían sujetos a escrutinio. Pablo resolvió ser una persona de palabra.

El carcelero los llevó [a Pablo y Silas] a su casa, les sirvió comida y se alegró mucho junto con toda su familia por haber creído en Dios.

Hechos 16:34

Más tarde Dios honró la decisión de Pablo. En 1576, un fuego estalló en el castillo donde estaba encarcelado. Él y sus compañeros prisioneros ayudaron a apagar las llamas y así ganaron su libertad antes que los líderes religiosos, que se oponían con firmeza a Pablo, pudieran revocarla.

Las historias de los encarcelamientos de mártires no son el tema de películas de Hollywood, donde personajes ingeniosos cavan túneles y hacen puertas de escape secretas. La trama no depende de cómo el prisionero escapará al peligro. Es más, como Pablo Glock, los mártires no escaparon, aun cuando tuvieron la oportunidad de hacerlo. Sus historias son respecto a considerar toda situación para la gloria de Dios, sin importar sus circunstancias. Considere cómo Pablo y Silas guiaron a su carcelero y a su familia a Cristo porque decidieron no escapar de la cárcel. ¿Está preocupado por encontrar una manera de salir de sus problemas? ¿Y qué si está exactamente dónde Dios desea que esté? Quizá Dios quiere que resista en lugar de escapar.

Testigo extremo

PAKISTÁN: SHERAZ

El poder de la carta no venía de su única línea de palabras: «Dejen de predicar a los musulmanes». Su método de entrega hizo mayor impacto; estaba adherida al cuerpo ensangrentado de un estudiante de la escuela bíblica llamado Sheraz. La carta y el cuerpo de Sheraz se arrojaron en la puerta principal de su iglesia cerca de Lahore, Pakistán.

Sheraz no seguía la advertencia de la carta. Predicaba dondequiera que iba sobre el amor de un Salvador que murió por sus pecados. Les predicaba a los trabajadores en la fábrica donde trabajaba, a su escuela bíblica y a su propia familia.

Nosotros no podemos dejar de hablar de lo que hemos visto y oído.
Hechos 4:20

Una semana antes, Sheraz estaba trabajando en la fábrica para sostener a sus padres y a sus tres hermanas cuando participó en una discusión con algunos compañeros de trabajo musulmanes. Se enojaron y otros trabajadores reportaron una discusión acalorada. Esa fue la última vez que alguien vio a Sheraz con vida.

Sheraz conocía el riesgo. A muchos otros en Pakistán los asesinaron por hablar de su fe. A otros los acusaron de blasfemia y los encarcelaron. Sin embargo, el mensaje del evangelio era demasiado bueno y Sheraz no podía guardárselo para sí mismo.

Los miembros de su iglesia tampoco harían caso a la advertencia de la carta. Continuaron predicándoles a los musulmanes, ofreciendo el amor de Jesús a los esclavizados por el odio y el temor del islam. También conocían el riesgo, pero han continuado y continuarán, aun si deben seguir el ejemplo de Sheraz.

El testimonio más eficaz es el sincero. No tenemos que memorizar el significado teológico de la expiación para decirles a otros que Jesús hace una distinción en sus vidas. Todo lo que Jesús pide es que testifiquemos de lo que hemos visto y oído con nuestros propios ojos y oídos. Nuestra experiencia personal es el argumento más poderoso de fe en Jesucristo. Nadie puede disputarla porque nos ocurrió a nosotros. ¿Titubea al hablar de su fe? ¿Tiene temor de decir algo equivocado o estar indeciso por la pregunta de alguien? Solo diga lo que sabe que es cierto. Su experiencia personal lo hace un testigo experto en el caso a favor del cristianismo.

Jesús dijo que debíamos ir. Él nunca
dijo que regresaríamos.

Desconocido

Medidas enérgicas extremas

ARABIA SAUDÍ: CRISTIANOS PERSEGUIDOS

«¿Está mi nombre en la lista?» La pregunta estaba en la mente de todo cristiano en Jeddah, Arabia Saudí, después que la policía religiosa invadió la casa de un cristiano y confiscó una computadora personal con información sobre los cristianos en la región. «¿Será mi puerta la próxima que tocarán?»

Jamás borraré su nombre del libro de la vida, sino que reconoceré su nombre delante de mi Padre y delante de sus ángeles.

Apocalipsis 3:5

Prabhu Isaac fue el primero en recibir una visita de la *mutawa* o policía religiosa. Isaac era ciudadano de la India, pero en Arabia Saudí es ilegal promover cualquier fe excepto el islam. Aun exponer una cruz es un crimen. La mutawa estaba preocupada por informes de que los ciudadanos sauditas interactuaban con los cristianos. Se negaron a permitirle a Isaac el acceso al consulado de su país, a pesar de los requisitos de la ley internacional. La policía también interrogó a su esposa y le advirtió que no tuviera contacto exterior.

Entonces a otro creyente, Eskinder Menghis, lo arrestaron después que encontraron su nombre en la computadora de Isaac. Wilfredo Caliuag fue el siguiente. Poco después de su arresto, enviaron a Caliuag al hospital, reportado como para tratamiento de «insolación». Sin embargo, los visitantes dijeron que el cuerpo de Caliuag estaba amoratado y magullado, como si la policía lo hubiera maltratado.

Arabia Saudí está cerrada al evangelio, pero cristianos valientes que han tomado empleos en el país musulmán han comenzado a sembrar semillas de fe en amigos y compañeros de trabajo. La obra es difícil y los riesgos son grandes. Sin embargo, las Buenas Nuevas están avanzando el reino.

Los cristianos en Arabia Saudí temen que pongan sus nombres en la lista de medidas enérgicas de la policía religiosa. Aun así, antes de la confiscación de sus computadoras y antes de que estuvieran en la lista como blancos, sus nombres aparecieron en una lista diferente, más importante. La Biblia nos enseña que en el cielo hay un «Libro de la Vida» en el que se anota un nombre tras otro de los creyentes. Quienes tengan sus nombres escritos en el Libro de la Vida se salvarán. Quienes no se encuentren allí se perderán por toda la eternidad. Si usted aceptó a Jesucristo como Salvador, permita que anoten su nombre por toda forma de oposición sin temor. ¿Está puesto en la lista con Cristo en primer lugar?

Castigo extremo

AFGANISTÁN: TRABAJADORES DE AYUDA INTERNACIONAL

El *talibán*. El nombre del gobierno islámico radical de Afganistán se conoce ahora a través del mundo. En este opresivo país gobernado por el régimen talibán siempre ha sido un crimen practicar el cristianismo.

El gobierno de Afganistán decidió que no querían a los niños. A estos, al parecer, les enseñaban sobre el cristianismo y más tarde los arrestaron. Los grupos extranjeros que se permitían en el país para distribuir ayuda humanitaria también trajeron libros y materiales cristianos. En muchos países, la ayuda humanitaria es la única puerta abierta al evangelio. Sin embargo, el gobierno confiscaba de inmediato los materiales.

Sobre él recayó el castigo, precio de nuestra paz.

Isaías 53:5

El gobierno decidió que los niños no eran culpables por ser expuestos a las enseñanzas. Los padres habían fracasado en guiar y cuidar a sus hijos. «Los arrestos les enseñarían a los padres que debían vigilar a sus hijos y saber lo que hacen», dijo el viceministro del talibán para la promoción de virtudes y la prevención del vicio.

Las declaraciones oficiales se hicieron después del arresto de ocho trabajadores de ayuda internacional en agosto de 2001, junto con numerosos afganos que trabajaban para organizaciones cristianas. Para noviembre de 2001, a los extranjeros los estaban juzgando por predicar a Jesucristo a los musulmanes, un cargo que pudiera llevar a una sentencia de muerte. Los trabajadores afganos tienen una oportunidad de regresar al islam. Sin embargo, los juzgarán como apóstatas si se niegan a hacerlo. Es posible que también se enfrenten a la pena de muerte.

Al menos dos de los trabajadores son cristianos estadounidenses, cuyas historias de castigos injustos parecen como un desastre en potencia. Sin embargo, lo que parece una tragedia puede en realidad tornarse para los grandes propósitos de Dios. Solo observe la vida de Jesús. A primera vista, la muerte de Jesús parecía ser lo peor que pudiera ocurrir. Su ministerio parecía haber terminado. Sin embargo, Dios utilizó su injusto castigo para traernos salvación. Asimismo, el hecho que estos trabajadores estén dispuestos a soportar la pena de muerte por llevar a otros las Buenas Nuevas se ha escuchado alrededor del mundo, llevando a muchos a la fe en Cristo e inspirando a otros creyentes. ¿Está sufriendo bajo circunstancias injustas? Esa es la especialidad de Dios.

«Foso» extremo

RUMANIA: SHENIA KOMAROV

El perro apareció, tirando de su correa, mostrando sus dientes crueles. «¡Ataca!», gritó su amo, el guardia de la cárcel, el capitán Nudnii.

«¡Señor, ten misericordia!», clamó Shernia Komarov, el prisionero cristiano. Sabía que los feroces perros guardianes habían matado a muchos prisioneros, y él oró que Dios lo salvara.

El pastor alemán grande corrió hacia él, pero se detuvo de repente. Se encogió de miedo, rehusando morder al cristiano. Nudnii le ordenó al perro que avanzara e incluso le pegó, pero no atacaba a Komarov.

Mi Dios envió a su ángel y les cerró la boca a los leones. No me han hecho ningún daño, porque Dios bien sabe que soy inocente.

Daniel 6:22

A los prisioneros no les daban casi nada de comer, y cuando Komarov pidió con humildad un poco más de comida, esto provocó la ira de Nudnii.

Días más tarde, Komarov oró: «Ya no puedo más con el hambre, el desprecio y la pena. Por favor, termínalo todo. Permite que muera y encuentre descanso, o si no haz un milagro como hiciste con Elías».

De inmediato, Nudnii se acercó con rapidez, aunque esta vez sin su perro. Komarov pensó que Dios había contestado su oración y que pronto moriría. En lugar de eso, el jefe de los guardias llevó al cristiano a la cocina donde le dio sopa y pan para comer. También les proporcionó comida a los otros prisioneros cristianos.

«Perdóneme por enviar al perro a atacarlo», le dijo Nudnii al cristiano. «Eso me atormenta ahora».

Komarov perdonó al guardia y le dio gracias a Dios por su milagro.

Muchas personas se identifican con la historia de Daniel en el foso de los leones. Sus circunstancias más difíciles se parecen al destino tortuoso que al parecer Daniel iba a sufrir a manos de la maldad. La historia de Daniel es de victoria. Él se elevó por encima de sus desesperadas circunstancias porque confió en Dios para salvarlo. Asimismo, quizá nos veamos en circunstancias, algunas incluso en peligro de vida, que están fuera de nuestro control. Dios puede rescatarnos de nuestra realidad aterradora y darnos su paz. Solo debemos confiar en que Él va a lidiar con nuestro «foso» de problemas. ¿A qué situación intimidante se enfrenta usted? Pídale a Dios que le dé un sentido de su presencia protectora. Confíe en Él para llevarlo a salvo a través de sus pruebas.

«Conversiones» extremas

INDONESIA: UNA JOVENCITA CRISTIANA

Rociaron agua fría sobre la multitud frente a la mezquita de la aldea de Indonesia. Guerreros de la yihad con rifles y vestidos de blanco rodeaban el lugar. El lavamiento ritual fue una preparación forzada para que el grupo se convirtiera al islam. La multitud sabía que debía convertirse o los balearían o decapitarían en ese lugar.

La jovencita lloraba por su fe, pues se imaginaba que el lavamiento ritual cambiaría su fe. Ella no sabía que su fe en Cristo estaba en su alma, sin importar lo que pasara con su cuerpo. También lloraba por temor, pues sabía que la circuncidarían, al igual que todos los otros hombres, mujeres y niños en el grupo. La circuncisión forzada era el acto final de tomar una nueva religión. Ella no quería una nueva religión y clamó a Dios.

Entonces dijo: «Les aseguro que al menos que ustedes cambien... no entrarán en el reino de los cielos». Mateo 18:3

Antes Indonesia era un refugio de tolerancia. Aunque el país es hogar de más musulmanes que cualquier otro en el mundo, había poco problema. Los musulmanes, los cristianos y los budistas vivían uno junto al otro, trabajando juntos con poca animosidad.

Eso ha cambiado. Los musulmanes radicales han arrastrado al país a una yihad, o guerra santa, y todo cristiano es un blanco. Muchos recitan el credo musulmán solo por salvar sus vidas; pero en sus corazones, claman a Dios sabiendo que solo Él puede ofrecer salvación.

Las personas tratan de cambiarnos de fuera adentro. Y solo Dios es capaz de cambiarnos de dentro afuera. Antes de venir a Cristo, a menudo tratamos de encajar en las normas del mundo para nuestras vidas y perdemos de vista nuestro verdadero ser. Nos obligan a convertirnos en personas que nunca estábamos destinados a ser. Sin embargo, una vez que Dios cambia a las personas de dentro afuera, se cambian para siempre. No nos pueden cambiar. No nos pueden cambiar a lo que éramos antes. Como descubrió la niña de esta historia, otros pueden influir y ejercer algún control en nosotros. Sin embargo, ya no pueden cambiarnos como lo hizo Cristo. ¿Ha experimentado usted el «cambio» que enseña la Biblia?

Cortesía extrema

En el camino a Emaús, el Salvador resucitado caminó con dos discípulos, hablando con ellos acerca de los recientes acontecimientos en Jerusalén. Aunque no lo reconocieron, habló con ellos sobre el plan de Dios para el Mesías. Cuando llegaron a su pueblo, Jesús actuó como si tuviera que continuar su camino. ¿Por qué? ¿No quería quedarse y continuar la conversación?

Para Piott, un creyente ruso, las acciones de Jesús mostraban cortesía. No quería quedarse a no ser que en verdad lo quisieran. Piott había visto a los comunistas apoderarse de su país. La policía irrumpía en los hogares de las personas cada vez que querían. Al final, un cristiano le contó a Piott la historia de un Salvador que tocaba con sutileza en su corazón, esperando que le permitieran entrar. Piott se impresionó con este cortés Jesús y de buena voluntad abrió la puerta. Jesús se convirtió en el Salvador y Señor de Piott.

Más bien, crezcan en la gracia y en el conocimiento de nuestro Señor y Salvador Jesucristo.
2 Pedro 3:18

Piott sabía el significado de la conversión. Estaba cambiado. Dios lo envió como un obrero a la iglesia clandestina. Ahí aprendió por el ejemplo de otros. Los cristianos más maduros le mostraron cómo desarrollar su testimonio y poner su fe en práctica. Pronto, Piott comenzó a hacer innumerables viajes pasando material cristiano impreso de contrabando a Rusia. Cada vez era más audaz. No solo lo motivaba ser un discípulo, sino ser uno que hacía discípulos al llevar a otros a Cristo.

Por último, lo arrestaron y encarcelaron. Nadie sabe lo que le sucedió.

El pastor rumano Richard Wurmbrand dijo una vez: «Nunca debemos detenernos cuando ganamos un alma para Cristo. Con esto solo hacemos la mitad del trabajo. Toda alma ganada para Cristo debe convertirse en una ganadora de almas. Los rusos no solo se convirtieron, sino que se transformaron en «misioneros» en la iglesia clandestina. Eran temerarios y atrevidos para Cristo». ¿Cómo crece una persona como Piott de ser salvo a salvar a otros? Al igual que alguien le enseñó a Piott cómo convertirse en cristiano, alguien le mostró cómo crecer en su fe. A las personas se les debe enseñar cómo ser más para Cristo. ¿Es su fe creciente un ejemplo para otros? Dios lo llama a ser un discípulo al igual que uno que hace discípulos.

Recuerdos extremos

CUBA: TOM WHITE

Antes que su pequeña avioneta se estrellara en la aislada isla de Cuba, Tom y su piloto pasaron meses ocupados dejando caer panfletos del evangelio, sin saber si el pueblo de Cuba había respondido. Ahora, sentenciado a veinticuatro años en la cárcel del Combinado del Este, Tom escuchó un testimonio directo de la condición de la iglesia cubana. ¡Estaba muy viva!

Se sentía privilegiado de estar en la cárcel con los muchos cristianos que había conocido. Sin embargo, el capitán Santos decidió ponerlo incomunicado en una celda refrigerada. Ahora era una lucha mantenerse positivo y prevenir que su corazón se volviera tan frío como la celda.

Era imposible dormir porque el piso estaba demasiado frío. El único descanso que tenía era parándose a medio metro de la pared y recostando su cabeza contra ella.

Por lo tanto, anímense unos a otros con estas palabras.
1 Tesalonicenses 4:18

Mientras luchaba la batalla mental contra darse por vencido, cantaba himnos y coros. Unió todas sus fuerzas y se enfocó en la fortaleza de sus hermanos en la cárcel. Ellos lo alentaron y le dijeron que oraban por él. También se apoyó en los muchos testimonios inspiradores que recordaba de un libro que su madre le dio cuando era un joven adolescente.

Tom logró sobrevivir este tiempo difícil debido a la compañía que tuvo al recordar ese libro. ¿El título del libro? *El Libro de los Mártires de Foxe.*

Cuando otra persona ha pasado a través de pruebas similares antes que nosotros, de alguna manera hace que nos sea más fácil. A esto se le llama el poder de la historia personal. Leer acerca de la experiencia de otra persona nos ayuda a poner en perspectiva nuestra propia situación. A veces, hasta nos encontramos en nuestra propia versión del encarcelamiento incomunicado de Tom. Es posible que estemos pasando solos a través de algo. Durante esos tiempos solitarios, los mejores compañeros que tenemos son las historias de otros creyentes audaces. Las biografías de los mártires y de otros cristianos logran tranquilizarnos, alentarnos y retarnos tanto como amigos de carne y hueso. ¿Está pasando a través de la aflicción? Alivie su soledad con historias de sus hermanos y hermanas cristianas. Saque fuerzas para hoy y esperanza para mañana.

¡Más persecución: más crecimiento!

LA CITA FAVORITA DE SAMUEL LAMB, PASTOR DE UNA CASA-IGLESIA CHINA
QUE HA PASADO VEINTE AÑOS EN LA CÁRCEL POR SU FE

Otra misionera extrema

INDIA: AMY CARMICHAEL

El 24 de octubre de 1931, Amy Carmichael oró: «Dios, por favor, haz conmigo lo que tú desees. Haz cualquier cosa que me ayude a servirte mejor». Como misionera en la India y madre de los muchos niños que rescató de la prostitución en los templos paganos, Amy estaba acostumbrada a orar y a confiar en Dios por el resultado.

Más tarde ese mismo día, se cayó, se dislocó un tobillo y se fracturó una pierna. A causa de las complicaciones, Amy quedó inválida por completo y pasó la mayoría de los siguientes veinte años limitada a su habitación.

Sin embargo, Amy no perdió tiempo preocupándose de su condición. Reenfocó sus energías en escribir y alentar a los santos alrededor del mundo. Envió miles de cartas desde su cama, fue la autora de trece libros y escribió bella poesía.

A los que sufren, Dios los libra mediante el sufrimiento; en su aflicción, los consuela.

Job 36:15

¿No tienes herida?
¿Ni herida? ¿Ni cicatriz?
Sin embargo, como el Maestro así será el siervo,
Y traspasados están los pies que me siguen;
Aunque los tuyos están completos: ¿puede él haber seguido lejos
Quien no tiene herida ni cicatriz?

Amy se quedó inválida, pero sus heridas la llevaron más cerca de Dios. Anduvo en dulce compañerismo con un Salvador que llegó a comprender mejor a causa de su cicatriz. Las personas que pasan a través de una tragedia en particular se identifican unas con otras y sienten un lazo instantáneo. Los que vienen de una familia divorciada se identifican unos con otros de una manera que otros no pueden. Lo mismo es cierto con Cristo. Cuando sufrimos, comenzamos a identificarnos con Jesús en otro nivel del todo diferente. Sentimos que Él conoce nuestras heridas y de alguna manera tenemos un mayor sentido de las suyas. ¿Qué le enseñan sus heridas sobre Jesús? ¿Permite que estas lo acerquen a una relación más íntima?

Código extremo

RUMANIA: EL PASTOR RICHARD WURMBRAND

Solo en su celda bajo tierra, el pastor se quejaba a Dios: «Tú dices que das el sol y la lluvia a los buenos y a los malos. Así que, ¿cuál es? ¿Soy bueno o malo?».

Dios le dijo esto a su corazón: «Tú eres algo diferente por completo: un hijo de Dios. Un hijo de Dios no espera el sol ni la lluvia. Debe dar el sol. Tú eres la luz en un mundo oscuro, así que da luz. En lugar de quejarte por lo que no tienes, ¿por qué no das? Hay muchísimas almas a tu alrededor en las otras celdas».

Por tanto, ya que Cristo sufrió en el cuerpo, asuman también ustedes la misma actitud.

1 Pedro 4:1

El pastor Wurmbrand oró: «¿Cómo se supone que voy a llevarle a alguien la salvación cuando estoy solo en una celda?».

«Piensa en esto por ti mismo».

Richard Wurmbrand tuvo entonces una idea y tocó en las paredes. En efecto, escuchó toques en respuesta. Entonces procedió a enseñarles a los prisioneros de ambos lados el código Morse. Al final, lograron comunicarse con eficacia y Richard comenzó a predicar el evangelio. Otros a su vez hicieron lo mismo con los que estaban junto a sus celdas.

Su nueva actitud permitió que Dios cambiara una situación al parecer sin esperanza en un método eficaz de extender el evangelio a través de la cárcel.

Años más tarde, Richard escuchó a alguien testificar que en una cárcel rumana, un prisionero en una celda junto a la suya lo guió a Cristo tocando en la pared.

Enfrentarse a los hechos quizá sea una labor difícil. Cuando el pastor Wurmbrand evaluó su situación, los hechos no parecían buenos. Sin embargo, sus sufrimientos en realidad lo guiaron a un nuevo descubrimiento. Se dio cuenta que la actitud de una persona es más importante que los hechos. Armado de una actitud de esperanza renovada, comenzó a reevaluar los hechos. No podía hablar. Aun así, podía tocar en código Morse. Podía incluso predicar el evangelio: su verdadero amor. Cuando descubrimos que nuestras circunstancias están contra nosotros, debemos prestar atención a nuestras actitudes. Deberíamos estar preparados para sufrir, como lo estuvo Cristo. No obstante, debemos determinar que no nos derrotarán. Sobreviviremos. ¿Presta más atención a los hechos? ¿O es una persona de fe?

Tarea extrema

VIETNAM DEL NORTE: EL HERMANO DA

El hermano Da era un miembro fiel del Partido Comunista en el norte de Vietnam cuando escuchó por primera vez los programas cristianos en su radio de onda corta. Al principio, rechazó las ideas como una superstición tonta, pero después de escuchar por dos meses, ya no podía resistir a Cristo. Se emocionaba con su amor por Dios y parecía abrumar su corazón. Pronto llevó a muchos de sus vecinos a Cristo.

Sin embargo, su emoción duró corto tiempo. El 29 de diciembre de 1998, la policía vietnamita, enojada por las actividades evangelísticas de Da, invadieron su casa y lo sacaron a punta de pistola. Su esposa y sus cuatro hijos solo pudieron observar mientras se lo llevaban a un campo de prisioneros.

En el campo de trabajo forzado construido toscamente, a Da lo obligaron a trabajar en la fábrica de ladrillos. Cada día significaba cargar otros dos mil ladrillos. Si Da no cumplía con su cuota, lo golpeaban con crueldad. Justo cuando pensaba que ya no podía más con el trabajo, lo pusieron en libertad el 15 de octubre de 2000.

Los recordamos constantemente delante de nuestro Dios y Padre a causa de la obra realizada por su fe, el trabajo motivado por su amor, y la constancia sostenida por su esperanza en nuestro Señor Jesucristo.

1 Tesalonicenses 1:3

Aún bajo arresto domiciliario, le ordenaron de nuevo a Da que cesara de hablar de su fe. Le dijeron: «Usted acaba de regresar de un campo de trabajo forzado. ¿Quiere regresar? Piénselo bien».

Aun así, Da estaba comprometido a una «labor de amor» por Dios y continuó su tarea de predicar a Cristo a los que lo rodeaban. Ninguna tarea física, aun cargando dos mil ladrillos al día, lograría disuadirlo.

Pocas personas admitirían que les encanta ir a trabajar cada día. Para algunos, el trabajo es un mal necesario. Sin embargo, quienes laboran mientras son testigos de Dios tienen un punto de vista del todo diferente. La obra de Dios nunca es trabajo pesado. De modo que estamos siempre en el horario, laborando sin cesar a fin de que el evangelio avance en todas partes. Dios nos da energía para la tarea a mano y resistencia cuando las cosas se ponen difíciles. ¿Por qué trabajan tan duro los cristianos? ¿Es por el sueldo? ¿Es por los bonos, las gratificaciones u otros beneficios? No, el amor nos motiva a darnos por entero al servicio de Dios. Si ama a Cristo, trabajará con gusto para Él. ¿A qué lo ha llamado hoy para servirle?

Petición extrema

Cuando por último el niño en el hotel notó al «hombre de negocios» visitante, corrió hacia él y agarró su mano. El visitante sorprendido trató de retirar la mano, pero pronto se dio cuenta que, en silencio, el niño le hacía la señal de la cruz con su dedo en la palma de su mano. El hombre, un misionero que había orado para hacer contacto con la iglesia, miró al rostro del niño demasiado delgado y de inmediato comprendió el mensaje: «¡La iglesia está viva en Corea del Norte!».

Al siguiente día, el misionero se reunió en secreto con el niño. Se enteró que su padre era un cristiano que habían encarcelado años antes. La familia del niño había sufrido mucho bajo el cruel gobierno y tenía que mendigar por comida para sobrevivir. Ahora a causa de la sequía, personas por todas partes morían de una severa desnutrición.

Así que mi Dios les proveerá de todo lo que necesiten, conforme a las gloriosas riquezas que tiene en Cristo Jesús.
Filipenses 4:19

Cuando el misionero preguntó qué podía hacer, pensó que sin duda el niño pediría comida para su familia. Sin embargo, el niño solo pidió cuatro cosas: que tomara el diezmo que había guardado por muchos años, que lo bautizara, que le diera la Santa Comunión y que le diera una Biblia mejor.

El hombre se conmovió hasta las lágrimas al darse cuenta de la sabiduría del niño. La ayuda física solo le serviría por uno o dos días, y después estaría de nuevo en el mismo aprieto. La ayuda espiritual lo prepararía para la eternidad.

Esperar algo y necesitar algo son dos cosas del todo diferentes para la mayoría de las personas. Lo que quieren no es lo que necesitan. Aun así, lo que más necesitan no es lo que quieren. Es por eso que tantas personas se frustran. El niño en esta historia nos enseña lo que sucede cuando todos nuestros deseos están de acuerdo con todas nuestras necesidades. Tenía razón. Quería la misma cosa que más necesitaba: Jesucristo. Cuando todo lo que usted quiere es todo lo que necesita, encontrará gran satisfacción. Es posible que diga que necesita dinero, pero pronto querrá otras cosas también. Solo Jesús logra satisfacer sus deseos y sus necesidades al mismo tiempo.

Postura extrema

NIGERIA: SARATU TURUNDU

«Yo no huiré. Estoy listo para soportar».

Saratu Turundu tenía treinta y cinco años de edad y era soltera. Amaba muchísimo a los niños y estaba desesperada por tener los suyos, pero Dios no había contestado su oración.

Saratu decidió dedicarse a Dios y a su iglesia. Abrazó su familia de la iglesia con todo su corazón y en especial le encantaba enseñar en la escuela dominical. Su interacción con los niños y su oportunidad de mostrarles el camino a Cristo llenaban a Saratu con un gozo increíble. Sabía que nunca sería feliz sin Cristo.

Y se mantendrá en pie, porque el Señor tiene poder para sostenerlo.
Romanos 14:4

Sin embargo, los musulmanes fanáticos que dominaban su ciudad de Kaduna, Nigeria, comenzaron a perseguir a los cristianos. Ella había escuchado historias de cristianos que perseguían en otras aldeas, y que les quemaban sus casas y sus posesiones. Algunos incluso los golpearon y mataron.

Así que cuando las turbas vinieron a atacar a los cristianos en Kaduna, Saratu ya había decidido quedarse y sufrir por Cristo. Los hermanos de Saratu le rogaron que huyera al bosque con ellos, pero aun mientras observaba a la multitud quemar su amada iglesia por completo, no se iba. Se arrodilló en el piso de su apartamento y oró mientras los musulmanes le echaban gasolina al edificio y le prendían fuego.

Su familia y sus amigos la recuerdan como una persona bondadosa y compasiva que mostró amor a todo el mundo. Murió amando a su Salvador

---

Historias de fortaleza sobrehumana son tan inspiradoras como increíbles. Nos asombramos por historias de madres levantando autos ardiendo de encima de sus hijos en accidentes terribles. Impulsado por la adrenalina, el cuerpo humano es capaz de proezas sorprendentes. De la misma manera que la adrenalina afecta los músculos humanos, nuestra fe capacita a nuestros músculos espirituales para hacer lo que nunca pensamos que fuera posible. Saratu flexionó sus músculos espirituales cuando decidió soportar a favor de Cristo en su comunidad. Es probable que nunca se diera cuenta que tenía la fortaleza para hacerlo antes de ese momento. Sin embargo, Dios le permitió hacerlo. ¿Alguna vez ha hecho algo que pensaba que nunca sería capaz de hacer? Agradézcale a Dios hoy por su fidelidad para hacerlo tomar una postura firme.

Venganza extrema

Octubre 27

ESPAÑA: BARTOLOMÉ MÁRQUEZ

«Yo le ruego que se vengue...»

Los lectores de la carta del mártir español Bartolomé Márquez estaban asombrados de ver un llamado a la venganza en su última carta. Entonces vieron que su llamado no era por derramamiento de sangre humana para vengarse por él, sino para que más personas vinieran bajo la sangre de Jesús.

«Yo les ruego que tomen venganza cristiana tratando de hacer bien a los que me hicieron daño», retaba Márquez a otros creyentes. «Espero verlos donde yo estaré pronto, en el cielo».

Muy pronto el Dios de paz aplastará a Satanás bajo los pies de ustedes.
Romanos 16:20

Los comunistas españoles mataron a Márquez, junto con muchos otros pastores, en 1939. Su carta final era una epístola de gozo a su esposa y sus hermanos y hermanas cristianos.

«En unas pocas horas, conoceré los regocijos inexpresables de los benditos. ¡Qué fácil es la muerte de los perseguidos por la causa de Cristo! Dios me da un privilegio inmerecido: morir disfrutando su gracia.

«Mientras mi corazón lata», le escribió a su esposa, «latirá con amor por ti. Cuando me sentenciaron por defender los altos ideales de la religión, la patria y la familia, las puertas del cielo se abrieron para mí. En recuerdo de nuestro amor, aun más intenso ahora, por favor considera la salvación de tu alma como tu obligación suprema. De esa manera estaremos unidos por la eternidad en el cielo. Ahí nadie nos separará».

Los que sufren por Cristo deben tener la habilidad de ver el cuadro más grande. La Biblia está llena de historias que nos enseñan sobre vidas en particular. Esas vidas, sin embargo, encajan en un plan mayor: la batalla entre Dios y el mal. El cuadro más grande nos permite ver cómo Satanás está detrás de la opresión y el sufrimiento; por lo tanto, no necesitamos tomar venganza contra los opresores. Ellos son solo instrumentos en el plan de Satanás. Los mártires cristianos como Márquez nos recuerdan que no hay venganza mayor para los ataques de Satanás contra los cristianos que cuando se guían a los atacantes a Cristo. Ore por los líderes de gobiernos y regímenes opresivos. Apoye a los misioneros y a otros que están en una posición de predicar el evangelio.

La iglesia siempre ha sido y será perseguida. Todo el mundo nos observa. Si morimos en fe, esperanza y amor, esto puede cambiar la historia de las naciones. Si fallamos en tomar una postura de amor y esperanza por nuestra fe, las naciones pueden a menudo rechazar a Cristo.

DE UN MISIONERO QUE TRABAJA EN CHINA Y EN COREA DEL NORTE

Intervención extrema

RUMANIA: JOANA MINDRUTZ

Joana Mindrutz sorprendió a muchos por sus acciones. Se acercó con audacia a un agente de la policía y declaró: «Seis discípulos de Cristo del pueblo escogido de Dios sufren aquí. Yo quiero sufrir con ellos». Pronto estaba cantando con los acusados que arrestaron más temprano ese día: un pastor cristiano judío, su esposa y los otros cuatro cristianos encarcelados.

El gobierno rumano desde que se alió a la Alemania nazi había perseguido y asesinado a judíos a un índice alarmante. Aun así, esta pareja cristiana judía en particular era muy conocida y amada a través de Rumania: el pastor Richard Wurmbrand y su esposa, Sabina.

Me diste vida, me favoreciste con tu amor, y tus cuidados me han infundido aliento.

Job 10:12

El día del juicio, varios reconocidos líderes religiosos vinieron en defensa de los Wurmbrand, esperando que su intervención los pusieran en libertad. No obstante, de repente los cielos se llenaron de aviones de guerra rusos y a todo el mundo, incluyendo cada prisionero, lo escoltaron enseguida a los refugios antiaéreos.

Allí el pastor Wurmbrand pudo orar por el grupo, incluyendo los jueces. Su oración era en realidad un llamado disfrazado a la fe y al arrepentimiento, y cuando pasó el peligro y continuó el juicio, ocurrió un milagro.

Dios se había movido en los corazones de los jueces durante esa crisis, ¡y a los Wurmbrand los pusieron en libertad! Un juez añadió: «La policía arrestó a seis personas, pero hay siete de pie frente a mí. Es obvio que hubo una equivocación. ¡Caso cerrado!».

A decir verdad, fue el único caso en ese tiempo en el que se declararon inocentes a los judíos acusados.

Es inexplicable. Es increíble. Cuando Dios entra a nuestra realidad, sus pisadas son inconfundibles. Algunas veces ocurren cosas de tal manera que aun los que son observadores no creyentes admiten que alguien, o algo, nos está cuidando. Es posible que se refieran a Él como «el Hombre allá arriba» que nos cuida como nuestro «ángel de la guarda». Como cristianos, sin embargo, sabemos que nuestro Padre celestial es poderoso y lo suficiente amoroso para hacer un milagro por nosotros cuando lo necesitamos. ¿Ha tenido el privilegio de observar la intervención de Dios en su vida o en la vida de un ser amado? Pase algún tiempo hoy dándole gracias a Dios por intervenir en su vida.

Protección extrema

UCRANIA: VERA YAKOVLENA

Ya habían enviado innumerables cristianos de la ciudad de Ucrania a los campos de trabajo forzado en Siberia por su fe. Ahora le tocaba a Vera Yakovlena. La reputación de esos campos era muy conocida y ella estaba segura que nunca sobreviviría.

Cuando un guardia la encontró testificando de Cristo, su castigo fue pararse descalza sobre el hielo por horas. Cuando no logró alcanzar su cuota de trabajo, la golpearon y le negaron el caldo aguado que llamaban la cena.

Una noche, deprimida y llorando, Vera salió al patio de la prisión para estar sola. En su tristeza no notó que había cruzado a la zona prohibida, donde les disparaban a los prisioneros de forma automática.

Él cuida el sendero de los justos y protege el camino de sus fieles.

Proverbios 2:8

De repente, una voz áspera gritó:

—Oye, ¿es tu madre cristiana?

Vera, aturdida y atemorizada, que en realidad había estado pensando en su madre en ese momento, respondió:

—¿Por qué lo pregunta?

—Porque hace diez minutos que te observo, pero no he podido dispararte —dijo el guardia—. No puedo mover mi brazo. Está muy saludable; lo he estado moviendo todo el día. Así que pensé que debes tener una madre que está orando por ti. Corre de regreso; yo miraré en otra dirección.

Al día siguiente, Vera vio al guardia. Él le sonrió y levantó su brazo diciendo:

—Ahora lo puedo mover de nuevo.

S

No nos gusta correr riesgos. Preferimos la seguridad que la aventura. Preferimos la comodidad que el reto. Cuando se presenta la ocasión, queremos proteger nuestras vidas de tanta duda y temor como sea posible. Sin embargo, nos hemos olvidado que Dios nos ofrece su protección en los momentos en que estamos en el frente de batalla a su servicio. La protección de Dios es más como un escudo en batalla que como una frazada de seguridad para nuestra comodidad en el hogar. ¿Cuándo fue la última vez que se movió tanto en fe que tuvo que sencillamente confiar en la protección de Dios? ¿Está tan ocupado protegiendo su vida que se ha olvidado de cómo confiar en Dios? ¿Es tan precavido que nunca corre riesgos por Dios? Sin importar el resultado, un testimonio no es un simple «riesgo». Es fe.

Decisión extrema

RUMANIA: RICHARD Y SABINA WURMBRAND

No era demasiado tarde para huir del país; miles aún podían comprar su salida. El pastor y su esposa batallaron con la decisión de irse o quedarse. «Si vamos a la cárcel, quizá sea por años. ¿Qué sucederá con nuestro hijo?»

Sin embargo, no querían abandonar su iglesia. Los miembros contaban con ellos para su fortaleza y apoyo, y la pareja se sentía culpable por sentir la tentación de irse. Un amigo les recordó las palabras del ángel a Lot: «¡Escápate! No mires hacia atrás».

El pastor se preguntó: «¿Fue eso un mensaje de Dios? ¿Debemos escapar para salvar nuestras vidas?».

Su esposa leyó otro versículo. «Porque el que quiera salvar su vida, la perderá; pero el que pierda su vida por mi causa y por el evangelio, la salvará» (Marcos 8:35).

Porque el que quiera salvar su vida, la perderá; pero el que pierda su vida por mi causa y por el evangelio, la salvará.

Marcos 8:35

Así que el debate continuó hasta una noche en una reunión secreta de una casa-iglesia, donde cincuenta creyentes se reunieron para una vigilia de toda la noche. Alrededor de medianoche, una mujer arrodillada con el resto de ellos clamó: «Y usted, aquel que está pensando en irse, recuerde que el Buen Pastor no desertó de su rebaño. Permaneció hasta el final».

La preciosa mujer no sabía nada de la batalla del pastor y su esposa, pero para ellos el mensaje estaba claro. Se quedaron y eligieron servir a su congregación, y más tarde sufrieron con ellos en la cárcel.

Como los Wurmbrand, debemos orar por nuestras decisiones, escudriñar la Biblia y escuchar el consejo de otros. Y, como los Wurmbrand, debemos comprometernos a obedecer la respuesta de Dios antes de recibirla. Esa es la clave. Es como si comenzáramos nuestras oraciones con un «Sí» firme aun antes de preguntar lo que debemos hacer. Debemos estar dispuestos a soltar nuestras propias vidas y abandonar todo sentido de propiedad. Solo entonces encontraremos nuestra verdadera vida y aceptaremos la total voluntad de Dios para nuestras vidas. ¿Mantiene tanto control de su vida que si Dios quisiera cambiar su modo de pensar en cuanto a decisión, no le permitiría hacerlo de ningún modo?

Fiestas de cumpleaños extremas

RUSIA

«¿Es hoy mi cumpleaños o el tuyo?», preguntó la joven cristiana con un brillo en sus ojos.

«Hoy es el tuyo», dijo su padre. «El mío fue la semana pasada». Para los cristianos en los países comunistas, los cumpleaños eran una gran excusa para reunirse con otros creyentes. Algunas familias se reunían cada semana para una fiesta de cumpleaños que era en realidad un culto de la iglesia clandestina.

Los jóvenes utilizaban estas «fiestas» para fortalecer su compromiso con el evangelio. En Rusia, en 1966, arrestaron a tres niños y cuatro niñas por cantar un himno en un tren.

En el tribunal, los siete jovencitos se pusieron de rodillas. «Nos entregamos a las manos de Dios», dijeron frente al juez y a los testigos reunidos. «Te damos gracias, Señor, que tú nos has permitido sufrir por esta fe».

Después de su confesión, otros cristianos en el juzgado comenzaron a cantar el mismo himno por el que arrestaron a los niños. Ellos dijeron: «Vamos a dedicar nuestra juventud a Cristo».

Los comunistas no lograron impedir que la iglesia se reuniera y creciera. Un periódico ruso contó de un pastor que enviaron a la cárcel tres veces. Cada vez que lo ponían en libertad, iba de inmediato y celebraba reuniones de la escuela dominical.

Esos creyentes utilizaron cualquier medio posible para expresar su lealtad a Dios. Se arriesgaron y sufrieron la censura de su país en servicio a la iglesia de Dios.

> *Y después de que ustedes hayan sufrido un poco de tiempo, Dios mismo, el Dios de toda gracia que los llamó a su gloria eterna en Cristo, los restaurará y los hará fuertes, firmes y estables.*
>
> *1 Pedro 5:10*

Para que nuestros músculos físicos se fortalezcan, primero se tienen que quebrantar y extender a través del ejercicio y el trabajo duro. Asimismo, la fe es un músculo que solo crece cuando se flexiona. El sufrimiento flexiona el músculo de nuestra fe. Nos extienden y «quebrantan» ante Dios durante tiempos de pruebas. Aun así, nos fortalecemos más como resultado. Las iglesias en los países restringidos dan muestra de una enorme fortaleza a causa de sus sufrimientos. ¿Puede decirse lo mismo de nuestra fe en Estados Unidos? El ejercicio nos agota, no queremos hacerlo. De igual manera, pensar en el sufrimiento lo pudiera molestar. Sin embargo, no puede crecer si no flexiona su fe.

Manifiesto extremo

Noviembre 2

RUSIA: UN PRISIONERO SIN NOMBRE

La viuda se paró cerca del cuerpo de su esposo martirizado, tomada de las manos de dos de sus cuatro hijos. Su esposo había muerto en la cárcel y las marcas en su cuerpo mostraban con claridad que la muerte vino con lentitud y dolor.

Los demás creyentes sabían que este quizá fuera también su destino, pero cientos fueron a su funeral. Murió por su fe solo tres meses después de su conversión y ahora lloraban su muerte.

Imiten a Dios.
Efesios 5:1

Las personas se amontonaban alrededor de la casa donde se celebraba el funeral y muchos se inspiraron por su ejemplo. Ochenta personas aceptaron a Cristo públicamente ese día, incluyendo muchos jóvenes que fueron miembros de la Organización de Jóvenes Comunistas.

Los cristianos caminaron a través de la ciudad hasta el río, donde bautizaron a los nuevos creyentes. La multitud había crecido a más de mil quinientas personas.

Pronto llegaron autos llenos de policías. Se proponían arrestar a los líderes del culto, pues no podían arrestar a todo el mundo allí. Los cristianos se arrodillaron a orar enseguida, pidiéndole a Dios que les permitiera terminar el culto. Entonces se pusieron de pie, hombro con hombro, impidiéndole el avance a la policía mientras continuaban los bautizos. La multitud solo se dispersó después que se bautizaron todos los nuevos creyentes, permitiendo a la policía que avanzara.

Mil personas se inspiraron por el ejemplo de sacrificio de un nuevo creyente.

manifestar verbo transitivo. Declarar, dar a conocer; descubrir, poner a la vista. El significado de la palabra está claro. Sin embargo, ¿es la manifestación de nuestra fe igual de obvia? El hombre en esta historia imitó a Jesús. Tan sencillo como eso. Como resultado de su ejemplo claro, una multitud se sintió impulsada a seguir el mismo ejemplo con su propia manifestación de fe. Así también nuestras vidas deben mostrar con claridad nuestra fe en Cristo a fin de que todos la vean. ¿Sabrían otros cómo seguir a Cristo solo con observar el ejemplo de usted? Mejor aun, ¿se sentirían impulsados a imitar su fe? Cuídese de no opacar la manifestación de su fe con retórica confusa u otras distracciones religiosas. Solo sea como Jesús y otros lo seguirán.

Versículos extremos

PAÍSES COMUNISTAS: LA IGLESIA CLANDESTINA

«Los versículos bíblicos siguen siendo ciertos, aun si el diablo los cita».

En un principio, la idea era ridiculizar la Biblia cristiana, hacer tal burla de ella que nadie respetable la creyera. Para llevar a cabo el plan, se imprimieron millones de libros, incluyendo *La Biblia Cómica* y *La Biblia para creyentes y no creyentes*.

Los libros se burlaban de Jesús, cuestionaban sus milagros y ridiculizaban otros aspectos de la fe cristiana. Aun así, las críticas eran tan escandalosas que nadie las tomó en serio. Numerosos versículos de las Escrituras se insertaron en el texto como «prueba» en las mentes de los comunistas de la falacia del libro.

¡Cuán dulces son a mi paladar tus palabras! ¡Son más dulces que la miel a mi boca!

Salmo 119:103

En cuanto se imprimían, los miembros de la iglesia clandestina acaparaban enseguida estos libros «cómicos». Los versículos citados en los libros eran un banquete de delicias para los que tenían hambre espiritual. Y todo era legal, impreso por su propio gobierno que odiaba a Dios. Al igual que los cuervos le dieron de comer a Elías cuando tenía hambre, así Dios utilizó las imprentas del gobierno para alimentar a sus hijos hambrientos en los países comunistas.

Los editores estaban contentos de recibir miles de cartas pidiendo que se imprimieran de nuevo los libros. De inmediato, echaron a andar las prensas para imprimir más ejemplares. No sabían que esas cartas venían de creyentes que deseaban distribuir los valiosos libros llenos de las palabras de Dios a otros miembros de la iglesia clandestina.

¿Es tan importante enviar Biblias a los países restringidos? Lea las historias de los mártires y decida. En un país donde se ofrecen Biblias como objetos usados por veinticinco centavos, no apreciamos en verdad la experiencia de quienes están en una hambruna espiritual. Mientras que nosotros pudiéramos poner Biblias una encima de la otra en la mesa de centro como una exhibición, otros creyentes claman por un solo ejemplar para compartirla con toda una iglesia. ¿Es justo para los países con muchísimas iglesias tener varias Biblias en casi todas las casas mientras que un país restringido no tiene ninguna? ¡Dios, revive nuestra propia hambre por las Escrituras y por llevar la Palabra a quienes ya están hambrientos! Considere cómo pudiera ayudar hoy a apoyar la distribución de Biblias en los países restringidos.

*La amistad con Jesús es costosa.
La fe salva por sí sola, pero la fe
que salva nunca está sola. Siempre
está acompañada de grandes
sacrificios por la causa de Cristo.*

El pastor Richard Wurmbrand

Testimonio extremo

SUDÁN: KUWA BASHIR

«Si muero, estaré muy contento porque en mi velatorio dejaré un ejemplo para que sigan otros cristianos».

Kuwa Bashir, un pastor de jóvenes sudanés, estaba ocupado estudiando para su próxima clase de Biblia cuando escuchó las terribles pero no inesperadas noticias. El año era 1987, y las fuerzas musulmanas del gobierno de Sudán acababan de capturar el área del Nilo Azul en Sudán.

Las fuerzas musulmanas pronto arrestaron a Bashir, resueltas a convertir a todo el mundo al islam. A Bashir lo golpearon y torturaron durante siete días antes de ponerlo en libertad, pero se negó a convertirse. Le dijeron que nunca organizara actividades para jóvenes ni asistiera a la iglesia de nuevo, pero Bashir no quiso que lo intimidaran. Sabía que las fuerzas islámicas no podían tocar su alma.

Pero si alguien sufre por ser cristiano, que no se avergüence, sino que alabe a Dios por llevar el nombre de Cristo.
1 Pedro 4:16

Cuando lo arrestaron por segunda vez, Bashir testificó: «Moriré con gusto sin temor como Jesús lo hizo en la cruz». Siguió hablándoles a sus captores acerca de Dios y el agente a cargo amenazó con matarlo. En lugar de eso, decidieron verter ácido en las manos de Bashir como un recuerdo constante de su rechazo a convertirse al islam.

A pesar de todo, la fe de Bashir ha permanecido fuerte y hoy en día sus manos quemadas e inútiles se han convertido en un testimonio vivo a los jóvenes en el campamento de refugiados de Bonga, donde trabaja a lo largo de la frontera entre Sudán y Etiopía.

Necesitamos proclamar a través de nuestras vidas cotidianas el mensaje que los mártires hablan a través de sus dramáticas muertes. Debemos ser un testimonio vivo de la gracia de Dios. Quizá nunca nos contemos entre los mártires, muriendo por nuestra fe en Cristo. Sin embargo, tenemos oportunidades diarias de vivir para Él. Se ha dicho que «lo que no mata nos hace más fuertes». Sobrevivimos sufrimientos a fin de que logremos vivir para hablarles a otros de la gracia de Dios. ¿Está marcada su vida por los sufrimientos? No se avergüence. Permita que sus cicatrices sean su testimonio. Permita que ellas cuenten su historia a todos los que ven su inconmovible fe.

Misioneros jóvenes extremos

RUMANIA

Aunque los invasores soviéticos aterrorizaban su país, los niños rumanos caminaban con paso seguro hacia los soldados rusos con sonrisas cálidas y de confianza en sus rostros.

Los soldados los saludaron con amabilidad, dándoles palmaditas en sus cabezas. Cada soldado estaba pensando en sus propios hijos, los cuales se vieron obligados a dejar atrás en Rusia.

—Tomen un dulce —dijo uno de los oficiales, ofreciéndoles un puñado de chocolates a los jovencitos, quienes tomaron con entusiasmo las golosinas difíciles de encontrar.

Pidan, y se les dará; busquen, y encontrarán; llamen, y se les abrirá.
Mateo 7:7

—Gracias, señor —dijeron los niños—. Nosotros también tenemos regalos para ustedes.

Ellos buscaron en sus bolsillos, sacando panfletos del evangelio y Nuevos Testamentos en ruso.

—¿Qué es esto? —preguntaron los soldados.

—Es un libro de Buenas Nuevas —dijeron los niños con sus bocas llenas de chocolate.

Los soldados hojearon los panfletos. Un oficial reconoció que eran religiosos y sabía los peligros. Miró a los niños con una profunda preocupación en sus ojos. Si los adultos les hubieran dado el material, los tendrían que arrestar. ¿Pero qué daño pudieran hacer estos niños?, pensó.

Lo que el oficial no sabía era que esos niños habían distribuido cientos de panfletos y Nuevos Testamentos, ayudando a muchos en el ejército ruso a encontrar a Dios. Esos niños estaban alistados en otro «ejército» con una «batalla» eterna.

Donde los adultos no pudieran ministrar con seguridad, los niños pasaron con el evangelio a través de una puerta abierta por completo.

La diferencia entre un pesimista y un optimista es un «no puedo» y un «sí puedo». Sin duda, los creyentes encuentran puertas cerradas tanto en países con restricción religiosa como en países con libertad religiosa. En algunos países, poseer una Biblia significa una sentencia de cárcel. En Estados Unidos, la «separación entre la iglesia y el estado» a menudo se lleva a los extremos. Algunas veces nuestro enfoque en lo que no debemos hacer como cristianos nos hace perder oportunidades que nos da Dios. Vemos con más facilidad las puertas cerradas que las abiertas. Por ejemplo, mientras que los misioneros no pueden entrar a países restringidos como tales, ¡se reclutan trabajadores como «profesionales»! También podemos apoyar a trabajadores cristianos nacionales que viven allí. La puerta está abierta. Entre a través de ella.

Niños escolares extremos

SUDÁN

Sentados en troncos bajo la sombra de un árbol, los doscientos treinta estudiantes cristianos acababan de comenzar su lección de inglés cuando escucharon los sonidos terribles arriba. Un avión surcaba ruidosamente el cielo sobre el patio de la escuela. En cuestión de minutos, el ejército islámico dejó caer cinco bombas desde un bombardero de construcción rusa.

Aterrorizados y gritando, los niños comenzaron a correr enseguida. Dos de las bombas cayeron en trincheras secas alrededor de la aldea y otra no explotó.

Fue lamentable, pero las otras dos bombas tachonadas de clavos cayeron en medio de los aterrorizados estudiantes. La explosión fue tremenda. El daño inconcebible.

«Señor», contestó Simón Pedro: «¿A quién iremos? Tú tienes palabras de vida eterna».

Juan 6:68

Ya a las nueve y quince de la mañana el bombardero se había ido y la horrible realidad comenzó a establecerse. Los estudiantes deambulaban confusos alrededor del patio de la escuela, llorando y sangrando. Doce de sus compañeros de clase, desde nueve hasta dieciséis años de edad, no sobrevivieron la explosión. Su amada joven maestra, Roda Ismail, también yacía muerta entre los escombros.

Otros siete estudiantes perdieron su batalla por sobrevivir en los días siguientes al ataque y a tres tuvieron que amputarles algunas de sus extremidades.

Al siguiente día, los niños fueron a la escuela como de costumbre. El director exhausto y abatido les dijo que se fueran a casa. «No puedo decirles cuándo vamos a dar clases o si se van a reanudar».

Un niño de diez años de edad se le acercó y le dijo: «Por favor, permítanos continuar. Queremos aprender, y si es la voluntad de Dios, no moriremos hoy».

La vida en la encrucijada. Todos hemos estado allí, titubeando entre darnos por vencidos y seguir adelante. Como el niño de la escuela, las multitudes que seguían a Jesús se dieron cuenta un día que el camino en que iban estaba lleno de peligro. Como el director abatido, muchos en la multitud volvieron a casa, incapaces de decir si iban a seguir a Cristo ni cuándo. Sin embargo, Pedro y los otros discípulos se quedaron. La solemne petición del niño refleja la respuesta de Pedro: «Permítanos continuar». Cuando sentimos la tentación a darnos por vencidos, continuemos. Cuando parece que seguir a Cristo es demasiado difícil, continuemos. ¿Se enfrenta a la encrucijada del compromiso? Pídale a Dios que le dé la fortaleza para continuar en lugar de darse por vencido.

Sobreviviente extremo

COREA DEL NORTE: UN TESTIGO SOLITARIO

A medida que se despertaba con lentitud, sus ojos se ajustaron al humo. Clamó por su pastor, pero nadie contestó. Horrorizado, enseguida comenzó a abrirse paso a fin de salir del montón de carne y escombros.

Esa mañana había estado entre un grupo de ciento noventa creyentes de Corea del Norte cuando la policía irrumpió, los acorraló y los llevó con mucha crueldad al centro de la ciudad.

Este mensaje es digno de crédito y merece ser aceptado por todos: que Cristo Jesús vino al mundo a salvar a los pecadores.

1 Timoteo 1:15

El líder de su país, Kim Il Sung, estaba frente a ellos. El despiadado dictador caminó hasta el centro de la plaza y trazó una línea en la tierra, ordenándoles a los que querían vivir que negaran a Cristo y cruzaran la línea.

Nadie dio un paso adelante. Enfurecido, Kim Il Sung ordenó que arrojaran al grupo en un túnel de una mina con cartuchos de dinamita.

Lo último que el creyente sobreviviente recordaba era su pastor, consolando y alentando al grupo. Dándose cuenta que era el único sobreviviente, clamó: «¿Por qué, Dios? ¿Por qué no me permitiste morir con los otros?».

De inmediato, Dios llenó su corazón de paz y él supo que alguien debía permanecer para ser testigo de su fe. Este fue el primero de muchos crueles ataques por la forma de comunismo y adoración de Kim Il Sung llamada *juche*. Las noticias del heroico acontecimiento se diseminaron con rapidez entre los cristianos y aún se cuentan hoy en día en Corea del Norte.

Como el creyente en esta historia, los bomberos que sobrevivieron el ataque terrorista al Centro Mundial de Comercio no son testigos silenciosos. Aunque no logran explicar por qué sobrevivieron y sus compañeros no, son patriotas francos que saben que alguien debe permanecer para contar las historias de los que murieron salvando a otros para que ellos vivieran. Como cristiano, usted tiene aun una historia mayor de sobreviviente que contar. Jesús no sobrevivió la cruz. La conquistó. No solo sobrevivió su terrible experiencia; triunfó. Regresó en su cuerpo resucitado para llevar las noticias a los discípulos que pronto le dirían al mundo. Jesús murió salvando a otros para que ellos pudieran vivir. Y ahora vive, al regresar de la muerte, ofreciendo salvación al mundo.

Hija extrema

TAYIKISTÁN: MUNIRA

«Tienes cinco minutos antes que te mate, Munira. ¿A quién escogerás, a tu familia o a Jesús?»

Por meses, Munira había tratado de mantener su fe en secreto; amaba tanto a su familia que no deseaba herirlos. Sin embargo, cuando su padre hizo preparativos para que Munira se casara, ella les dijo de su amor por Cristo.

Munira dependía de su última gota de fe. Le contestó a su padre: «Debo escoger a Jesús». Estaba tan enfurecido de que su bella hija se rebelara contra su familia negando su crianza islámica en Tayikistán que la golpeó por dos horas.

Por lo tanto, no se angustien por el mañana, el cual tendrá sus propios afanes. Cada día tiene ya sus problemas.

Mateo 6:34

Sin embargo, Dios intervino. Un amigo cristiano la llevó a un lugar seguro por un tiempo. Munira dijo: «Durante mi tiempo apartada, Dios me reveló su fidelidad, y después de mucha oración, sabía que era tiempo de reconciliarme con mi familia amada».

Cuando regresó a casa, todo el mundo estaba contento excepto su padre. Sus primeras palabras fueron: «¡Yo te odio! ¡Lárgate! ¡Mi hija murió hace tres meses!».

Devastada, Munira lloró a los pies de su padre diciendo: «Mi Dios me dijo que regresara a ti. Nunca te dejaré, aun si me golpeas y me matas».

Su padre se echó a llorar y abrazó a Munira. Pronto se resignó a la nueva fe de ella y aun estuvo de acuerdo en permitirle que asistiera a un Instituto Bíblico.

Algunos lectores se envuelven tanto en una historia que leen más adelante para saber qué sucederá. Saltan un capítulo o quizá voltean al final del libro. Solo necesitan saber si el héroe gana al final. Necesitan saber si todo resultará según lo planeado. Es lamentable, pero usted no puede leer más adelante en la historia de su vida. Al igual que Munira, tiene que tomarla por capítulos, de día en día. Como ella, no se desilusionará con los resultados. ¿Ansía ver adónde lo llevará su obediencia? ¿Quiere descubrir lo siguiente que Dios le tiene planeado? Lo mejor que puede hacer es obedecerlo hoy y dejarle el mañana.

Compañero extremo

EGIPTO: ORÍGENES

«Quemaron nuestras posesiones, pero no pueden quemar a Jesús de nuestros corazones».

Orígenes no era el joven típico de dieciocho años de edad. Era un maestro de Egipto del siglo segundo. Mientras que la iglesia de su tiempo sufría una severa persecución, Orígenes no ocupaba su tiempo buscando chicas ni tratando de impresionar a sus iguales.

En lugar de huir del terror que mató hasta su propio padre, Orígenes decidió convertirse en un compañero de la iglesia perseguida. Pasaba su tiempo alentando a los cristianos que llevaban a los tribunales. Cuando los conducían a la muerte, se les acercaba y los besaba. Incluso visitaba las cárceles para consolar a los creyentes.

Yo, Juan, hermano de ustedes y compañero en el sufrimiento, en el reino y en la perseverancia que tenemos en unión con Jesús.

Apocalipsis 1:9

Sin embargo, Orígenes pronto se encontró en grave peligro a causa de su compasión por los creyentes condenados. Al poco tiempo los soldados se apostaron alrededor de su casa a causa de su influencia sobre la iglesia. Tenía muchos enemigos y el enojo en su contra era cada vez más candente.

Al final, lo obligaron a irse de la ciudad. Se mudó de casa en casa a causa de las muchas amenazas contra su vida. Aunque alentado por los ejemplos de fe en el libro de Hebreos, continuó siendo un compañero de los perseguidos. Incluso empleó a varias personas para escribir a mano copias adicionales de las Escrituras.

Con el tiempo su sorprendente actitud atrajo a algunos de sus enemigos a Cristo. Sin embargo, al final lo encarcelaron, torturaron y mataron por esa misma actitud.

¿Qué significa ser un compañero de los perseguidos? Las personas no son compañeros porque pasan a través de idéntico sufrimiento. Es posible que estemos en situaciones del todo diferentes a las de nuestros hermanos y hermanas en los países restringidos, pero aun así podemos ser sus compañeros. La distancia física no nos hace compañeros del alma. La devoción personal sí lo hace. El apoyo firme, la oración y el interés unen nuestros corazones y nuestras vidas. Como Orígenes, ¿estamos dispuestos a ponernos del lado de quienes sufren por el evangelio? No debemos avergonzarnos de nuestras amistades ni pasar por alto los riesgos que siguen. Cuando escuchamos la voz de los mártires que nos llama en nuestras oraciones, ¿tomaremos en cuenta sus clamores como verdaderos compañeros?

Con Él, mi amado Maestro, se está
bien en todas partes. Con Él tenemos
luz en la más oscura mazmorra. Yo le
he pedido que esté donde estoy
necesitado, no donde es mejor para el
hombre externo, sino donde yo pueda
dar fruto. Ese es mi llamado.

EL PASTOR RUSO P. RUMATCHIK, DE UNA CARTA ESCRITA
CUANDO ESTABA ENCARCELADO POR QUINTA VEZ

Otro defensor extremo

ALEMANIA: DIETRICH BONHOEFFER

Cuando Dietrich Bonhoeffer, de catorce años de edad, anunció su deseo de ser ministro, su familia rica criticó a la iglesia. Dietrich les dijo que él la reformaría.

A los veintiún años de edad, su disertación *La comunión de los santos* se elogió como un «milagro teológico». Como ministro ordenado, profesor de teología y autor, Bonhoeffer pasó su vida investigando los asuntos de la iglesia.

Cuando en 1933 Adolfo Hitler ascendió al poder en Alemania, la iglesia adoptó una de las cláusulas de Hitler negándole a la iglesia el derecho de ordenar ministros de descendencia judía. Solo Bonhoeffer habló de forma abierta contra la decisión y se comprometió a hacer que la revocaran.

Todo el mundo los odiará por causa de mi nombre. Pero no se perderá ni un solo cabello de su cabeza. Si se mantienen firmes, se salvarán.

Lucas 21:17-19

A través de conferencias y artículos publicados, Bonhoeffer se opuso a los malvados nazis y censuró a la iglesia por no haber «alzado la voz a favor de las víctimas y [...] encontrar maneras de apresurarse a ayudarlas».

En abril de 1943, arrestaron a Bonhoeffer en Berlín por «subversión a las fuerzas armadas». No obstante, mientras estaba en la cárcel, continuó escribiendo. «La iglesia estaba silenciosa, cuando debería haber clamado».

En 1945 trasladaron a Bonhoeffer al campo de concentración de Flossenburg, donde lo ahorcaron junto a otros seis el 9 de abril. El médico del campamento que observó cómo se arrodillaba a orar antes de que lo llevaran a la horca dijo que «nunca había visto a un hombre morir con tanto sometimiento a la voluntad de Dios».

Se ha dicho que si no tomamos una postura firme a favor de algo, de seguro caeremos por cualquier cosa. Ese fue el caso en la Alemania nazi. La iglesia en un país cristiano permaneció en silencio mientras olas tras olas de maldad se estrellaban contra las playas de la historia, apagando el solitario clamor de Bonhoeffer. ¿Podemos decir que somos defensores de la verdad si permanecemos silenciosos ante este tipo de asuntos? ¿Significa nuestro silencio en estos asuntos nuestro consentimiento a las atrocidades en los países restringidos? Un defensor de la verdad debe ser sincero en la fe. Como Bonhoeffer, debemos estar dispuestos a soportar las consecuencias de nuestra postura. De otra manera, nos arriesgamos al peligro de «caer por cualquier cosa» mientras estamos ocupados en decidir si vamos a tomar una postura firme a favor de Cristo o no.

Arma extrema

RUMANIA: SABINA WURMBRAND

A las cinco de la mañana se escucharon golpes en la puerta y enseguida se dieron cuenta que era una redada de la policía. El esposo de Sabina ya estaba en la cárcel, y ella se preocupaba por el destino de su pequeño hijo si se la llevaban a ella también. Así que cuando la policía rumana irrumpió temprano esa mañana, gritando e intimidando a sus huéspedes, Sabina oró en silencio y puso a ella y su familia en las manos de Dios.

—¿Sabina Wurmbrand? —exigieron—. Sabemos que estás escondiendo armas aquí. ¡Dinos dónde están!

Antes que pudiera contestar, ellos estaban abriendo baúles y armarios, y vaciando gavetas en el piso.

Tomen el casco de la salvación y la espada del Espíritu, que es la palabra de Dios.

Efesios 6:17

—¿Así que no nos mostrarás dónde se esconden las armas? ¡Destruiremos este lugar! —siguieron gritando.

Sabina, batallando por permanecer tranquila, dijo con sencillez:

—La única arma que tenemos en la casa está aquí —y agarró una Biblia de debajo de sus pies.

—Si no me dices la verdad —respondió el agente—, tendrás que venir con nosotros para hacer una declaración completa acerca de esas armas.

—Por favor, permítanos orar unos minutos y después iremos con ustedes —respondió Sabina y colocó la Biblia sobre la mesa.

Cuando se llevaban a Sabina, ella sintió la pérdida de su «arma», su Biblia, pero obtuvo fortaleza sabiendo que había guardado sus palabras en su corazón, donde no lograrían confiscarla.

Solo hay un arma ofensiva nombrada en la descripción de lo que se conoce como la armadura de Dios. En Efesios, Pablo hace una lista de medidas defensivas en la fe de un cristiano, representadas por un casco, una coraza, un cinturón, un escudo y zapatos protectores. Sin embargo, solo exalta un arma ofensiva: la Palabra de Dios. Es el arma elegida. Como un soldado antiguo dependía de su espada, así nosotros debemos depender del filo de las Escrituras para abrir el camino a nuestra seguridad. Es triste, pero demasiados cristianos están indefensos en una batalla espiritual. No han memorizado la Biblia como Sabina; no pueden extraer su fortaleza. No sea otra víctima espiritual. Tome su espada hoy.

Perdón extremo

Diana apenas tenía diecinueve años de edad cuando enviaron a su padre a la cárcel por su fe. A ella y su hermana Floarea las dejaron a cargo de la familia, pero pronto perdieron sus empleos en la fábrica a causa del encarcelamiento de su padre.

Con una madre enferma y cuatro hermanos menores en la casa, Diana y Floarea estaban desesperadas. Así que cuando un joven las llamó y dijo que le podía conseguir un permiso de trabajo a Diana, estaban eufóricas. Se reunió con él para cenar, donde le dio mucho vino y luego la sedujo. Después le dio algo de dinero y esto se convirtió en una rutina. No se dijo nada más acerca de un permiso de trabajo y Diana aceptaba el dinero porque estaba muy desesperada.

La tristeza que proviene de Dios produce el arrepentimiento que lleva a la salvación, de la cual no hay que arrepentirse, mientras que la tristeza del mundo produce la muerte.

2 Corintios 7:10

Diana continuó hasta prostituirse a fin de mantener a su familia, aunque estaba llena de culpabilidad. Pronto su hermana se involucró y juntas escondieron su vergüenza.

Ahora, mientras miraban el rostro de su madre, decían: «¿Cómo puedes perdonarnos? Pensamos que estarías indignada».

Ella les habló con amor y consuelo. «Ustedes sienten vergüenza por lo que han hecho y así debe ser. Sin embargo, este sentido de vergüenza y culpabilidad las llevará a una justicia brillante. Recuerden, los soldados no solo perforaron el costado de Jesús, sino que lo "abrieron", de modo que los pecadores lograran entrar con facilidad en su corazón y encontrar perdón».

Arrepentirnos del pecado y compadecernos de nosotros mismos son dos cosas muy diferentes. Muchas personas que pasan a través del sufrimiento se compadecen de sí mismas. Están demasiado dispuestas a culpar a otros por su desgracia. Qué tentador hubiera sido para las chicas en esta historia culpar a su padre por sus fallas. «Si no hubiera sido cristiano, no lo habrían arrestado y no estaríamos en este lío». No obstante, ellas fueron a su madre con verdadera vergüenza y arrepentimiento por su desobediencia deliberada. Y encontraron perdón. La tristeza que proviene de Dios produce el arrepentimiento que lleva al perdón. ¿Se está compadeciendo de sí mismo en su sufrimiento? ¡Tenga cuidado! Puede llevarlo enseguida a la desobediencia.

«Criminal» extremo: Primera parte

ARABIA SAUDÍ: EL PASTOR WALLY, UN OBRERO FILIPINO

Era el criminal más buscado en toda Arabia Saudí. No lo buscaban por robo, ni asesinato, ni violación. Lo buscaban por ser un pastor cristiano y por estar al frente de una iglesia secreta grande en la capital de Arabia Saudí.

Sin acusación, al pastor Wally se lo llevaron de su hogar hasta una habitación con tres hombres. Allí lo abofetearon, lo patearon y lo golpearon. La tortura más dolorosa fue la de los azotes en las plantas de los pies. Cuando terminaron con los azotes, sus manos y sus pies estaban tan morados como una berenjena.

Porque él ordenará que sus ángeles [...]. Con sus propias manos te levantarán para que no tropieces con piedra alguna.
Salmo 91:11-12

En medio de ese dolor, los torturadores le ordenaron a Wally que se pusiera de pie. «No puedo», les dijo. Toda la planta de los pies le dolía y no soportaba su peso. «Por favor, solo permítanme arrodillarme». Los torturadores rehusaron.

Mientras los tres hombres lo golpeaban, el pastor Wally oraba por ellos. Sus oraciones le recordaban un versículo. «Porque él ordenará que sus ángeles [...]. Con sus propias manos te levantarán para que no tropieces con piedra alguna» (Salmo 91:11-12). A pesar de sus pies, Wally se puso de pie erguido entre los hombres. Estaban asombrados de que se pudiera parar después de tal paliza.

«Yo estaba parado en las manos de los ángeles de Dios», dijo el pastor Wally más tarde. «Ellos no podían ver los ángeles, pero sentí que estaban allí para ayudarme a ponerme de pie».

Algunas personas parecen hacer que sus ángeles de la guarda trabajen tiempo extra. Como el pastor Wally, están sin cesar a la vanguardia por Cristo con un testimonio en oración y un espíritu audaz. De todos modos nos pudiéramos imaginar que algunos ángeles de la guarda tienen tiempo de sobra, asignados a cristianos que no hacen nada por avanzar el reino. Mientras que la situación del pastor Wally era singular, su oración no debería serlo. Algunas veces nos tenemos que parar sobre las manos de los ángeles de Dios para ser fieles a Cristo. ¿Destilamos ese tipo de deseo ferviente en nuestro lugar de trabajo? ¿En nuestros hogares? ¿En nuestras escuelas? En cualquier momento que considere difícil tomar una postura firme a favor de Cristo hoy, pídale que envíe sus ángeles para levantarlo.

Guía extrema

—Él me dijo: "Pasa a Macedonia y ayúdanos" —dijo Pablo.

—¿Crees entonces que fue un sueño de Dios? —respondió Silas.

—Sí lo creo.

—¡Entonces vamos a Macedonia con buena suerte! —respondió sonriendo Silas.

Cuando llegaron a Filipos, una importante comerciante se convirtió y una jovencita quedó libre de un demonio. De seguro escucharon de Dios como es debido y seguían su dirección.

«¡Están aquí!», gritó el hombre al frente de la multitud. Antes que Pablo y Silas supieran lo que sucedía, los llevaron ante los jueces de la ciudad y los acusaron de alterar el orden con su mensaje del evangelio. Entonces el magistrado principal les arrancó la ropa y ordenó que los azotaran y echaran en la cárcel.

Encamíname en tu verdad, ¡enséñame! Tú eres mi Dios y Salvador; ¡en ti pongo mi esperanza todo el día! Salmo 25:5

Esa noche, ensangrentados, amoratados y con sus pies encadenados, Pablo y Silas tenían todo el derecho de sentir que Dios los había guiado mal. Sin embargo, la pregunta: «¿Cómo pudiera Dios permitir que nos sucediera esto?», nunca se expresó. En lugar de eso, a medianoche, seguían cantando y alabando a Dios. Confiaban en la dirección del Señor. Sabían que él no los había abandonado, como su milagroso rescate pronto lo atestiguaría.

Silas y Pablo continuaron siguiendo la dirección de Dios en sus viajes juntos. Al final, Silas se convirtió en el líder de la iglesia en Corinto. Ambos hombres siguieron la dirección de Dios, y los dos se convirtieron en mártires a causa de la fe.

¡Si solo la voluntad de Dios para nuestras vidas nos llegara en un sueño! Si solo sus planes se expusieran con claridad ante nosotros como una cartelera en la calle. Mejor aun, ¡tener una voz que nos diga de manera exacta qué hacer! No importa qué tan bueno eso nos pareciera, tales métodos directos negarían por completo el elemento de la fe. Dios quiere que confiemos en Él como un mapa cuando determinamos la dirección de nuestras vidas. Pablo y Silas no sabían con exactitud lo que les sucedería en Filipos. Solo sabían que Dios les dijo que fueran. Usted pudiera no saber a dónde Dios lo conduce, ¿pero está dispuesto a seguirlo de todos modos? No irá a no ser que confíe del todo en Él.

«Criminal» extremo»: Segunda parte

ARABIA SAUDÍ:
EL PASTOR WALLY

«Señor, cualquier cosa puede suceder aquí esta noche», oró el pastor Wally. «Pero, por favor, no permitas que me quiten la vida».

A medida que continuaba la paliza, el pastor Wally continuaba orando por sus torturadores sauditas. En medio de sus oraciones, recordó los versículos que dicen que nuestros cuerpos son el templo del Espíritu Santo.

«Gracias por permitirme ser tu templo», oró Wally. «Creo que tú no quieres un templo arruinado y maltratado por el enemigo, Dios. Tú quieres un templo glorificado y lleno de tu esplendor. Clamo por una total restauración de mi cuerpo, Señor. Sin importar lo que estos torturadores hagan, oro a fin de que seas glorificado mucho más cuando me sane por completo. Las personas no verán ni una huella de lo que estos torturadores le hicieron a mi cuerpo».

Porque nosotros somos templo del Dios viviente.

2 Corintios 6:16

Golpearon con un bastón las espaldas y las piernas del pastor Wally, y sus manos y pies estaban amoratados, casi inútiles. Al final, lo llevaron de nuevo a su celda cuando se sintieron demasiado cansados para continuar torturando a este cristiano.

Wally oró por horas y luego cayó en un sueño irregular durante el cual sintió la presencia de Dios y su toque de sanidad. Cuando despertó, sus manos y pies estaban sanos. No sentía el dolor de las palizas. Wally estaba pasmado, pues Dios lo sanó.

¿Fue el pastor Wally demasiado lejos cuando oró en fe por su sanidad? ¿Se aprovechó de las Escrituras en su petición atrevida? La evidencia parece sugerir que Wally no hizo ninguna de esas cosas. Es más, el pastor Wally solo le tomó la palabra a Dios. Muchos cristianos se beneficiarían de hacer más de lo mismo. Aun así, no podemos tomarle la palabra a Dios si no la conocemos. El pastor Wally recordó versículos alentadores en un momento de necesidad porque le dedicó tiempo a las Escrituras. Muchos cristianos fieles golpeados no sanan al instante, pero Dios utiliza nuestros testimonios ya sea que sanemos o no. ¿Puede recordar la Palabra de Dios cuando sea necesario? ¿Sabe más sobre las Escrituras que lo que sabe de las Escrituras en sí? Dígale a Dios que está dispuesto a tomarle la palabra.

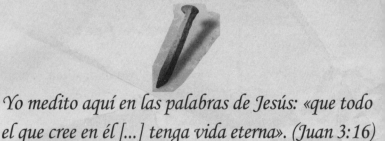

Yo medito aquí en las palabras de Jesús: «que todo el que cree en él [...] tenga vida eterna». (Juan 3:16)

Yo estoy entre criminales. Es quedarse corto pensar que los hombres sean como animales. Los animales no tienen pecado. Sin embargo, los hombres a mi alrededor en la cárcel alcanzan profundidades de oscuridad diabólica inalcanzable por los animales. Sería más fácil vivir en un establo que entre estos criminales. Cada una de sus palabras es asquerosa, cada gesto es repugnante. «Su garganta es un sepulcro abierto [...]. Llena está su boca de maldiciones y de amargura». (Romanos 3:13-14)

Aun así, contra este fondo brilla el extraordinario amor de Dios. Puesto que es cierto que cualquiera que crea, aun hombres como estos, pueden tener vida eterna. Dios me envió a la cárcel para llevarles estas Buenas Nuevas.

UNA CARTA DE UN CRISTIANO RUSO ENCARCELADO

Vacaciones extremas

IRÁN: UNA CIUDAD JUNTO AL MAR

«Ahora estamos de vacaciones, amor», le dijo el pastor iraní a su esposa. «Por favor, no hagas algo que dé lugar a que la policía nos interrogue. Vamos a no arruinar este tiempo juntos».

La esposa del pastor era un testimonio viviente por Jesucristo. Distribuyó miles de Biblias a musulmanes en Irán y más de cinco mil vídeos de la película JESÚS.

En la ciudad a la orilla del mar donde estaban de vacaciones, fueron a un centro comercial. Se separaron para buscar las cosas diferentes que querían, y cuando el pastor regresó, encontró a su esposa hablándole de Jesucristo a un gran grupo de personas en la tienda.

Predica la Palabra; persiste en hacerlo, sea o no sea oportuno.

2 Timoteo 4:2

Mirando alrededor en busca de la policía secreta, sacó a su esposa enseguida de la tienda y la metió en su auto. «Amor, estamos de *vacaciones*. Pensé que no íbamos a hacer eso aquí».

Ella lo miró a los ojos. «Hay muchas personas en esa tienda que no conocen a Jesús», dijo ella con seriedad. «Si mueren y van al infierno, tú tienes la responsabilidad».

El pastor escarmentado volteó el auto en dirección opuesta y regresó al centro comercial. La esposa entró de nuevo con rapidez, distribuyendo ejemplares de las Escrituras y vídeos de la película JESÚS.

Una señora se aproximó: «Ah, muchísimas gracias», dijo con lágrimas en los ojos. «Hace cinco años que oro por una Biblia y ahora el Señor respondió mi oración».

Las vacaciones crean grandes recuerdos. Caminatas en la playa. Ir de compras a la ciudad. Leer junto a la chimenea. A pesar de lo mucho que necesitemos un descanso de la rutina diaria, nunca tenemos en verdad el derecho de tomar un descanso de nuestro testimonio. Es más, nuestro testimonio debe ser tanto parte de nuestra personalidad que no logremos separar a los dos. El apóstol Pablo nunca fue a ningún lugar como «turista». Para las personas como la esposa del pastor en esta historia, no es algo que se apague y se encienda como un interruptor. Su testimonio audaz es lo que son, y es natural ya sea si es oportuno o no. Lo que no es natural es una fe dividida, se ve como una farsa. En lugar de eso, permita que su fe crezca con libertad en su experiencia diaria.

Respuesta extrema

ÁFRICA DEL NORTE: UN CREYENTE NUEVO

—¿Por qué continúas con estas reuniones? —le preguntó el agente de la policía secreta al cristiano—. ¿Crees que tus vecinos no te denunciarán a nosotros?

El joven era un cristiano nuevo, pero ya había guiado a otras veinte personas a Cristo. Estaban orando a fin de que Dios les proporcionara un lugar para reunirse y adorar juntos.

Durante tres semanas, los cristianos en África del Norte se reunían en un apartamento; una reunión ilegal que pudiera llevarlos a su arresto. Su alabanza y canto pusieron sobre aviso a los vecinos, que los denunciaron a la policía secreta. Al joven cristiano lo habían llevado tres veces para interrogarlo.

A ti clamo, oh Dios, porque tú me respondes.
Salmo 17:6

—¿Hablas en contra del islam? —exigió una respuesta el agente durante el tercer interrogatorio.

—No —contestó el cristiano—. No tenemos nada que ver con el islam. Nosotros adoramos a Jesús.

—¿Hablas en contra de nuestros líderes?

—No señor. Oramos por nuestros líderes, como Jesús nos dijo que hiciéramos.

—¿Por qué no buscas otro lugar para reunirte? Así tus vecinos dejarán de denunciarte.

—¿Cómo vamos a hacerlo, señor? No tenemos el permiso apropiado.

El agente abrió su escritorio y sacó un formulario. Escribió por varios minutos y le dio el formulario al cristiano. Les otorgaba a los cristianos el derecho a reunirse en un edificio de una iglesia que ya no se estaba utilizando. Un bello edificio y permiso del gobierno para reunirse allí; era una respuesta a sus oraciones.

No hay tal cosa como una oración sin contestar. Dios siempre responde cada una de nuestras oraciones. Sin embargo, es posible que no responda de la manera en que oramos que lo hiciera. Algunas veces la respuesta es: «Esperen». Debemos esperar a su tiempo oportuno para avanzar. Algunas veces la respuesta para nosotros es: «Crezcan». Nuestra petición pegó justamente en el blanco, pero tenemos algo que crecer a fin de continuar. Incluso, algunas veces nos desilusionamos al escuchar que su respuesta es: «No». Nuestra petición no está de acuerdo con su voluntad o no es el momento oportuno. Y otras veces, la respuesta es: «Adelante». Nuestra petición pegó en el blanco. Estamos preparados en lo espiritual y el momento es oportuno. ¿Cuál es la respuesta de Dios a su oración ahora mismo?

Indecisión extrema

IRÁN: EL PASTOR ROUBAK

Ya pasaba la medianoche y el prisionero estaba cansado. Se encontraba en medio de veintiocho días incomunicado en la cárcel iraní, orando que Dios lo ayudara a soportarlo. Cuando tocaron en la puerta de su celda, se sentía cansado e irritado.

—Pastor —dijo el guardia—. Quiero hablar con usted de Jesús.

—Váyase —gruñó el pastor—. Yo no quiero hablar con usted.

—Pero usted tiene que hablar conmigo —dijo el guardia—. Usted es un pastor.

El joven guardia iraní tenía muchas preguntas. Quería saber la diferencia entre el cristianismo y el islam, entre las exigencias gravosas de Alá y el llamado amoroso de un Padre celestial.

Los dos hombres hablaron durante cuatro horas y el pastor explicó la fe cristiana, la salvación del pecado a través de la muerte de Jesús en la cruz y cómo podía aceptar a Cristo en su vida.

Así, humildemente, debe corregir a los adversarios, con la esperanza de que Dios les conceda el arrepentimiento para conocer la verdad.

2 Timoteo 2:25

A las cuatro y media de la mañana, los dos hombres oraron juntos. Con lágrimas que le corrían por las mejillas, el guardia aceptó a Cristo. Con lágrimas en sus propios ojos, el pastor le dio la bienvenida al reino de Dios.

A medida que el guardia entraba a una nueva vida, el pastor sintió un cambio en su propio corazón. «Por primera vez», dijo más tarde, «toda la amargura había desaparecido». Solo sentía amor por sus captores y los musulmanes en su patria. Su ministerio aumentó muchísimo después de ese momento.

Los muebles que se pasan de una generación a otra tienen en sentimiento lo que no tienen en belleza. Una silla especial que perteneció a sus abuelos lleva consigo recuerdos especiales que lo atan a las manchas y otras señales de uso y deterioro. Un armario de cedro rayado y arañado una vez propiedad de un familiar especial es un tesoro en particular de incalculable valor. Asimismo, Dios nos puede dar un amor especial por los antipáticos. Nos puede ayudar a ver el valor en los indignos. Su amor logra opacar las fallas de otra persona, al igual que lo hace con sus propios pecados. Pruébelo y vea. Pídale a Dios que le ayude a amar a los antipáticos viendo a otros a través de sus ojos.

Misionero extremo

IRIAN JAYA: STANLEY ALBERT DALE

Una a una las flechas se clavaron en su carne, y una a una Stanley Albert Dale las sacó y rompió el astil de caña de cada una sobre su rodilla. La sangre fluía desde sus muchas heridas y hacia la orilla del río. Los guerreros yalis gritaban temerosos de que el hombre blanco, o *duong*, fuera inmortal.

Ya los yalis habían tratado de matar a Dale en otra aldea. Sentían temor por su mensaje, pues sus seguidores quemaron sus ídolos tradicionales y los lugares de adoración de espíritus. También le dispararon a Dale, pero el duong se fue caminando y sano por completo.

Y puso en la mente humana el sentido del tiempo.
Eclesiastés 3:11

Dale llegó a las montañas de Irian Jaya (Indonesia hoy en día) en los años de 1960 para predicar el amor de Dios. Ahora, enfrentándose a cientos de estridentes guerreros yalis, se quitaba las flechas de su cuerpo con la misma rapidez que penetraban en su piel. A esos yalis ya se les había advertido que el Espíritu dentro de él era muy poderoso. Al final, cayeron Dale y el otro misionero. Más de sesenta flechas rotas se amontonaban a los pies de Dale. Los guerreros entonces desmembraron su cuerpo por temor a que resucitara de nuevo.

Los yalis pensaban que ese sería el final del mensaje del evangelio en su valle, pero no fue así. Otros cristianos llegaron y muchos de los mismos guerreros que dispararon sus flechas contra el cuerpo de Dale se convirtieron en creyentes. El duong que no moría ahora celebra a Jesús junto a sus propios asesinos conversos.

Aunque los yalis pensaron que el cuerpo terrenal de Dale era inmortal, en realidad su alma era la que no moriría. Los misioneros que siguieron después de la muerte de Dale ayudaron a los yalis a comprender la eternidad y les hablaron de Dios. Piense por un momento en qué actividades, personas y cosas tomaron la mayor parte de su tiempo esta semana pasada. Sin duda, el sentido práctico de la vida nos lleva a lidiar con cosas que no son asuntos eternos en lo absoluto: pañales sucios, teléfonos sonando, tintorería y prácticas de fútbol. Sin embargo, la historia de Dale nos recuerda que debemos priorizar las cosas que importan para la eternidad. ¿Qué parte de su vida cotidiana tiene un significado eterno? Si no le dedica tiempo a esto, ¿quién lo hará?

Otro poema extremo

RUSIA: ALEXANDER ZATSEPA

Cuando Alexander Zatsepa, un soldado ruso en el ejército comunista, murió en batalla, en su ropa se encontró este poema:

Escúchame, oh Dios; nunca en toda mi vida yo te he hablado.

Pero justamente ahora quiero enviarte mis saludos.

Tú sabes que desde la niñez siempre me han dicho que no existes.

Yo como un tonto, les creí.

Nunca contemplé tu creación. Y, sin embargo, esta noche, mirando
hacia arriba desde mi trinchera, me maravillaba de
las brillantes estrellas sobre mí y de repente supe la
crueldad de la mentira.

¿Extenderás tu mano hacia mí, mi Dios, me pregunto?

Pero yo te diré y tú comprenderás.

¿No es extraño que la luz venga sobre mí y yo te vea en
medio de esta noche de infierno? [...]

Aunque no he sido tu amigo antes,

Aun así, ¿me dejarás entrar ahora, cuando yo vaya?

¡Pues, estoy llorando! Oh Dios, mi Señor, tú ves lo que me ocurre.

Esta noche mis ojos se abren.

Adiós, mi Dios. Yo me voy y es probable que no vuelva.

Es extraño, ¿no es así? Pero ya no le temo a la muerte.

> *Él tiene paciencia con ustedes, porque no quiere que nadie perezca sino que todos se arrepientan.*
>
> *2 Pedro 3:9*

Los mártires nos enseñan de la fidelidad de Dios, su paz, su amor y protección. Sin embargo, las historias de los mártires no solo son de los mismos mártires, sino también de sus enemigos. Los que se convirtieron del comunismo al cristianismo cuentan el otro lado de la historia. Revelan la paciencia de Dios, su gracia, su disponibilidad de perdonar aun al peor de los pecadores que pide su perdón. El poema de Alexander da voz al ruego de cualquier pecador arrepentido cuyos «ojos se abren» a la verdad. Su historia nos recuerda que servimos a un Dios amoroso que anhela que nos demos cuenta de quién es Jesús y que vayamos a Él para salvación. Este es el poderoso mensaje de los mártires. ¿Es el suyo?

Peligro extremo

AFGANISTÁN: ERICK Y EVA BARENDSEN

Las personas venían desde muchos kilómetros de distancia, buscando ayuda y medicina de Eva Barendsen y su esposo, Erick. Su humilde hogar en Kabul, Afganistán, se convirtió en un lugar de esperanza para miles de afganos, musulmanes y cristianos por igual. A todo el que les preguntaban les decían que servían a Jesucristo. Sin embargo, su misión se convirtió en un blanco de la oposición.

Erick y Eva tomaron un pequeño descanso en 1980, pero regresaron enseguida al país destruido por la guerra que se había convertido en su hogar. «¿Cómo van a regresar?», preguntaron algunos. «¿No se preocupan? ¿No será peligroso?»

Hemos llegado a tener parte con Cristo, con tal que retengamos firme hasta el fin la confianza que tuvimos al principio.

Hebreos 3:14

Erick y Eva no veían el peligro, veían oportunidades. No veían asesinos potenciales, veían cristianos potenciales. «Solo conozco un gran peligro», dijo Eva. «El único peligro es no estar en el centro de la voluntad de Dios».

Volvieron a Afganistán, junto con sus hijos, de cinco y tres años de edad. Pronto, después de su regreso, los atacaron en su hogar, el cual también servía como lugar de reunión para sus conversos cristianos. Los mataron con navajas, dejando a sus hijos huérfanos. Sin embargo, tuvieron paz hasta el último momento.

Días antes de los asesinatos, la madre de Eva tuvo una visión de Erick y Eva en el cielo, con ángeles que les ponían coronas de oro sobre sus cabezas. La visión le dio fortaleza, aun en su pesar cuando se enteró más tarde de sus asesinatos.

En un país musulmán, ser un cristiano activo es una de las propuestas más peligrosas posibles. Sin embargo, Erick y Eva pusieron un nuevo significado en la idea del peligro. Mientras que sus amigos decían que no debían permitirse el lujo de estar en Kabul, Erick y Eva sentían que no podían estar en ningún otro lugar. Lo veían como su llamado. Lo veían como la voluntad de Dios. Se ha dicho que si nos salimos fuera de la provisión de Dios, nos arriesgamos a perder la protección de Dios. Si el único peligro es estar fuera del centro de la voluntad de Dios, es el único peligro que no puede permitirse. ¿Qué tan a menudo se pone en mayor peligro eludiendo a Dios a fin de sobrevivir? La obediencia extrema pone el peligro en una perspectiva apropiada.

Donde no hay cruz, no hay corona.
Esta lección no se aprende en los libros y,
por lo general, los hombres no prueban su
dulzura. Esta vida abundante no existe en
un ambiente de comodidad. Si las especias
no son refinadas para convertirse en
aceite, la fragancia del perfume no puede
fluir; y si las uvas no se trituran en la
tina, no se convierten en vino.

DE UN CRISTIANO CHINO

Posesión extrema

CHINA: LA SEÑORA A. LU YING

—¡Tomen sus muebles y registren la casa para buscar Biblias! —dijo el comandante. Los ojos de la señora Lu Ying se llenaron de lágrimas mientras veía a cuatro guardias comunistas registrar su casa de arriba abajo.

—¡La encontré! —gritó el guardia.

Y en el momento que el guardia sostenía la Biblia para dársela a su jefe, la señora Lu Ying se llenó de valor y se la quitó.

—Este libro contiene todo lo que necesito saber acerca de mi amado Señor y Salvador Jesucristo, y no quiero separarme de él —dijo ella con pasión mientras sostenía su Biblia junto a su pecho.

Las palabras del SEÑOR son puras.
Salmo 12:6

—Llévenla afuera —gritó el comandante—. Veremos cuánto tiempo quiere aferrarse a su libro de Jesús.

Los cuatro guardias comunistas sacaron a la señora Ying a la calle, se burlaron de ella, la escupieron y la golpearon hasta que ya no podía mantenerse de pie.

—¿Crees aún en tu libro de mitos? —se rieron los guardias.

A través de sus labios hinchados, ensangrentados, aun sosteniendo su Biblia, Lu Ying repitió su declaración de fe.

Los guardias agarraron un barrote y trituraron los huesos de sus manos, haciendo que estas, ahora lisiadas, dejaran de sostenerla. La Biblia cayó en la calle y la confiscaron.

Casi veinte años más tarde, un mensajero de una misión le entregó a la señora Ying una Biblia. Sus ojos se llenaron de lágrimas. Ella la agarró con sus manos deformadas y susurró: «Esta vez no la dejo ir».

Muchas personas se aferran a una media verdad. Ya bien sean ateos o agnósticos, budistas o hindúes, toda la dedicación de la que se logren armar no transforma sus falsas creencias en hechos. Su sinceridad no es un sustituto de la falta de sustancia. En contraste, los cristianos tienen la certeza inmutable de la Palabra de Dios para respaldar sus creencias, y ellos saben que la Palabra de Dios es verdad. No podemos permitirnos manejar la Biblia con descuido, aunque otros vengan contra nosotros con todo su poder. ¿Es usted tan tenaz en aferrarse a la Palabra de Dios al igual que lo hace con otras posesiones valiosas en su vida como el dinero o su reputación? Despréndase de eso; pero aférrese a la Palabra de Dios a todo costo.

«Fantasma» extremo

CHINA: MIZHONG MIAO

Las condiciones en los campos de trabajo forzado chinos eran horribles. Con las raciones de comida reducidas a casi nada y las temperaturas invernales congelantes, se desató una epidemia en el campamento. Cuando comenzó el invierno, había mil trescientos prisioneros. Cuando llego la primavera, solo doscientos cincuenta lograron sobrevivir.

A Mizhong Miao lo enviaron al campo por predicar el evangelio y por no querer negar su fe. Su sentencia de cinco años la triplicaron cuando rehusó dejar de predicarles a los compañeros prisioneros.

Durante ese duro invierno, los guardias pensaron que Mizhong Miao estaba muerto. La vida parecía haber dejado su cuerpo medio congelado, pero el espíritu de Miao estaba vivo y él estaba orando. Al dejarlo solo en la morgue, tuvo un visitante: un ángel vestido de blanco y con un rostro resplandeciente. El ángel se acercó y sopló sobre Miao.

Estos se acercaron a Felipe [...] y le pidieron: «Señor, queremos ver a Jesús».

Juan 12:21

Mientras el ángel soplaba, él sintió que la enfermedad salía de su cuerpo y un calor entraba en él. De inmediato se arrodilló y dijo una oración de acción de gracias.

Salió de la morgue y fue al médico de la prisión. El médico lo miró con el horror reflejado en su rostro; pensó que veía un fantasma. «No tenga miedo. Yo soy Mizhong Miao», dijo el cristiano. «Dios me restauró la salud. Él me envió para mostrarle el camino a Dios».

Inclinándose con reverencia, el médico dijo: «Su Dios es real». Esa noche aceptó a Cristo como Salvador.

Ver es creer. Podemos hablar de Dios. Podemos aprender de Jesús. No obstante, necesitamos experimentarlo por fe a fin de confesar junto con el médico: «Dios es real». Las probabilidades de que un médico en un campo de trabajo forzado chino se entregara a Cristo eran casi nulas. Sin embargo, cuando se enfrentó a un milagro vivo, decidió creer en el Dios de Mizhong Miao. Algunas veces quizá sintamos que nuestros familiares tienen probabilidades similares. Debemos orar para que experimenten a Dios. Es posible que lo encuentren a través de la creación. Tal vez lo vean obrar a través de una relación amorosa. Mientras que los milagros como el de Mizhong Miao no son muy comunes, ore para que sus familiares perdidos tengan un encuentro con el Señor viviente y amoroso que cambie sus vidas.

«Trato» extremo

El predicador apenas comenzaba su primer punto cuando los guardias de la cárcel irrumpieron en la habitación, agarrándolo y derribando a todo el mundo en el suelo.

«Tú sabes que esta predicación está prohibida», gruñó uno de ellos. «Ahora te enfrentarás al castigo». Los fornidos guardias lo arrastraron fuera de la celda y por el pasillo. Los otros prisioneros sabían que los guardias comunistas de Europa Oriental llevaban a su amigo al «cuarto de los golpes». Escucharon cómo la puerta de esa terrible habitación se cerraba y después los gritos y sollozos apagados mientras los guardias golpeaban con crueldad a su amigo.

Has perseverado y sufrido por mi nombre, sin desanimarte.

Apocalipsis 2:3

Al cabo de casi una hora los guardias abrieron la puerta de la celda y empujaron al hombre que estuvo predicando. Los demás prisioneros vieron que sus ropas estaban ahora ensangrentadas y su rostro mostraba las marcas de la paliza. Él miró a su alrededor a sus compañeros de celda como si estuviera tomando asistencia.

«Ahora, mis hermanos», dijo él. «¿Dónde me quedé cuando nos interrumpieron con tanta brusquedad?» Y el sermón continuó. Los cristianos en la cárcel sabían el precio que pagaría por predicar un sermón y, sin embargo, muchos lo hacían. Algunos, sin preparación teológica ni experiencia en el ministerio, predicaban en la cárcel con pasión y elocuencia.

«Era un trato», escribió un prisionero más tarde. «Nosotros predicábamos y ellos nos golpeaban. Estábamos contentos predicando y ellos estaban contentos pegándonos, así que todo el mundo estaba feliz».

En un mundo en el que un contrato no es obligatorio, una familia se puede disolver y los divorcios superan en número a los matrimonios, los cristianos deben instituir de nuevo el significado del compromiso, a todo costo. ¿Cuál es el valor de una promesa si no significa nada? Sin embargo, las consecuencias de nuestro compromiso con Cristo no son baratas. Quizá hasta nos cuesten una oportunidad de tener mucho éxito según las normas del mundo. Tal vez nos cueste amigos y popularidad. A lo mejor nos cuesta nuestra familia. Nuestra seguridad. Y para algunos, incluso la vida. El compromiso debe tener un precio. Los prisioneros comprendían esto a la perfección. Aun así, la recompensa de Cristo también es parte del trato. ¿Está cumpliendo su parte del trato?

Llamado extremo

RUMANIA: EL CAPITÁN RECK

Por días, los guardias comunistas golpearían al pastor encarcelado, lo ayudarían a recuperar fuerzas con buena comida y después lo golpearían de nuevo. Lo debían matar a golpes de manera sistemática, pero no una muerte rápida. Querían que sufriera.

El capitán Reck dijo un día mientras golpeaba al pastor: «Yo soy Dios. Yo tengo el poder de la vida y la muerte sobre ti. Aquel que está en el cielo no puede decidir mantenerte vivo. Todo depende de mí. Si yo deseo, vives o mueres. *¡Yo soy Dios!*».

El pastor respondió con tranquilidad: «No se imagina qué cosa tan profunda ha dicho. A usted no lo crearon para ser un torturador, un hombre que mata. Lo crearon para ser como Dios, con su vida en su corazón. Muchos que fueron perseguidores como usted se dieron cuenta, al igual que el apóstol Pablo, que es vergonzoso para un hombre cometer atrocidades. Pueden hacer muchas cosas mejores. Créame, capitán Reck, su verdadero llamado es a ser como Dios, no ser Dios. Puede tener el carácter de Dios, no el de un torturador».

Al que puede hacer muchísimo más que todo lo que podamos imaginarnos o pedir, por el poder que obra eficazmente en nosotros.
Efesios 3:20

Reck fingió no escuchar las palabras del cristiano y continuó golpeando al pastor por su fe. Aun así, no lograba dejar de pensar en su llamado. Al final, arrodillado, Reck aceptó a Cristo en su corazón.

Cada oruga es en verdad una mariposa, si se desarrolla como es debido. Si no, es posible que siga viviendo. Sin embargo, es algo para lo que no se destinó. Asimismo, nuestro verdadero llamado como seres humanos es entrar en una relación personal con Jesucristo y desarrollar el carácter de Cristo en nosotros. Sin Cristo, quizá alcancemos muchos logros a nuestro nombre. Es probable que nos convirtamos en muchas cosas admirables: una negociante de éxito, una madre amorosa, un padre devoto. No obstante, si dejamos pasar nuestro verdadero llamado nunca nos convertimos en la persona para la que nos crearon en un principio. Una oruga es interesante; pero una mariposa la sobrepasa grandemente en belleza y habilidad. ¿Ha tenido una vida de éxito mundano, pero ha dejado pasar su verdadero llamado?

Limitaciones extremas

«¡No hace falta que nos defendamos ante Su Majestad! Si se nos arroja al horno en llamas, el Dios al que servimos puede librarnos del horno y de las manos de Su Majestad. Pero aun si nuestro Dios no lo hace así, sepa usted que no honraremos a sus dioses ni adoraremos a su estatua» (Daniel 3:16-18).

La furia del rey aumentó contra los tres jóvenes. Se negaban a inclinarse ante el ídolo que él mandó hacer para su nación, un crimen castigado con la muerte en el fuego. «¡Aticen el fuego!», ordenó. «Yo lo quiero siete veces más caliente que lo normal». Hizo que los hombres más fuertes de su ejército se acercaran y ataran sus manos. El horno rugía y sus paredes resplandecían al rojo vivo como si se fueran a derretir. «Arrójenlos», ordenó el rey.

¡No hay otro dios que pueda salvar de esta manera!
Daniel 3:29

Mientras lo hacían, el calor era tan fuerte que los soldados se quemaron. Los prisioneros se perdieron en un instante mientras las llamas brillaban demasiado para lograr ver dentro del horno.

Entonces, mientras observaban, Nabucodonosor de repente saltó asombrado. «¡Miren!», dijo. «Allí en el fuego veo a cuatro hombres, sin ataduras y sin daño alguno, ¡y el cuarto tiene la apariencia de un dios!» (Daniel 3:25).

De repente, Nabucodonosor supo sus limitaciones ante el único Dios verdadero.

Cuando se refiere a la batalla entre el bien y el mal, no es una pelea imparcial. El enemigo es poderoso. A pesar de eso, Dios es más poderoso. Satanás es fuerte. No obstante, Dios es más fuerte. Satanás necesita enviar sus demonios a través del mundo para cumplir sus órdenes de maldad. En contraste, solo Dios es omnipresente; totalmente presente en todos los lugares a cada momento. Aun así, las limitaciones del enemigo no son siempre tan obvias cuando estamos bajo la presión de la oposición. Hasta el momento, el enemigo parece espeluznante. Intimidante. Consumidor. Nos olvidamos por un tiempo del poder ilimitado de Dios. ¿Tiene usted sus ojos en el termostato cuando está en el horno del enemigo? ¿O se enfoca en la presencia de Dios y encuentra fortaleza para soportar el calor?

Aplauso extremo

INGLATERRA: TOMÁS HAUKER

Tomás Hauker, un joven caballero, brillante, bien favorecido, apuesto, no negaría su relación personal con Cristo. Por eso lo sentenciaron a morir en la hoguera.

Días antes de su ejecución, los amigos de Tomás fueron a su celda de la cárcel. Uno de ellos dijo: «He escuchado que Dios le da una gracia especial a los que mueren en el fuego que les permite soportar las llamas. Por Dios, a fin de que sea capaz de soportar esta crueldad hacia ti, ¿me darías alguna señal de esto? Sin saberlo, no creo que lograra soportar ese día».

Tomás pensó por un momento. «Si la furia del dolor es tolerable, antes de morir levantaré mis manos al cielo como indicación».

Así que no nos fijamos en lo visible sino en lo invisible.
2 Corintios 4:18

En el día de la ejecución, la multitud estaba alborotada con la promesa de Tomás. Cuando lo encadenaron al poste, habló con tranquilidad y gran cortesía a los hombres que pusieron la leña. Luego cerró los ojos y el fuego se encendió.

Tomás continuó predicando a los que le rodeaban, pero pronto, por el rugido de las llamas, no pudo hacerlo. Todos estaban seguros que había muerto. De repente, sus manos se alzaron sobre su cabeza a su Dios y, con alabanza y acción de gracias, aplaudió tres veces. Un grito surgió de la multitud y Tomás se desplomó en el fuego y entregó su espíritu.

«Ya no lo soporto». Cuántas veces nos encontramos expresando frustración en la prueba más pequeña. Un niño llorando. Una puerta atascada. Un tiempo límite de un proyecto tarde en la noche. Sin embargo, la historia de los mártires obsesiona nuestros pensamientos triviales cuando sentimos la tentación a darnos por vencidos bajo presión. A menudo exageramos nuestros problemas y subestimamos nuestra capacidad de soportarlos. A decir verdad, Dios nos promete que no permitirá nada en nuestras vidas que vaya más allá de lo que podemos soportar. Tomás, con sus manos elevadas en adoración, señalando su triunfo sobre las llamas, es suficiente evidencia. Cuando piense que no puede soportar mucho más de una situación específica, recuerde a Tomás. Y recuerde la fidelidad de Dios. Él sabe con exactitud lo que puede y lo que no puede soportar.

Oh Dios, acepta todos mis sufrimientos, mi cansancio, mis humillaciones, mis lágrimas, mi nostalgia, el estar yo hambriento, mi sufrimiento del frío, toda la amargura acumulada en mi alma. Amado Señor, ten también misericordia de aquellos que nos persiguen y nos torturan día y noche. Dales a ellos también, la gracia divina de conocer la dulzura y la felicidad de tu amor.

DE UNA CRISTIANA QUE CUMPLÍA UNA CONDENA EN EL CAMPAMENTO DE
TRABAJO FORZADO DE VORKUTA EN SIBERIA

Reformador extremo

ALEMANIA: MARTÍN LUTERO

El 31 de octubre de 1517, Martín Lutero clavó noventa y cinco declaraciones de fe bíblica en la puerta de una iglesia en Wittenberg, Alemania, y entonces pasó el resto de sus días solo a un paso de la ejecución. A pesar de este peligro, Lutero nunca retrocedió en una oportunidad de argumentar la validez de la doctrina de las Escrituras contra la doctrina de las obras que se había apoderado de la iglesia en su tiempo.

Aunque le habían advertido varias veces que no asistiera a la reunión en Worms, dijo: «Puesto que me han pedido que vaya, he decidido ir en el nombre de nuestro Señor Jesucristo; aun cuando sé que allí hay tantos diablos para resistirme como tejas en los tejados de las casas de Worms».

Predica la Palabra [...] corrige, reprende y anima con mucha paciencia, sin dejar de enseñar.

2 Timoteo 4:2

Cuando le dijeron que rechazara sus doctrinas, Lutero contestó: «Mi conciencia está comprometida y cautivada por esas Escrituras y la Palabra de Dios, así que no me retracto de lo que dije antes, sobre todo considerando que no es piadoso ni legal ir en contra de mi conciencia. Esperaré en esto, no puedo hacer otra cosa. No tengo nada más que decir. ¡Dios tenga misericordia de mí!».

Escapó de quienes querían matarlo, y mientras estaba escondido, tradujo las Escrituras al alemán. Aunque estaba sin cesar en peligro, vivió hasta los sesenta y tres años de edad y murió por causas naturales.

Las personas critican enseguida a la iglesia por una cosa u otra. Como escribir una crítica sobre una obra de teatro en Broadway, los miembros de la iglesia están demasiado dispuestos a calificar un servicio de adoración como si fuera una obra de teatro. La música estaba demasiado alta. El culto fue muy corto. El lugar estaba helado. Las bancas eran incómodas. Sin embargo, Lutero no era un crítico, aunque no apoyó a la iglesia establecida. La reprendió. Una reprensión es diferente a una crítica, pues la reprensión llama a una iglesia que se ha separado de las Escrituras a que regrese a la Palabra de Dios. En contraste, una crítica es un simple llamado a una opinión o preferencia humana. ¿Ministra con cuidado al cuerpo de Cristo como Lutero o solo critica la iglesia de Dios?

Cargador extremo

ROMA: IGNACIO

«La vida del hombre es una muerte continua, a no ser que Cristo viva en él».

Ignacio

Ignacio era un discípulo del apóstol Juan y había amonestado en público al emperador Marco Ulpio Trajano por adorar ídolos. Sin embargo, Trajano juró tomar venganza pública sobre Ignacio en respuesta a su reprensión vergonzosa.

Porque yo llevo tu nombre, SEÑOR, Dios Todopoderoso.

Jeremías 15:16

A Ignacio lo arrestaron y llevaron a Roma. Cuando lo llevaban al foso de los leones, él le dijo a otro creyente: «Mi amado Jesús, mi Salvador, está tan profundamente grabado en mi corazón, que estoy seguro de que si abrieran mi corazón y lo cortaran en pedazos, el nombre de Jesús se encontraría en cada uno de ellos».

Cuando la multitud se reunió para presenciar su muerte, Ignacio se dirigió con audacia a la multitud vitoreando. «Soy el trigo de Dios. Los dientes de las fieras me van a moler, para que me hallen pan puro por Cristo, quien es para mí el Pan de Vida».

En cuanto pronunció esas palabras, dos leones hambrientos lo devoraron. Ignacio vivió de acuerdo con su sobrenombre, Teóforo: «portador de Dios». Hasta el último momento, llevó el nombre de Dios y su Salvador en sus labios. A menudo decía: «El Cristo crucificado es mi único y completo amor». Y hasta el final encontró consuelo en esta sencilla verdad: «Como el mundo odia a los cristianos, así Dios los ama».

La tradición del matrimonio dice que una esposa debe llevar el nombre de su esposo como símbolo de su unión. Ya no son dos personas, sino una. Cuando una pareja envejece junta, comienzan a compartir más que el mismo apellido. Comparten los mismos amigos e intereses. Comienzan a terminar las oraciones uno del otro. Y aun algunos extrañamente comienzan a parecerse el uno al otro... tal es su intimidad por largo tiempo. Asimismo, los que llevan el nombre de «cristiano» o «pequeño Cristo» desarrollan la misma intimidad: se vuelven uno con el Salvador. ¿Está usando bien el nombre de Cristo? ¿Tener el nombre de Jesús, como Ignacio, lo inspira a compartir sus sufrimientos, su ministerio y su vida?

Otra pregunta extrema

ESTADOS UNIDOS: NIÑOS GUIONISTAS

«No podemos hacer esa pregunta. ¡No sabemos la respuesta!»

Los guionistas trabajaban en un vídeo para niños llamado *Stephen's Test of Faith* [La prueba de fe de Stephen], en el cual un niño viaja a través del tiempo para aprender la historia de la persecución. Se encontraban trabajando en una escena de cuando arrojaban a los cristianos a los leones hambrientos después que los acusaron de incendiar a Roma.

«No podemos hacer que Stephen pregunte: "Si Dios protegió a Daniel en el foso de los leones, ¿por qué no protegió a los cristianos en el Coliseo?"».

¿Por qué protegería Dios a uno de sus hijos y permitiría que miles de otros perecieran? El guionista principal pensó y respondió: «El problema no es la respuesta; es la pregunta. No debemos preguntar: "¿Por qué?" Debemos preguntar: "¿Está usted dispuesto?". Daniel estaba dispuesto a perecer ante los leones hambrientos. Los creyentes también estaban dispuestos a morir en los tiempos de Nerón. El hecho que uno escapó y los otros no escaparon no cambia la condición de sus corazones. Es nuestra obediencia la que crea el testimonio, no el hecho de sufrir».

Cuando Nabucodonosor iba a echar a Sadrac, Mesac y Abednego en el horno, ellos dijeron: «El Dios al que servimos puede librarnos del horno [...]. Pero aun si nuestro Dios no lo hace así, sepa usted que no honraremos a sus dioses ni adoraremos a su estatua» (Daniel 3:17-18).

Y la paz de Dios, que sobrepasa todo entendimiento, cuidará sus corazones y sus pensamientos en Cristo Jesús.

Filipenses 4:7

Muchas personas hoy en día se preguntan el porqué. Hemos entrado a una nueva era de preguntas sin respuesta acerca de tragedias inexplicables. El mundo clama por respuestas a sus preguntas, pero todos sabemos que ninguna respuesta bastaría para sanar el dolor. Aun si supiéramos el porqué ocurrió la tragedia en todo nivel y en específico para cada persona, haría muy poco por aliviar nuestro dolor. En lugar de eso, necesitamos la fe de los compañeros de Daniel que dijeron que aun si Dios decidía no moverse de la manera en que oramos que lo hiciera, podemos permanecer confiados en que Él dispone todas las cosas para nuestro bien. En lugar de preguntar por qué, rogando por entendimiento, debemos orar por paz que lo sobrepase.

Herencia extrema

Diciembre 6

ESTADOS UNIDOS: ANNE HUTCHINSON

«¡Niños, agáchense!», gritó Anne Hutchinson cuando escuchó que la flecha pegaba con fuerza a su puerta. Entonces escucharon los gritos terribles de los indios que rodeaban su casa. Más flechas parecían venir de todas partes, y ella escuchaba pisadas cerca de la ventana. «¡Te veré hoy, Señor!», dijo Anne.

Anne Hutchinson era una mujer valerosa. A los veintitrés años de edad, la habían encarcelado tres veces por hablar sobre sus creencias puritanas.

Cada generación celebrará tus obras y proclamará tus proezas.
Salmo 145:4

Los puritanos querían escuchar de la Biblia en sus cultos de la iglesia porque pocos cristianos en Inglaterra tenían una Biblia en idioma inglés.

Anne y su esposo, William, vinieron a Estados Unidos en 1634 buscando libertad religiosa, pero aun en Estados Unidos encontraron persecución por tener reuniones religiosas en su hogar. A las personas que apoyaban su ministerio las arrestaron e incluso perdieron su derecho al voto.

A los cuarenta y seis años de edad y embarazada de su decimoctavo hijo, a Anne la condenaron y encarcelaron por cuatro meses. Después que la expulsaron de la colonia, su familia y sus amigos comenzaron una ciudad nueva y una iglesia en Rhode Island.

Con su espíritu de pionera, Anne Hutchinson ayudó a hacer que la idea de libertad en adoración se convirtiera en un ideal estadounidense. Ella y cinco hijos murieron a manos de sus atacantes indios. Se encontró con su Salvador con valor y fe, del mismo modo que vivió su vida.

La libertad nunca es gratis. Siempre lleva un costo. Jesucristo fue el primero en pagar el precio máximo por la libertad religiosa, dándonos acceso a Dios a través de su muerte en la cruz. Era el único que podía pagar el precio de nuestra libertad del pecado. Su muerte y resurrección establecieron verdadera libertad, y desde entonces muchos creyentes se han sacrificado por mantener el derecho de todo el mundo a experimentar libertad en Cristo. Los creyentes como Anne han hecho que el sueño de la libertad religiosa se convierta en una realidad en Estados Unidos. Nuestra herencia de sacrificio es enorme. ¿Qué precio está dispuesto a pagar para que la siguiente generación experimente las libertades religiosas que usted disfruta? Pídale a Dios que le muestre cómo pasarlas a la siguiente generación.

Contrabandistas extremos

COREA DEL NORTE: KIK

«Busca la cruz», el joven coreano llamado Kik escuchó decir a un aldeano.

Se corrió la voz a los que escapaban de Corea del Norte hacia China que debían buscar un edificio con una cruz. Él encontró uno y, con él, comida y ropa. También encontró una nueva relación con Jesucristo.

Los miembros de la iglesia convirtieron a Kik en un discípulo en tres meses. Aun así, Kik sabía que debía regresar a Corea del Norte a fin de hablarles a otros de Jesús.

A Kik y a otro joven creyente les dieron cinco Biblias y comida para su viaje. Sin embargo, los guardias de la frontera los capturaron en cuanto cruzaron el río de regreso a Corea del Norte.

Como les he dicho a menudo, y ahora lo repito hasta con lágrimas, muchos se comportan como enemigos de la cruz de Cristo.

Filipenses 3:18

Los guardias descubrieron las Biblias que llevaba el amigo de Kik y lo mataron a golpes con un barrote. Después se volvieron contra Kik, pero él logró escapar. Después de varios meses, empezó a hablarles a otros de Cristo y comenzó una iglesia clandestina en Corea del Norte.

Al poco tiempo, Kik se dio cuenta que necesitaba más Biblias para el número de creyentes que crecía con rapidez. Recordó cómo su amigo dio su vida para llevar la Palabra de Dios de regreso a su patria. Cuando Kik decidió regresar a China para buscar más Biblias, los creyentes se preocuparon mucho por su seguridad.

Kik recordó el consejo que le dieron algún tiempo atrás. Así que respondió: «Solo busca la cruz».

La cruz es controversial. Muchas personas hablarán de la religión, pero la cruz los hace sentirse molestos e incluso los ofende. A Kik le dijeron que buscara la cruz para su seguridad. Sin embargo, Kik no se dio cuenta que sus enemigos buscaban la misma señal y con buena razón. Sabían que los cristianos se concentran bajo el símbolo de la cruz. Como se oponían al cristianismo, la cruz se convirtió en su enemiga. Nuestro enemigo espiritual ve la cruz con indignación, temor y odio fervientes. ¿Está recurriendo a la cruz con la misma intensidad expresada en gozo, esperanza y gratitud? Su enemigo se enfoca con firmeza en la cruz, como cuando un enemigo planea un ataque. ¿Está enfocado también en proteger, servir y amar la cruz?

Unidad extrema

MOLUCAS: NUS REIMAS

«Cuando vi los aviones estrellarse contra el Centro Mundial de Comercio el 11 de septiembre, me vinieron a la mente recuerdos dolorosos», dijo Nus Reimas, secretario general de la Asociación Evangélica de Indonesia.

«Hace más de un año, cientos de musulmanes bien armados que decían estar vinculados con Osama bin Laden atacaron nuestras islas Molucas. Su misión era eliminar a todos los cristianos». Se estima que más de seis mil personas murieron, y a quinientos mil residentes más los echaron de sus hogares por los disparos y los incendios incesantes. «Los musulmanes asesinaron a treinta y ocho miembros de mi familia extendida», dijo Reimas pensativamente.

¡Cuán bueno y cuán agradable es que los hermanos convivan en armonía!
Salmo 133:1

En una entrevista en la edición del 22 de octubre de 2001 de *Christianity Today* [El cristianismo hoy en día], Reimas expresó lo difícil que le resultaba aplicar 1 Tesalonicenses 5:18: «Den gracias a Dios en toda situación, porque esta es su voluntad para ustedes en Cristo Jesús». El dolor era tan grande y parecía que la recuperación nunca vendría. Sin embargo, por la gracia de Dios, Reimas ha resuelto que él vivirá lo que enseña la Palabra de Dios.

«Solo (entonces) pudiera yo ponerme de pie y enfrentar la situación. Nadie espera cosas como estas, pero ocurren». Reimas ahora organiza reuniones entre muchos líderes cristianos de diferentes denominaciones. Al igual que muchas personas de toda condición en Estados Unidos se han unido para apoyo y oración, muchos líderes cristianos se reúnen para oración y compañerismo en Indonesia. Reimas sonríe mientras reflexiona: «Nunca antes había ocurrido».

Nunca hemos venido por este camino. Un sentido de que la decencia humana se ha desplomado. Las Torres Gemelas destruidas. El ántrax. La bandera estadounidense tendida sobre los daños del Pentágono. Nunca hemos venido por este camino. Nuestro pueblo está orando. Nuestras iglesias están llenas. Los documentos de divorcio se están retirando. No, nunca hemos venido por este camino. Las paredes que separaban a una raza de otra y a una cultura de otra se han evaporado. El príncipe de las tinieblas trató de dividirnos. El Señor de amor está atrayendo a las personas a sí mismo. Nunca hemos venido por este camino. Después que todo se ha dicho y hecho, sabemos una cosa: Si venimos por este camino de nuevo, lo haremos juntos.

La locura, las inquietudes acerca de mi
familia, la tensión constante, me destruyen.
No obstante, si me hacen enloquecer o si
permanezco cuerdo, acepto todo lo que Dios
envía, como un niño acepta todo de la mano
de su padre. La cobardía no es razonable.
En el asilo, a menudo he pensado que
la voluntad de Dios mantiene
intacta la libertad del hombre.

DEL HERMANO SHIMANOV,
ENCERRADO EN UN ASILO SIQUIÁTRICO RUSO POR SU FE

«Pérdida» extrema

CHECOSLOVAQUIA: EL HERMANO ZAVARSKY

Al final, las frustraciones eran demasiado. «¡Todo mi tiempo lo paso en trabajos forzados!», se quejaba el prisionero checo, el hermano Zavarsky. «Diez horas al día tejo cestas que los comunistas venden por buen dinero. ¿Por qué estudié tanto para ser pastor? Esos miserables al servicio del comunismo tienen posiciones altas en la iglesia ahora. Predican, aconsejan, alimentan a la congregación. Y yo sufro».

«¿Por qué se queja usted?», dijo otro cristiano en la cárcel. «Dios no necesita sus sermones ni su teología. Los títeres del comunismo hacen este

Es más, todo lo considero pérdida por razón del incomparable valor de conocer a Cristo Jesús, mi Señor. Por él lo he perdido todo.

Filipenses 3:8

trabajo. Sin embargo, ellos no pueden experimentar los sufrimientos del Salvador. Esta es la promesa principal que uno debiera dar en la ordenación. ¿Nunca predicó acerca de soportar pena por Cristo? Gracias a Dios le ha dado la oportunidad de alcanzar lo que es la parte más valiosa de cualquier sermón».

Reprendido, Zavarsky no se quejó más por estar en la cárcel ni por los largos días de trabajo forzado. Después de salir de la cárcel, Zavarsky no pudo continuar su trabajo como pastor porque su encarcelamiento lo dejó muy enfermo. Aun así los visitantes a su cama no encontraron a un hombre derrotado ni frustrado. Vieron a un hombre cuyo rostro resplandecía de amor por el Salvador. Confesó que su vida no estaba perdida ni se la robaron. La entregó de buen grado a fin de ayudar a Jesús a cargar su cruz.

¿A qué se debe que personas acepten con gusto una pérdida en una transacción de negocios con el propósito de dar con generosidad? ¿A qué se debe que personas dejen su patria cristiana para ir a un país extranjero pagano? ¿A qué se debe que alguien muera en lugar de rendirse a la tentación? Es el compromiso extremo a la persona de Cristo. Ven una oportunidad de ganancia espiritual en cada pérdida personal. Están dispuestos a aceptar una pérdida personal en su bolsillo, en sus planes programados, en su comodidad y en sus conveniencias a fin de avanzar el reino de Dios. ¿Cómo expresa usted su devoción extrema? ¿Piensan otros que está loco por el nivel de su compromiso? «Perderlo» por Jesús significa una ganancia para el cielo.

Más revolucionarios extremos

PERÚ: MARÍA ELENA MOYANO

Lo que los hizo enojar de verdad, lo suficiente enojados para asesinar, era que esta conversa fue antes una terrorista como ellos.

María Elena Moyano gritaba con ellos a favor de la revolución en Perú. Intercedía para darles de comer a los campesinos por el poder del rifle. Entonces conoció a Jesucristo y encontró una clase de revolución diferente: una revolución de amor en su corazón.

Se convirtió en alcaldesa asistente del barrio pobre más grande de Lima. Organizó esfuerzos extensos de ayuda entre los más pobres de los pobres, alimentando a los hambrientos, asistiendo a los enfermos y cuidando a los huérfanos.

«Ellos nos llaman "bomberos de la revolución" cristianos, dijo ella, «pues dicen que extinguimos los fuegos que ellos prenden. No quieren que la población tenga nada en lo absoluto que comer, esperando que entonces el pueblo se levante en armas. Sin embargo, no debemos temer al terror. Debemos oponernos a la injusticia y al salvajismo a fin de ayudar a los necesitados».

Por eso los fariseos comentaban entre sí: «Como pueden ver, así no vamos a lograr nada. ¡Miren cómo lo sigue todo el mundo!»

Juan 12:19

María sabía que sufriría, pero también sabía que necesitaba compartir las penas de Cristo antes de disfrutar su gloria. Los terroristas maoístas atacaron con una furia violenta, explotando el edificio donde se almacenaba la comida para los pobres. «Algunas veces temo», dijo María, «pero insisto que nunca debemos recurrir a la violencia. Es difícil derrotar al terrorismo, pero no es imposible».

Enojados por la eficacia del trabajo de María e incapaces de detenerla, los guerrilleros la mataron el 1 de febrero de 1992.

Los fariseos no eran en sí expertos en tácticas. Como los terroristas en Lima, su estrategia para desalentar a las personas de seguir a Cristo llevó a resultados inesperados. Tanto los fariseos como los terroristas trabajaron duro por la lealtad del pueblo. Los fariseos trataron de privar de alimento a las almas de las personas mientras que los terroristas trataron de privar de alimento a los estómagos de las personas. Sin embargo, las personas en Jerusalén y las personas en Perú siguieron las enseñanzas revolucionarias de Jesús por igual. Mientras más fuerte trabaja la oposición contra Jesús, más resulta en el avance de su causa. La oposición quizá trabaje en su contra y en sus esfuerzos, pero nunca lo derrotará cuando trabaja para el reino. Es más, la oposición tal vez, sin darse cuenta, trabaje a su favor.

Prueba extrema

RUSIA: EL PASTOR «JORGE»

Andando de un lado para otro en el pequeño salón de la iglesia, el capitán ruso indicó con la cabeza hacia la cruz en la pared.

—Eso es una mentira, sabe usted —dijo él—. Es solo un truco que ustedes los ministros utilizan para engañar a los pobres y hacerlo más fácil a fin de que los ricos les den dinero. Vamos, estamos solos. Admita que nunca ha creído en verdad que Jesucristo era el Hijo de Dios.

El pastor «Jorge» miró a la cruz y luego sonrió.

—Desde luego que lo creo. Es cierto.

—¡Yo no permitiré que se burle de mí! —gritó el capitán. Sacó el revólver de la funda a su costado y lo sostuvo cerca del cuerpo del ministro—. Si no admite que es un truco, le dispararé.

—No puedo admitir eso, pues sería una mentira —dijo "Jorge"—. Nuestro Señor es en realidad el verdadero Hijo de Dios. Dispararme no cambiará eso.

El capitán arrojó el revólver al piso. El pastor se sorprendió cuando el soldado lo agarró por los brazos con lágrimas en sus ojos.

—¡Es cierto! —gritó el capitán—. Es cierto. Yo también lo creo. No podía estar seguro que los hombres morirían por esta creencia hasta que lo descubrí por mí mismo. ¡Ah, gracias! Usted ha fortalecido mi fe. Ahora yo también puedo morir por Cristo. Usted me mostró cómo hacerlo.

> *Aceptamos el testimonio humano, pero el testimonio de Dios vale mucho más, precisamente porque es el testimonio de Dios, que él ha dado acerca de su Hijo.*
>
> *1 Juan 5:9*

Los mártires se encuentran en cualquier religión. Decimos que estamos dispuestos a morir por nuestra fe. Ellos dicen que están dispuestos a morir por la suya. ¿Cómo prueba su fe un mártir cristiano más que un extremista musulmán? No lo hacemos. Que los musulmanes están dispuestos a morir por su fe no prueba la confiabilidad de su religión al igual que nuestra propia disponibilidad no prueba el cristianismo. Solo Dios prueba que Él es el verdadero Dios. Nosotros testificamos de la verdad. Sin embargo, Dios es la verdad. Su testimonio sobre su Hijo es mucho más poderoso que el suyo. Otros pueden mostrarle cómo morir por Jesús, pero solo Dios puede darle la completa seguridad de que vale la pena hacerlo.

Gratitud extrema

HOLANDA: HANS

Hans se distinguía en Antwerp, una ciudad en Holanda, como un estudiante serio de la Biblia. Incluso pasaba los domingos instruyendo a nuevos conversos. Sin embargo, a Hans y su madre los tenían como una amenaza. Eran anabaptistas y sus creencias hacían que los consideraran herejes a los ojos de los líderes religiosos.

En 1577, el alguacil y sus oficiales arrestaron a Hans y a varios otros, pero su madre logró escapar. Los líderes religiosos torturaron a Hans, tratando de forzarlo a rechazar sus creencias anabaptistas; pero él se negó a darse por vencido a causa de su cruel tortura.

¡Pero gracias a Dios, que nos da la victoria por medio de nuestro Señor Jesucristo!
1 Corintios 15:57

Durante su encarcelamiento en una oscura y solitaria mazmorra en el castillo de Antwerp, escribió cartas de aliento a su familia y a sus amigos. Hans escribió la siguiente carta:

«Mi muy amada madre, me alegra decirte que estoy bien de acuerdo a la carne. No obstante, de acuerdo al espíritu, le doy gracias al Señor que me fortalece por su Espíritu Santo, así que mi mente está inmutable. Solo de Él esperamos que nuestra fortaleza soporte a estos lobos crueles, de modo que no tengan poder sobre nuestras almas».

Pronto llevaron a Hans delante del tribunal donde él proclamó su fe con denuedo. Entonces lo sentenciaron a morir en la hoguera. Su carta testificó de su firme gratitud a Cristo por proteger y salvar su alma.

«Dios es grande. Dios es bueno. Démosle gracias por nuestros... ¿sufrimientos?» Esa no es la oración infantil de bendición que estamos acostumbrados a escuchar. La frase misma es disonante a nuestros oídos, pero nos recuerda cuán disonante es el principio a nuestros corazones. Preferiríamos mucho más darle gracias por nuestra comida que por nuestras pruebas. De la misma manera, Hans escribió su gratitud por sus sufrimientos en una nota extraña de gratitud. Sin embargo, es la oración sincera de un mártir cuyos sufrimientos lo hicieron el hombre que siempre deseó ser. ¿Está usted exactamente donde quiere estar por Cristo? ¿Está dispuesto a darle gracias a Dios por permitir lo que se necesita, aun sufrimientos intensos, para llevarlo a esa victoria?

Llamado extremo

PAPÚA-NUEVA GUINEA: JAMES CHALMERS

«Yo me pregunto, ¿habrá algún muchacho aquí que... llevará el evangelio a los caníbales?», retó un misionero en una carta a la iglesia de James Chalmers. James determinó ser ese muchacho.

En 1866, Chalmers y su joven esposa viajaron por barco hacia los Mares del Sur y naufragaron en Rarotonga, donde se establecieron. Once años más tarde, salieron hacia Papúa-Nueva Guinea y fueron gratamente recibidos en una aldea de caníbales llamada Suau.

Así que les pido que no se desanimen a causa de lo que sufro por ustedes, ya que estos sufrimientos míos son para ustedes un honor.

Efesios 3:13

Chalmers comenzó a viajar a lo largo de la costa. En una de sus paradas, los nativos lo rodearon y exigieron hachas y cuchillos. De otra manera, los matarían a él y a su esposa. Chalmers se mantuvo firme y los nativos respetaron su tenacidad. Incluso le pidieron disculpas al siguiente día y pronto se hicieron amigos.

En 1879, su esposa murió. James estaba devastado y le dijo a un amigo: «Permíteme enterrar mi dolor en el trabajo por Cristo».

Chalmers regresó a Inglaterra dos veces a fin de descansar, solo para convencerse aun más de su llamado. «No puedo descansar con tantos miles de salvajes sin el conocimiento de Dios cerca de nosotros».

El 7 de abril de 1901, Chalmers, Oliver Tompkins y un grupo de ayudantes viajaron a la isla de Goaribari. A la mañana siguiente él y Tompkins desembarcaron y los llevaron a un edificio grande. Una vez dentro, los nativos mataron a los hombres y los cocinaron ese mismo día.

Qué deprimente. Es comprensible que cuando leemos las historias de mártires como James Chalmers, nuestra reacción natural sea de compasión y pena, y aun vergüenza. Qué desperdicio. Sin embargo, debemos examinar sus historias con más cuidado. Chalmers dio su vida singular para declarar vida eterna a muchos otros. Chalmers no consideró su martirio como un tonto error. ¿Por qué deberíamos desalentarnos? Cuando nuestros sufrimientos terrenales llevan la gloria y el honor del cielo un paso más cerca de los perdidos, nada es en vano. El sufrimiento se convierte en una parte inextricable del plan de Dios... para usted y para otros. ¿Está dispuesto a soportar el dolor terrenal a fin de llevar la oportunidad del cielo a otros?

Rendición extrema

ISLAS DE LAS ESPECIAS DE INDONESIA: SUTARSI SELONG

El hombre agarró a la indonesia y le gritó al rostro: «Diga: *"¡Alá akbar"* (Dios es grande)! ¡Solo dígalo!». Sin embargo, la joven Sutarsi Selong no quiso rendirse y deshonrar a su Dios verdadero.

Con furia, le metió a la fuerza la pistola en su boca. Sus ojos se abrieron como platos, pero no se rindió. Batallando con su pistola, el hombre apretó el gatillo. La bala pasó a través de la mejilla izquierda de Sutarsi. Ella se tambaleó y luego recobró el equilibrio. Aun así, el enojado militante no estaba satisfecho y sacó su bayoneta, cortándole el rostro.

Sutarsi Selong es una de muchos cristianos en las Islas de las Especias de Indonesia atacadas por un grupo de musulmanes fanáticos llamados los *laskar yihad*, o guerreros santos. Selong y compañeros creyentes sabían que los guerreros santos que se visten con túnicas blancas y camuflaje pronto los atacarían. Se reunieron en la Iglesia Nita, la cual está rodeada por un muro de más de dos metros de altura, y varios se turnaron para vigilar.

Firme está, oh Dios, mi corazón; firme está mi corazón.

Salmo 57:7

Cuando llegaron los guerreros islámicos, los cristianos trataron de rendirse por la vía pacífica. Sin embargo, su bandera blanca la derribaron con una espada y, en cuestión de minutos, explotó la violencia. Esta escena se ha vuelto cada vez más común en las islas de Indonesia a medida que facciones islámicas fanáticas incitan a la violencia, queman iglesias y matan a los creyentes.

Gracias a Dios, muchos cristianos en Indonesia, como Sutarsi Selong, se niegan a rendirse. Resisten las exigencias de los guerreros yihad de abrazar el islam y negar a Cristo.

¿No transigiremos solo un poquito? ¿Solo un poquito? ¿Cuál es el daño? El enemigo puede insultarnos como los musulmanes fanáticos lo hicieron con Sutarsi. No obstante, ella no quiso rendirse en lo más mínimo. Asimismo, no nos podemos dar el lujo de un compromiso al estilo de una cafetería: transigiendo aquí y allá cuando la tentación es insoportable. No podemos escoger cuándo es bueno rendirnos al enemigo y cuándo no. Debemos permanecer firmes. Ser firmes no significa que es menos probable que usted se rinda al enemigo. No significa que trata más duro. Dios le da un corazón firme para que no se rinda. Punto. Pídale a Dios hoy un corazón firme.

Yo no vine aquí para sentarme en silencio con mis manos descansando en mi regazo. Vine para hablar acerca de Cristo.

GALINA VILCHINSKAYA, UNA PRISIONERA DE VEINTITRÉS AÑOS DE EDAD POR LA CAUSA DE CRISTO EN RUSIA AL PRINCIPIO DE LOS AÑOS DE 1980. LA ARRESTARON POR ENSEÑAR A LOS NIÑOS EN UN CAMPAMENTO DE VERANO CRISTIANO

Recompensa extrema

NORTE DE NIGERIA

En el norte de Nigeria, los musulmanes instituyeron la ley sharia: el código legal islámico más estricto. Los cristianos son la mayoría de la población de Nigeria, así que los líderes islámicos insisten que la ley solo se aplica a asuntos domésticos para musulmanes. Sin embargo, los cristianos saben mejor que eso. Ya han destruido cientos de sus iglesias. Si las reconstruyen, las queman de nuevo. A muchos cristianos los están martirizando.

En la ciudad de Kaduna al norte de Nigeria, un líder de la iglesia afirma que los extremistas musulmanes han ofrecido una recompensa por la vida de todos los líderes cristianos, prometiendo cien mil nairas (como mil dólares) por cada uno que maten. De la misma manera, también hubo una recompensa por la vida de Cristo y a Él lo traicionaron por solo treinta monedas de plata.

Amen a sus enemigos, hagan bien a quienes los odian, bendigan a quienes los maldicen, oren por quienes los maltratan.

Lucas 6:27-28

Con la amenaza continua, algunos creyentes están considerando defenderse. Sin embargo, un líder cristiano retó hace poco a los creyentes en Kaduna: «En medio de esto necesitamos recordar la enseñanza de nuestro Señor acerca de convertir el mal en el bien y sufrir con paciencia frente a lo que está ocurriendo. Y porque Nigeria se proclama como una democracia, hay una responsabilidad para que los cristianos se aseguren que todo el mundo se trate con justicia e igualdad».

Cristo declaró un reto similar hace casi dos mil años: «Ama al Señor tu Dios [...]. Este es el primero y el más importante de los mandamientos. El segundo se parece a este: "Ama a tu prójimo como a ti mismo"» (Mateo 22:37-39).

Seguir el mandamiento de Cristo de amar a nuestro prójimo como a nosotros mismos es bastante difícil. Seguir el mandamiento de Cristo de amar a nuestro prójimo cuando está contra nosotros es aun más difícil. Todos sabemos lo que se siente. Es posible que usted tenga un colega que está obstinado en sabotear su trabajo. A lo mejor tiene un maestro que lo hostiga sin una razón aparente. O tal vez tenga la bendición de un llamado amigo que parece extrañamente complacido cuando las cosas van mal en su vida. Jesús sabe qué se siente cuando se tiene a otros celebrando sus sufrimientos. ¿Cómo puede amar a los que pagarían por verlo sufrir? Otros quizá se complazcan en verlo avergonzado. Sin embargo, su obediencia a Dios en este aspecto es inestimable.

Siervos extremos

ARABIA SAUDÍ: ESKINDER MENGHIS

Era medianoche cuando los oficiales irrumpieron en su hogar y despertaron con brusquedad a Eskinder Menghis, a su esposa y sus tres hijos. Salieron para encontrar agentes del Ministerio del Interior de Arabia Saudí registrando su casa de arriba abajo.

«¿Qué están haciendo? No tienen derecho a destruir nuestro hogar de esta manera».

«¡Y usted no tiene derecho a practicar su religión en la tierra de Mahoma! Se les advirtió antes que vinieran que dejaran su religión atrás». El oficial empujó a Eskinder por la puerta mientras los otros recogían las Biblias, himnarios, álbumes de fotografías, casetes y cualquier otra cosa que pudiera utilizarse como evidencia.

Porque somos hechura de Dios, creados en Cristo Jesús para buenas obras, las cuales Dios dispuso de antemano a fin de que las pongamos en práctica.

Efesios 2:10

A Eskinder lo llevaron a la estación de policía para interrogarlo, dejando atrás a su esposa y a sus hijos aterrorizados. Eskinder y su familia son cristianos etíopes. Son unos de los muchos extranjeros que constituyen la tercera parte de la población de Arabia Saudí, trabajando en el país rico en petróleo. Muchos de estos extranjeros son cristianos que se enfrentan a un aprieto terrible cuando se refiere a testificar de su fe.

Muchos cristianos nunca tienen la intención de practicar su fe cuando van a trabajar a un país musulmán. Aun así, una vez que están bajo la oscura nube del islam, comienzan a mirar hacia el cielo y a buscar compañerismo con otros creyentes a su alrededor. Muchos aun comienzan a testificarles a sus patrones musulmanes. En Arabia Saudí, convertir a un musulmán al cristianismo lleva la pena de muerte para ambos.

Donde los misioneros de profesión no pueden entrar, los siervos cristianos de tiempo completo entran a la escena. Llevan un testimonio singular y poderoso a uno de los países más restringidos del mundo. Son cristianos comprometidos disfrazados con habilidad como ingenieros comunes en los campos de petróleo de Arabia Saudí. Su misión es clara, aunque sus métodos son secretos. Su testimonio es fuerte, pero secreto. Su tarea es presentar el evangelio siendo un siervo: un colega desinteresado y trabajador en el trabajo y un vecino desinteresado en el hogar. Nuestra tarea es apoyarles a través de la oración. Todos somos siervos, haciendo nuestra parte, a fin de llevar al mundo a la fe en Cristo. Esos como Eskinder en Arabia Saudí están haciendo su trabajo. ¿Hace usted el suyo?

Testigo extrema

ROMA: ZOE

«¡Mátenla! ¡Larga vida a Diocleciano!», sonaba en los oídos de Zoe mientras estaba de pie en medio del Coliseo ante la furiosa multitud.

Zoe pensó en el porqué estaba allí y sonrió. Recordó el día en que visitó a su esposo en la cárcel donde trabajaba, cuidando a los cristianos encarcelados por negarse a sacrificar a los dioses. Zoe creció escuchando que los cristianos estaban equivocados y seguían una superstición mortal. Incendiaron a Roma durante el reinado del emperador Nerón y obtuvieron el castigo que merecían: los clavaron a cruces y los arrojaron a los leones.

Sin embargo, ese día en la cárcel Zoe observó a una familia cristiana orando juntos: «Amado Señor, permite que nuestra muerte glorifique tu nombre. Nosotros perdonamos a quienes nos encarcelaron». Zoe salió de la cárcel perpleja. ¿Por qué tenían esos cristianos tanta paz, sabiendo que pronto se enfrentarían a los leones?

Les anunciamos lo que hemos visto y oído, para que también ustedes tengan comunión con nosotros.

1 Juan 1:3

Zoe comenzó a reunirse en secreto con esta familia y a preguntarles acerca de su fe. Pronto, ella entregó su corazón a Jesús.

La noticia de la nueva fe de Zoe corrió con rapidez y enviaron guardias a su casa para darle la oportunidad de rechazar su fe y sacrificar al dios Marte. Ella se negó a hacerlo. Los guardias la encadenaron y la llevaron a la misma cárcel donde su esposo estaba de guardia.

Cuando Zoe continuó sin negar su fe, la ahorcaron, quemaron y echaron en un río.

¿Quién es el testigo extremo en esta historia? ¿Es la familia que oró antes de que los echaran a los leones? ¿O fue Zoe que no rechazaría su nueva fe frente a los guardias? La respuesta es, sí. La familia, en su camino fuera de este mundo, llevó a otra persona al cielo. Ambos se convirtieron en testigos extremos por Cristo que dejaron una huella indeleble en las páginas de la historia. De otra manera a Zoe la habrían olvidado como la esposa pagana de un guardia pagano de la cárcel. La historia no habría prestado atención a la familia como una de miles que murieron. Sin embargo, vale la pena recordar a una persona ordinaria con una fe extraordinaria. ¿Lo pondrá su vida en las páginas de la historia como un testigo extremo por Jesucristo?

Prisionera extrema

CHINA: AL LING

—Lo está diciendo mal —instruyó el guardia exasperado a la anciana creyente china—. Usted debe decir "La cárcel es buena", no "Jesús es bueno".

—Pero la cárcel no es buena —dijo Ling sonriendo—. Ese es el punto. ¿Se supone que yo mienta?

—¡Entonces haga cincuenta planchas! —ordenó frustrado el guardia comunista—. Igual que ayer.

Al Ling, de setenta años de edad, hizo sus planchas y regresó a su campamento. El esposo de Ling lo arrestaron por esparcir el evangelio y había fallecido. Ahora ella estaba en la cárcel por hablarles a sus compatriotas chinos sobre el amor de Cristo.

—¡La comida es buena, la cárcel es buena! —gritaban obligados los prisioneros según les instruían después de un día duro de trabajo en el campo.

—¡Jesús es mejor! —resaltó su fuerte voz en la multitud.

—Al Ling, ¿quiere más planchas hoy? —preguntó el guardia.

—Yo quiero que usted sepa cuánto Jesús lo ama —respondió ella sonriendo.

Estaba encantada por la oportunidad de decirles a los guardias comunistas y a los demás prisioneros qué tan bueno era Jesús, aun si significaba hacer sus planchas diarias. Después que la pusieron en libertad, los guardias decidieron interrogarla por última vez.

—¿Dónde trabaja su esposo? —preguntó el guardia joven.

—Ah, está haciendo trabajo bajo tierra —contestó ella.

El guardia interesado tomó una libreta y Al Ling sonrió.

—Hace años que falleció.

> Pero tengan en cuenta que no hay por qué preparar una defensa de antemano, pues yo mismo les daré tal elocuencia y sabiduría para responder, que ningún adversario podrá resistirles ni contradecirles.
>
> Lucas 21:14-15

Al Ling no era una teóloga. No era una oradora consumada. Sin embargo, con sus respuestas inocentes, firmes y aun cómicas, logró desconcertar a los enemigos comunistas. Podemos hacer juegos mentales, preguntándonos qué diríamos o haríamos si estuviéramos en la misma situación. ¿Lograríamos pensar al instante? Jesús nos recuerda que no debemos preocuparnos por lo que diremos cuando se nos pida que defendamos la fe. No se nos pide que demos un discurso preparado con antelación. Se nos pide que dependamos de Él para las palabras de sabiduría, en el instante que más las necesitemos. Cuando llegue ese momento, Dios le dará las palabras que decir para ser un testigo eficiente por su causa.

Sufrimiento extremo:
SUDÁN: KAMERINO *Primera parte*

Por fin la abuela permitió que su nieto hambriento, de diez años de edad, fuera a buscar comida. Sabía los peligros afuera de la aldea e insistió que regresara a casa antes del oscurecer.

Kamerino y sus amigos llevaban caminando varios kilómetros recogiendo bayas cuando de repente escucharon a los soldados que les gritaban. Asustados, los niños corrieron a un campo con hierba alta y se agacharon. Los soldados le prendieron fuego al campo y esperaron a que los niños salieran corriendo.

A los cristianos en Sudán los han desplazado dentro de su propio país por sus creencias religiosas. Muchos han huido de los crueles asaltos islámicos solo con la ropa que tenían puesta.

Dedíquense a la oración.
Colosenses 4:2

Las llamas alcanzaron a los niños enseguida, y ellos no tuvieron otra opción que correr para salvar sus vidas. Solo tres de los niños salieron del campo; Kamerino se quedó.

Cuando se apagó el fuego, después que los soldados atraparon a los otros tres, caminaron hasta donde yacía Kamerino. El dolor abrasador hizo que su cuerpo se encorvara en posición fetal. El cuerpo quemado del niño no se movía y lo dejaron por muerto; otra baja cristiana. O así pensaron ellos.

Por algún milagro, Kamerino salió arrastrándose del campo y otros aldeanos lo descubrieron y lo llevaron de regreso a la casa de su abuela. Grandes partes de su cuerpo estaban muy quemadas. No había nada que hacer por Kamerino, sino orar por sus sufrimientos.

Los cristianos en Sudán ponen el poder de la oración en perspectiva. Sus sufrimientos y peligros diarios han reducido su dependencia en sí mismos y aumentado su dependencia en Dios. La oración es todo lo que les queda a muchas familias en Sudán. Es una temible situación y un lugar maravilloso en el que estar. No es probable que digamos que Dios es todo lo que necesitamos hasta que Él no sea todo lo que tengamos. De otra manera, confiaríamos enseguida en nuestras propias habilidades. La oración, lo que más debemos hacer, es lo que menos solemos hacer. Dios lo está llamando a la oración extrema en estos tiempos extremos. ¿Qué tan a menudo confía en la oración como si no hubiera otra cosa que hacer sino orar?

Sufrimiento extremo:
SUDÁN: KAMERINO
Segunda parte

Un equipo misionero estadounidense viajaba a través de Sudán distribuyendo comida, frazadas y Biblias y exhibiendo el vídeo JESÚS. Todo iba a su tiempo hasta que su camión se atascó en un río y perdieron un día de trabajo.

Los misioneros encomendaron los acontecimientos a Dios y le pidieron que guiara su camino. Sabiendo que tendrían que acortar su viaje para alcanzar su fecha límite, decidieron visitar una aldea más cercana. Poco después de llegar, varias mujeres fueron corriendo hasta los visitantes extranjeros. En inglés chapurreado les gritaban: «¡Vengan pronto... nuestro niño... necesitan ayudar... vengan rápido!».

Él les enjugará toda lágrima de los ojos. Ya no habrá muerte, ni llanto, ni lamento ni dolor, porque las primeras cosas han dejado de existir.

Apocalipsis 21:4

El equipo siguió a las mujeres a un edificio pequeño y oscuro. En el piso encontraron a un niño pequeño que yacía sin moverse, envuelto en una frazada hecha jirones. Cuando quitaron la frazada, descubrieron las severas quemaduras que cubrían el cuerpo de Kamerino.

De inmediato, y con cuidado, cargaron a Kamerino a su camión y condujeron al hospital a ochenta kilómetros de distancia. Allí el niño recibió enseguida el tratamiento que tanto necesitaba. Hoy en día los ojos de Kamerino se llenan de lágrimas cuando recuerda cómo la oración y la providencia lo rescataron. Conoce el amor de Cristo y su poder de sanar, y por primera vez en muchos meses, sonríe.

Los misioneros también dan gracias a Dios que después de estar rodeados de tanta muerte y sufrimiento en Sudán, les permitiera salvar la vida de un valiente niño de diez años de edad.

Kamerino trae un nuevo significado a la frase: «continuará». Su vida parecía estar destinada a un sufrimiento constante, viviendo su vida envuelto en una frazada hecha jirones. Sin embargo, la segunda parte probó ser un final feliz y un recordatorio de la gracia de Dios. De modo que la historia no termina aún aquí. La tercera parte aún no se ha escrito. Un día, Kamerino experimentará la sanidad suprema: un hogar celestial donde no hay sufrimiento ni dolor. La tierra se pondrá peor antes de ponerse mejor. Aun así, Dios entrará a la peor situación que se pudiera imaginar y exigirá el final de todo sufrimiento. Entonces todos nos iremos a nuestro hogar. Si usted está pasando a través de un dolor inconcebible ahora mismo, recuerde a dónde va al final.

La religión no es nada más que hacer la voluntad de Dios y no la nuestra. El cielo o el infierno solo dependen de esto.

Susana Wesley,
madre de Juan Y Carlos Wesley

Pastor extremo: Primera parte

COREA DEL NORTE: EL PASTOR IM

—Ustedes pudieran destruir mi cuerpo, pero no mi alma —respondió el valiente pastor coreano al ejército comunista invasor de Corea del Norte—. Yo no pondré propaganda marxista en mis sermones. Sé que ustedes han sacado a otros pastores de sus hogares en la noche y los han torturado por no obedecer sus órdenes, pero no me importa lo que le hagan a mi cuerpo.

El enojo del agente aumentaba a medida que hablaba el pastor Im. Entonces dijo disgustado:

«Ahora no entiendes lo que estoy haciendo», le respondió Jesús: «pero lo entenderás más tarde».

Juan 13:7

—Si a usted no le importa su persona, piense en su familia. Ellos también morirán.

El pastor Im titubeó. Esperaba que le hicieran daño a él, pero no había considerado a su familia. Sabía la elección que debía hacer. Respondió con calma al agente comunista:

—Preferiría que mi esposa e hijos murieran por sus rifles, sabiendo que ellos y yo nos mantuvimos fieles, que traicionar a mi Señor y salvarlos.

—Llévenselo —ordenó el agente.

Al pastor Im lo encerraron en una celda oscura de la cárcel por dos años donde no le permitieron afeitarse ni cambiarse de ropa. Mantuvo su valor recitando versículos de la Biblia que eran preciados para él. Cada día, desde su pequeña celda aislada, otros podían escuchar al pastor Im recitar en una voz amorosa y calmada Juan 13:7, donde Jesús prometió: «Ahora no entiendes lo que estoy haciendo, pero lo entenderás más tarde».

«Más tarde». En una sociedad moderna de café, dinero y conveniencias instantánea, «más tarde» es casi una frase obsoleta. Queremos lo que necesitamos ahora, no más tarde. Los titulares de deportes, noticias, espectáculos y el estado del tiempo, aun nuestros medios de comunicación, nos dan noticias de último minuto en todas las esferas de la vida. Sin embargo, el Dios que reina y gobierna sin restricciones de tiempo sigue operando con el principio de «más tarde». ¿Está dispuesto a confiar en Él ahora y posponer su comprensión de los hechos hasta un tiempo más tarde, incluso de manera indefinida? Si está pasando a través de una prueba ahora mismo, la confianza es su posesión más valiosa, aun si no comprende. Pídale a Dios que le dé una mayor habilidad de confiar en Él de modo que sobrepase su deseo de comprensión.

COREA DEL NORTE: EL PASTOR IM

«Pero yo no soy comunista. Debe creerme», suplicó el pastor Im cuando las Naciones Unidas tomaron de nuevo el territorio ocupado en septiembre de 1950. Los soldados comunistas de Corea del Norte mantuvieron a Im encerrado en una celda aislada de la cárcel durante dos años por predicarles a otros de Cristo y por negarse a cambiar sus sermones a una propaganda a favor del marxismo.

Cuando llegaron las tropas de las Naciones Unidas, sintió la seguridad de que sería un hombre libre de nuevo. Sin embargo, lo tomaron por un comunista y lo echaron en otra celda con los comunistas capturados.

Tus proyectos son grandiosos y magníficas tus obras.

Jeremías 32:19

Siendo un hombre compasivo y aceptando la situación como la voluntad de Dios, el pastor Im testificó a los prisioneros comunistas. Muchos se convirtieron a Cristo. «Continuamos escuchando acerca del predicador de este campo de prisioneros», dijo un misionero estadounidense a su amigo que visitaba Corea como capellán.

«Como conoce tan bien a los prisioneros, ¿sería posible que nos ayudara a organizar un culto de evangelización?», preguntó el capellán. Dios contestó sus oraciones.

Los misioneros estadounidenses lograron obtener permiso para tener acceso al pastor Im. Y el «predicador de la prisión» ayudó con fidelidad y predicó en campos de prisioneros a través de Corea del Norte. Miles de comunistas aceptaron a Cristo. En un año, doce mil prisioneros se levantaban cada mañana para reuniones de oración al amanecer.

El pastor Im nunca vio a su familia de nuevo, pero miles se convirtieron en sus hermanos en Cristo en los campos de prisioneros.

«¿Por qué?» Esta es la pregunta en las mentes de todo el mundo cuando vemos sufrimientos y violencia injustos. Sin embargo, no siempre logramos saber los propósitos de Dios. Solo sabemos que son grandes y que al final son para nuestro bien. Somos como piezas individuales de un rompecabezas esparcidas sobre una mesa. Forzamos nuestros ojos de un lado a otro y vemos que las piezas a nuestro alrededor no parecen encajar. Nos sentimos frustrados y atemorizados. Sin embargo, Dios es el Maestro del rompecabezas; el único que ve el cuadro completo. Puede ver todas las piezas en su vida al mismo tiempo. Sabe cómo encajan unas con otras para su propósito mayor. ¿Mirará con confianza y alegría a los ojos del Maestro dondequiera que Él lo ponga?

Historia de Navidad extrema

«¿Alguna vez ha olido el heno fresco?»

Aristar, el chico campesino, comenzó su historia. «Es como si alguien atrapara la esencia de la primavera y la empaquetara antes que perdiera su novedad. María y José deben haberla olido cuando llegaron al establo después de su largo viaje».

Los demás prisioneros escuchaban con atención mientras Aristar hablaba con naturalidad de la Navidad. «Las orejas del caballo debieron haberse volteado hacia el llanto del Salvador en cuanto nació. Oyen muy bien, como debemos ser nosotros cuando habla Jesús».

Hoy les ha nacido en la ciudad de David un Salvador, que es Cristo el Señor.
Lucas 2:11

Afuera de la cárcel rumana de Tirgul-Ocna, la nieve tenía una profundidad de dos metros en la helada noche de la víspera de Navidad. Los prisioneros tenían pocas ropas, poca comida y tan solo una frazada cada uno. Todos extrañaban a sus familias y se voltearon a escuchar la historia de Aristar del nacimiento de Cristo como consuelo.

Él continuó. «La luz de la estrella debe haber sido más brillante que la luna. Es posible que brillara a través de la puerta del establo e hiciera que el gallo cantara anunciando el nacimiento de Cristo». Los prisioneros escuchaban y lloraban. Después de la historia, alguien comenzó a cantar, aumentando poco a poco el eco en el aire claro y nítido. Todo el mundo se detuvo a escuchar el bello sonido.

Aun en la dura cárcel, la historia del regalo de Cristo animó los corazones de muchos. Debido a que Cristo es el fundamento, nadie puede dejar fuera el espíritu de la Navidad.

Desde luego, la Navidad es una celebración anual. Sin embargo, la Navidad es mucho más que eso; ocurre en los corazones de todas las personas que se detienen para celebrar la magia de la llegada de Cristo al mundo, no importa cuál sea la estación. El espíritu de cordialidad de la Navidad brilla en nuestras circunstancias más oscuras y nos recuerda nuestra esperanza en Cristo. Sin importar si vemos nieve en la tierra o no, luces de colores, o un árbol decorado, podemos celebrar la Navidad. No importa la situación que esté atravesando, Cristo nació para ayudarlo en su tiempo de necesidad. Su misericordia está presente a través de todo el año. ¿Cuándo fue la última vez que sintió la esperanza de Cristo viva en su alma? Tome tiempo hoy para celebrar el nacimiento de Cristo, en su mundo y en su corazón.

Más visión extrema

EUROPA ORIENTAL: UN PRISIONERO CRISTIANO

A la prisionera la llevaron ante la comandante adjunta, una mujer dura, enojada, de rostro enrojecido y con hombros anchos.

—Así que tú le has estado hablando de nuevo de Dios a los prisioneros. ¡Yo estoy aquí para decirte que eso tiene que terminar!

Su rostro ilustraba la ira en las cárceles comunistas de Europa Oriental.

La prisionera permaneció de pie de manera tranquila, pero resuelta. Le informó a la comandante que nada la detendría de hablar sobre su Salvador.

La comandante levantó su puño para pegarle a la prisionera, pero se detuvo de repente.

—¿De qué te estás sonriendo? —exigió ella.

—Estoy sonriendo por lo que veo en sus ojos.

—¿Y qué ves?

—A mí misma. Yo también era muy impulsiva. Me enojaba y acostumbraba a atacar hasta que aprendí lo que en verdad significa amar. Desde entonces, ya no cierro mis puños.

»Si mira a mis ojos —continuó—, se verá como solo Dios la pudiera hacer, al igual que lo hizo conmigo.

La prisionera veía cómo su antigua persona pudiera haber defendido sus derechos, regresando insulto por insulto. Sin embargo, a causa de su nueva vida en Cristo, solo mostraba amabilidad y se ganó el derecho de continuar su testimonio.

Con respecto a la vida que antes llevaban, se les enseñó que debían quitarse el ropaje de la vieja naturaleza... y ponerse el ropaje de la nueva naturaleza, creada a imagen de Dios, en verdadera justicia y santidad.

Efesios 4:22, 24

Las manos de la comandante cayeron a sus lados. Parecía estar anonadada por completo y dijo con calma:

—Váyase.

La prisionera continuó testificando de Cristo a través de la cárcel, sin más interferencia de la comandante.

Los intentos de la comandante de irritar a la prisionera eran como discutir con una persona muerta. Era como si estuviera tratando de provocar a un cadáver. Al final, la comandante vio a la prisionera por lo que en realidad era: una nueva creación en Cristo. Había desaparecido la persona antigua que antes hubiera respondido al odio con más odio. En su lugar, la prisionera permitió que la comandante solo viera sosiego y amabilidad como Cristo. Asimismo, debemos vernos en una nueva luz. Ya no nos vemos obligados a responder a nuestro enemigo con el rencor del mundo. Hemos muerto a la antigua manera de vivir. Cuando el enemigo le pega, empuja o provoca a actuar de manera indecorosa, aprenda de la prisionera en esta historia. Hágase el muerto.

Cruce extremo de un río

Diciembre 28

TAILANDIA: EL HERMANO HO

El hermano Ho estaba enfermo y tenía fiebre cuando él y su amigo entraron a las heladas aguas del río Mekong. Eran estudiantes de Biblia en Laos antes que los soldados comunistas invadieran su escuela.

Apenas lograron escapar con vida en camino a Tailandia. No se despidieron de sus familias, que no eran cristianas, porque los podían entregar a la policía. Así que oraron en silencio y entraron al río frío y fangoso con su valioso cargamento atado a sus espaldas: Biblias envueltas en plástico. Otras posesiones terrenales se quedaron atrás.

Mira, Señor, cuánto amo tus preceptos; conforme a tu gran amor, dame vida.
Salmo 119:159

Ho pensó: «Señor, al menos si morimos, sabrán que somos cristianos y esperamos que lean una de estas Biblias».

Como en el medio del río, el amigo de Ho movió con desesperación la bolsa de plástico debajo de su pecho para flotar sobre ella. El ruido repentino de chapoteo alertó a los guardias en una torre cercana y enfocaron una luz sobre el río. La luz brilló sobre uno de los bultos de plástico y el guardia lo tomó sencillamente como un pez.

Tranquilizados, Ho y su amigo llegaron en silencio a la orilla del río en Tailandia. Le dieron gracias a Dios que sus Biblias contenían las palabras de vida eterna y también les salvaron la vida esa noche. Después de llegar a un lugar seguro, se dedicaron a ministrar en los muchos campamentos de refugiados de Tailandia.

Los misioneros en esta historia confiaban en más que el papel y las cubiertas de cuero para salvarlos. Confiaron en Dios. Aun así, su cruce del río a medianoche nos da una imagen clara del papel que la Biblia debe representar en nuestras vidas. Debemos confiar en la Palabra de Dios como si nuestras propias vidas dependieran de ello. No es probable que nos encontremos en una situación donde esta verdad se convierta en una realidad literal. Sin embargo, la ilustración es válida. Debemos aferrarnos a las promesas de las Escrituras a fin de preservar nuestras vidas. Cuando estamos en problemas, no podemos nadar lo bastante lejos por nuestros propios esfuerzos para salir del embrollo. Debemos «flotar» en la Palabra de Dios o nos hundiremos por completo.

Tentación extrema

RUMANIA: SABINA WURMBRAND

En todos los años de su matrimonio, Sabina Wurmbrand nunca flaqueó en su amor por su esposo. No obstante, habían pasado muchos años desde que escuchara noticias suyas en la cárcel. Incluso se rumoraba que había muerto, pero ella sentía a Dios que le decía que se sostuviera y creyera. ¿Estarían juntos de nuevo algún día?

Sabina aún era joven y, con un hijo adolescente que criar, a menudo sintió la tentación del amor y la compañía. Así que cuando un cristiano amable y apuesto llamado Paul comenzó a visitarla y ayudar a su hijo con sus estudios, era natural que se sintiera atraída. Algunas veces la tomaba de la mano mientras caminaban juntos o miraba con anhelo a sus ojos.

Todo lo disculpa, todo lo cree, todo lo espera, todo lo soporta. El amor jamás se extingue.
1 Corintios 13:7-8

Al final, Sabina tomó la decisión más difícil. Sabía que si iba a continuar creyendo que se reuniría de nuevo con su esposo, debía evitar todas las tentaciones y enfocarse en la promesa de Dios para ella. Así que le pidió a Paul que no la visitara más. Él comprendió y accedió con amabilidad.

Poco tiempo después, Dios recompensó su fidelidad. Una mañana mientras estaba en la iglesia limpiando pisos, recibió una tarjeta postal. Estaba firmada por «Vasile Georgescu», pero la letra de su esposo era inconfundible.

Sus ojos se llenaron de lágrimas mientras leía: «El tiempo y la distancia apagan un amor pequeño, pero hacen que un gran amor se haga más fuerte».

Las historias de la iglesia perseguida son sobre personas reales con emociones reales. Los protagonistas en estas pequeñas historias no son como perfectos muñecos de papel. La Voz de los Mártires es la voz inconfundible de la realidad y la verdad. Sabina maniobró a través de las tentaciones que vinieron como resultado de la persecución de su esposo. A él lo estaban probando, sí, pero la fe de ella también la examinaban por igual. La persecución nos toca en diversos niveles. Sin embargo, como hemos visto, los que se dejan atrapar en su severo apretón terminan extrañamente más fuertes como resultado. Como los Wurmbrand, su capacidad de amar aumentará a través de la persecución, si solo le permite alcanzar su verdadero propósito.

Si tiene visión, nada lo atemorizará. Con esta visión, Dios le da poder: No debe temer.

PASTOR IRANÍ

Otro adolescente extremo

PAKISTÁN: TARA

Tara estaba en séptimo grado en Pakistán cuando se matriculó en secreto en un curso de Biblia por correspondencia para aprender más acerca de Dios. Su familia estrictamente musulmana nunca contestaba sus preguntas sobre Jesús y ella estaba resuelta a descubrir la verdad por sí sola.

Sin embargo, cuando sus padres la encontraron en su habitación leyendo libros cristianos, se enfurecieron. En noviembre de 1992 la golpearon con tanta severidad que ella yació inconsciente en una habitación por casi una semana. Cree que un ángel al final la despertó y la ayudó a llegar a un hospital.

Tara continuó creciendo en la fe y en 1995 se bautizó en secreto. Entonces sus padres hicieron planes para que se casara con un musulmán. Cuando Tara no accedió, la golpearon de nuevo. También hicieron que se quedara de pie por varios días sin dormir. Durante este tiempo, Tara tuvo tres visiones en las que escuchaba una voz que le decía: «Yo estoy contigo. Yo soy tu Padre».

Después de más golpizas, cayó en coma. Despertó después de tres días y se encontró en un charco de sangre. Escuchó de nuevo la misma voz alentadora diciendo: «Yo soy tu Padre. Yo te protegeré».

Tara logró escapar y hoy en día vive en una casa segura en otro país donde sirve al Señor a tiempo completo con la promesa de la protección de Dios.

Y todo el que por mi causa haya dejado casas, hermanos, hermanas, padre, madre, hijos o terrenos, recibirá cien veces más y heredará la vida eterna.

Mateo 19:29

¿Es el cristianismo una causa perdida? Quienes viven en los países restringidos saben lo que es perder a causa de su fe en Cristo. Saben cómo pueden perder sus familias de varias maneras diferentes. Una familia musulmana pudiera rechazar por completo como infieles a miembros de la familia conversos. Los destierran. Una familia cristiana no la pasa mejor, aunque bajo condiciones diferentes. Los extremistas exterminan a familias completas a causa de su fe. Las pérdidas son horrendas. Sin embargo, tenemos la promesa de Cristo. Cualquier cosa que quizá perdamos por su causa se recuperará cien veces en nuestra vida eterna en el cielo. No es una apuesta. Es un riesgo calculado basado en la infalible Palabra de Dios: O bien confía en ella o no.

Acerca de La Voz de los Mártires

Sirviendo a la iglesia perseguida desde 1967

La Voz de los Mártires es una organización interdenominacional sin fines de lucro, dedicada a brindar ayuda a la iglesia perseguida alrededor del mundo. La Voz de los Mártires se fundó hace treinta años por el pastor Richard Wurmbrand, quien estuvo preso en la Rumania comunista durante catorce años por su fe en Jesucristo. Sabina, su esposa, estuvo en prisión tres años. En los años de 1960, a Richard, Sabina y su hijo, Mihai, los rescataron de Rumania y vinieron a Estados Unidos. A través de sus viajes, la familia Wurmbrand difundía el mensaje de las atrocidades que enfrentaban los cristianos en las naciones restringidas, mientras que a la vez establecían una red de oficinas dedicadas a brindar ayuda a la iglesia perseguida. Hoy en día, La Voz de los Mártires continúa en esta misión alrededor del mundo a través de los siguientes propósitos principales:

> Alentar y capacitar a los cristianos a cumplir la Gran Comisión en áreas del mundo donde los persiguen por participar en la propagación del evangelio de Jesucristo. Hacemos esto proporcionando Biblias, material impreso, transmisiones radiales y otras formas de ayuda.

> Brindar ayuda a los familiares de los mártires cristianos en esas áreas del mundo.

> Equipar a los cristianos locales a fin de ganar para Cristo a los perseguidores que se oponen al evangelio en países donde persiguen sin cesar a los creyentes por su testimonio cristiano.

> Emprender proyectos de aliento a fin de ayudar a los creyentes para que les sirva de edificación en su vida y sean testigos en países que han sufrido la opresión comunista.

> Informar al mundo acerca de las atrocidades cometidas contra los cristianos y del valor y la fe de los que sufren persecución.

La Voz de los Mártires publica un boletín mensual gratuito con información actualizada sobre la iglesia perseguida alrededor del mundo que incluye sugerencias de las maneras en que se puede ayudar.

Para suscribirse, llame o escriba a:

La Voz de los Mártires
Apartado Postal 500-3100
Santo Domingo de Heredia,
Costa Rica
Teléfono: (506) 244-2164
Fax: (506) 244-3790
Correo electrónico: persecucion@racsa.co.cr
Sitio Web: http://www.persecucion.or.cr

The Voice of the Martyrs
P.O. Box 443
Bartlesville, OK 74005
(800) 747-0085
e-mail: thevoice@vom-usa.org
Web site: www.persecution.com